우루과이라운드

농산물 협상 6

우루과이라운드

농산물 협상 6

한국학술정보

| 머리말

　우루과이라운드는 국제적 교역 질서를 수립하려는 다각적 무역 교섭으로서, 각국의 보호무역 추세를 보다 완화하고 다자무역체제를 강화하기 위해 출범되었다. 1986년 9월 개시가 선언되었으며, 15개 분야의 교섭을 1990년 말까지 진행하기로 했다. 그러나 각 분야의 중간 교섭이 이루어진 1989년 이후에도 농산물, 지적소유권, 서비스무역, 섬유, 긴급수입제한 등 많은 분야에서 대립하며 1992년이 돼서야 타결에 이를 수 있었다. 한국은 특히 농산물 분야에서 기존 수입 제한 품목 대부분을 개방해야 했기에 큰 경쟁력 하락을 겪었고, 관세와 기술 장벽 완화, 보조금 및 수입 규제 정책의 변화로 제조업 수출입에도 많은 변화가 있었다.

　본 총서는 우루과이라운드 협상이 막바지에 다다랐던 1991~1992년 사이 외교부에서 작성한 관련 자료를 담고 있다. 관련 협상의 치열했던 후반기 동향과 관계부처회의, 무역협상위원회 회의, 실무대책회의, 규범 및 제도, 투자회의, 특히나 가장 많은 논란이 있었던 농산물과 서비스 분야 협상 등의 자료를 포함해 총 28권으로 구성되었다. 전체 분량은 약 1만 3천여 쪽에 이른다.

2024년 3월
한국학술정보(주)

| 일러두기

· 본 총서에 실린 자료는 2022년 4월과 2023년 4월에 각각 공개한 외교문서 4,827권, 76만여 쪽 가운데 일부를 발췌한 것이다.

· 각 권의 제목과 순서는 공개된 원본을 최대한 반영하였으나, 주제에 따라 일부는 적절히 변경하였다.

· 원본 자료는 A4 판형에 맞게 축소하거나 원본 비율을 유지한 채 A4 페이지 안에 삽입하였다. 또한 현재 시점에선 공개되지 않아 '공란'이란 표기만 있는 페이지 역시 그대로 실었다.

· 외교부가 공개한 문서 각 권의 첫 페이지에는 '정리 보존 문서 목록'이란 이름으로 기록물 종류, 일자, 명칭, 간단한 내용 등의 정보가 수록되어 있으며, 이를 기준으로 0001번부터 번호가 매겨져 있다. 이는 삭제하지 않고 총서에 그대로 수록하였다.

· 보고서 내용에 관한 더 자세한 정보가 필요하다면, 외교부가 온라인상에 제공하는 『대한민국 외교사료요약집』 1991년과 1992년 자료를 참조할 수 있다.

| 차례

정 리 보 존 문 서 목 록

기록물종류	일반공문서철	등록번호	2020030103	등록일자	2020-03-12
분류번호	764.51	국가코드		보존기간	영구
명 칭	UR(우루과이라운드) / 농산물 협상, 1992. 전4권				
생 산 과	통상기구과	생산년도	1992~1992	담당그룹	
권 차 명	V.4 12월				
내용목차	* 4.10. 한국 국별 이행계획서 GATT 사무국 제출 　　- 사절단 대표: 김영욱 농림수산부 통상협력 2담당관 　5.21. EC CAP(공동농업정책) 개혁안 타결 　11.20. 미.EC oilseed 및 UR 농업보조금 협상 타결 　12.7.-23. 농산물 협상 　　- 수석대표: 김광희 농림수산부 기획관리실장				

0001

공   란

공   란

공   란

공   란

공   란

공   란

공   란

사 본 배 포 선

==================

통상기구과

경제기획원	1/3
농림수산부	2/3
청 와 대	3/3

0009

분류번호	보존기간

발 신 전 보

WJA-5069   921201 1536 WG

번 호 : _____   종별: 지급

수 신 : 주 일 대사. 총영사

발 신 : 장 관 (통 기)

제 목 : UR 농산물 협상

*1993.6.30.에 예고문에
의거 일반문서로 재분류됨*

검토필(1999.12.31.)

대 : JAW-6323

1. 앞으로의 UR 협상은 농산물을 비롯하여 전분야에 걸쳐 빠른 속도로 진전될 것으로
   예상되며, 관세화 예외확보등 우리의 핵심 관심사항을 협상결과에 반영시키기
   위하여는 일본등 우리와 입장을 같이하는 국가들과의 공동대처 필요성이 시급히
   대두되고 있음.

2. ~~주 제네바 대사는~~ 최근 일본 언론 보도나 제네바 현지 일본 관계관등과 접촉한
   ~~결과~~, 일본의 입장이 종전보다 상당히 완화되는 듯한 인상을 받고 있으며,
   이와 같은 일본의 입장변화는 우리의 협상 대응에 중대한 영향을 미칠 것으로
   평가~~하고~~ 됨.

3. 이와관련, 귀직은 가급적 빠른 시일내 주재국 외무성, 농림수산성의 고위간부와
   접촉하여 예외없는 관세화 문제에 대한 일본정부 입장의 진의를 확인, 보고
   바람. 끝.

(차관 노창희)

아주국장: R

보 안 통 제	他

앙고재	92년12월1일 통상기구과	기안자성명 안명수	과장 他	심의관 홍정흥	국장	차관	장관	외신과통제

0010

	분류번호	보존기간

발 신 전 보

번 호 : WGV-1857   921201 1640 WG   종별 :

수 신 : 주 제네바 대사. 총영사   (친전)

발 신 : 장 관

제 목 : UR 협상 농산물 대책

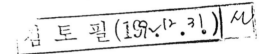

대 : GVW-2242

검 토 필 (199▒▒.3|)

1. 대호 귀직의 건의를 포함한 UR 농산물 협상 대책 문제는 ~~국▒의 보안▒ 요하는~~ 부분
~~▒▒▒▒▒~~ 내▒적으로 검토를 진행하더라도 ~~▒▒▒~~ 국내정치 일정상 공식적으로
논의하기는 매우 어려운 형편임.

2. 동건은 앞으로 UR 협상의 추이를 보아가며 관계부처와도 협의, 검토해 나갈
예정~~임~~ ~~끝~~이나 별도지시 있을 때까지 기존방침에 따라서
대처해 나가기 바람. 끝.

(장 관 이 상 옥)

예고 : 93.6.30. 일반

<table>
<tr><td rowspan="2">앙
고
재</td><td rowspan="2">92
년
12
월
1
일</td><td rowspan="2">통
상
기
구
과</td><td>기안자
성명</td><td></td><td>과 장</td><td>심의관</td><td>국 장</td><td>차관보</td><td>차 관</td><td>장 관</td></tr>
<tr><td></td><td></td><td>卄
최리</td><td></td><td>芊</td><td></td><td></td><td></td></tr>
</table>

	보 안 통 제	卄

	외신과통제

관리 번호	92-901

외 무 부

종 별 :

번 호 : GVW-2246

일 시 : 92 1201 1730

수 신 : 장관(통기),봉이,경기원,재무부,농수산부,상공부)

발 신 : 주 제네바 대사

제 목 : UR 농산물(잔존수입 제한 조치의 관세화)

연: GVW-1886(92.10.8), 1258(92.6.23)

1. DUNKEL 총장은 11.26 TNC 회의에서의 발언문을 통해 향후 T4 운영관련 아래 2 가지 사항이 성탄절 휴가이전 종결지을 계획인 DFA 의 다자적 검토 (MULTILATERAL REVIEW) 대상이 됨을 명백히 한바 있음.(상기 발언문 8 항(III) 참조)

가. DFA 의 특정부분에 대한 해석상의 견해차가 시장접근 및 서비스 양허협상 (특히 시장접근 협상)의 진전을 가로막고 있는 경우

나. 법제화 작업에서 법적, 기술적 DRAFTING 의 차원을 넘어서는 사항

2. 또한 작 12.30(월) 시장접근 비공식 협의시 DENIS 의장은 농산물 분야의최소 시장접근 (MMA) 및 현행시장 접근 (CMA) 등 MODALITY 분야에서의 해석상의 차이를 상기 다자적 검토 대상의 한가지 예로 언급한바 있음.

3. 금년 미.호.뉴 3 개국과 2 차례의 쇠고기 양자 협상에서 농산물 협정 ANNEX 3 의 주석 규정을 두고 상반된 해석 입장을 보인바 있고 또한 아국의 잔존 수입 제한 조치의 관세화 가능 여부 문제에 대해 GATT 이사회시등 상반된 의견을 보인바 있어 내주 이후 시장접근 협상에서 문제로 제기될 경우 바로 상기 1 항 "가"의 범주에 해당될 가능성이 있음.

4. 연호 GATT 사무국 LINDEN 고문, WOLTER 농업국장등의 견해는 아국이 이문제를 먼저 제기할 필요는 없다는 의견인바, 상기 관련 3 개국이 먼저 시장접근 협상에서 문제를 제기, 그들이 의도하는 방향으로 동 주석조항이 해석되도록 유도 또는 조항의 수정을 시도할 경우를 대비 철저한 대책 수립이 필요하다고 생각하며, 아울러 아국이 이문제를 먼저 거론할 실익에 대해서도 일응 검토 바람.

(대사 박수길-국장)

예고: 92.12.31. 까지

통상국	장관	차관	2차보	통상국	분석관	청와대	안기부	경기원
재무부	농수부	상공부						

92.12.02   05:45

* 원본수령부서 승인없이 복사 금지

외신 2과 통제관 CM

0012

외 무 부

종 별 :

번 호 : CHW-2461   일   시 : 92 1201 1800

수 신 : 장관(통이, 아이, 경이, 상공부, 농림수산부)

발 신 : 주 대만공사

제 목 : 대만쌀시장 개방검토

1. 당지 언론에 의하면 대만농업위원회는쌀에 대한 수입제한 해제를 검토중이라함.

2.   현재   대만은   쌀수입시   농업위원회양식국의   허가를   요하는   방식으로
규제하여왔으나, 향후 GATT 가입을 앞두고 GATT 원칙에 따라이를 해제하되 관세보호 및
수입쿼터 등의방식으로 전환하고 농업기술 개량, 환경보호, 휴경지원 등 분야에서
정부보조금을 지원하는 방식등을 검토중에 있다고함. 끝.

   (공사 민병규 - 국장)

통상국   아주국   경제국   농수부

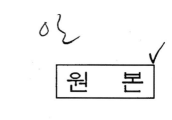

관리번호	92-902

외 무 부

종 별 :

번 호 : FRW-2465   일 시 : 92 1201 1740

수 신 : 장관(봉기),봉삼,경일,구일) 사본:주EC대사,제네바대사-중계필

발 신 : 주 불 대사

제 목 : UR 협상관련 주재국 동향

연:FRW-2428

1. 불 미테랑 대통령은 11.30. 방불중인 BAUDOUIN 벨지움 국왕을 위한 만찬 석상에서 '미-EC 간 농산물 협상타결안은 15 개 UR 협상분야중 1 개분야에 국한된 사항으로 불란서 입장은 전체협상의 타결내용 (ACCORD GLOBAL)을 고려하여 결정될 것' 이라고 밝힘으로써 현재 논의되고 있는 <u>VETO 권 행사는 상금 시기 상조</u>임을 간접적으로 시사함.

2. 반면 SOISSON 농업장관은 12.7. 개최될 것으로 예상되는 EC 외무, 농업장관 합동 회의에 대비하여 불 정부는 미.EC 타협안과 CAP 간 양립문제와 관련된설문서를 여타 회원국에 조만간 배포할 예정임을 밝히고, 불정부 입장은 BEREGOVOY 수상이 11.25. 의회에서 밝힌 미.EC 타협안 수락 불가입장 (필요시 VETO 권사용) 에서 변함이 없음을 강조함.

3. 상기와 같이 불란서는 대외적으로 VETO 권 사용등 전면적 불사 입장을 견지하면서도, 여타 UR 협상분야를 통한 농업분야 보상 방안 강구 가능성을 시사하는 등 다소 이중적 입장을 표명하고 있는 바, 이는 당분간 강경입장을 고수할수 밖에 없는 국내 정치적 입장과 함께 대외적으로 불란서의 고립 및 EC 분열의 위기를 가능한 방지하면서 EC 내 불 입장 동조 기반을 확충코자 하는 시도로 보임.

4. 한편 불 FNSEA 농민단체 대표에 의하면 12.1. 스트라스부르그에서 개최된 대규모 농민시위는 주최측 예상을 초과한 5 만명 이상의 농민이 참가하였으며, 불란서, 이태리, 독일, 벨지움은 물론 스위스, 핀랜드, 오지리 등 여타 유럽제국과 함께 한국, 일본, 카나다 등 비유럽국가의 농민대표도 참가하였다고 밝힘. 끝

(대사 노영찬-국장)

예고: 93.6.30.까지

통상국 안기부	장관 중계	차관	2차보	구주국	경제국	통상국	분석관	청와대

PAGE 1

* 원본수령부서 승인없이 복사 금지

92.12.02   05:00

외신 2과   통제관 CM

0014

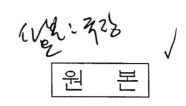

외 무 부

종 별 :

번 호 : ECW-1524

일 시 : 92 1201 1800

수 신 : 장 관(통기,봉삼,경기원,재무부,농수부,상공부)

발 신 : 주 EC 대사 (사본:주미대사,주불,주제네바:중계필)

제 목 : 미.EC 협상 관련 동향

표제 협상과 관련 최근 당지의 동향을 아래보고함.

1. 불란서 동향

가. 미.EC 협상타결 결과에 계속 불만을 표시하고 있는 불란서는 연호 22.17 의EC113조 위원회등을 통해 <u>외무 및 농업합동이사회 소집을</u> 요구하는 한편, 동 협상결과의이사회 상정시 자국에 동조할 회원국 확보를위하여 주요 회원국에대한 설득을 추진하고 있는것으로 보임.

나. 11.30. SOISSON 불란서 농무장관은 런던을방문하여 GUMMER 영국농무장관 (이사회의장)과 회담을 가졌으며, 동 회담후 SOISSON 장관은12.7 외 무. 농업합동이사회를 개최할 것을 요구하였다고 밝히면서, 비록 공식적으로 합동이사회 개최를 확정한 바는 없으나, 개최될 가능성이 높다고 말함. 한편, 동인은 동 긴급합동이사회에서 자국은 미.EC 협상결과가CAP 개혁과 합치되는지 여부에 대한 문제를집 중적으로 제기할 것이라고 밝히고, 자국은 <u>VETO권 행사이외의 방법으로</u> 미.EC협상결과를 거부할 수 있는 방안도 모색하고있으며, 현재 이태리, 벨지움, 스페인이자국입장 에 동조하고 있다고 말함.

다. 한편, 불란서는 11.30 이태리와 무역장관회담및 12.11 이태리와 농무장관회담을 가질 것으로알려짐.

2. 이태리 동향

가. 11.30 VITALONE 이태리 무역장관은 불란서무역장관과 회담을 개최하기 직전에 가진기자회견에서 자국은 올리브유, 대두등 지중해산농산물 수출을 희생시키는 미.EC 협상결과는 수락할 수 없다고 말하면서 OILSEEDS에 대한미.EC 협상결과가 자국대 두에 미칠 영향에대하여 밝혀 줄 것을 요구함.

나. 또한, 11.27 AMATO 이태리수상은 성명을 통해 미.EC 협상결과가 EC

통상국   경기원   재무부   농수부   상공부

PAGE 1

농업에미치는부정적인 영향을 줄이기 위해 회원국들과협상할 것이라고 말하였으며, FONTANA농무장관은 미.EC간의 OILSEEDS협상결과는 120천 명에 달하는 자국대두생산농가에 큰 피해를 줄 것이며, 수출보조물량의21프로 감축도 받아드릴 수 없다고 말함. 이와반 면이태리의 상공업게는 VITALONE 무역장관에게농산물 문제가 UR협상타결에 영향을 미쳐서는안되며, 이태리는 FLEXIBLE한 입장을 견지해야한다고 요구하고 있는 것으로 알려짐

3. EC 농민단체 동향

가. 12.1 FNSEA등 불란서 농민단체가 주최한미.EC 협상결과 및 UR 협상반대를위한스트라스부륵 시위에는 EC 회원국 농민 및카나다, 스위스, 북구, 일본, 아국(한호선농협회장등 13명이 참가하였으며, 12.3 당지를방문 예정임)의 농민대표등 4-5만명이 참가한것으로 보도됨.

나. 한편, EC의 농민단체연합회인 COPA는미.EC 협상결과를 토대로하여 갓트/UR농산물 협상이 타결될 경우, 2000년까지 EC농민은 현수준의 절반 가량인 5백만명수준으로 감소될 것이라고 주장함. 끝.

(대사 권동만 - 국장)

외 무 부

종   별 :

번   호 : GVW-2251   일   시 : 92 1201 2200

수   신 : 장관(통기, 경기원, 재무부, 농수산부, 상공부)

발   신 : 주 제네바 대사

제   목 : 공통이해 관계국 대사간 UR대책 비공식협의

1. 본직은 금 12.1(화) 예외없는 관세화에 반대하는 주요국가 대사(카나다 SHANNON 대사, 일본 ENDO 대사, 스위스 ROSSIER 대사 및 멕시코 SEADE 대사)를 조찬에 초청, UR 협상의 정치적 PACKAGE 성립이 임박함에 즈음하여 관세화 반대에 이해를 공유하는 국가들이 단순한 반대입장의 개별적 표명에서 한걸음 더나아가 긴밀한 의견교환 및 공동대처를 하는 것이 필요할 것으로 본다고 전제하고, 동문제에 관한 대책 협의를 제의한바, 참석대사들도 이에 동의하면서, 각자 아래와 같이 자국의 입장, 견해등을 밝힘.

    가. 카나다 SHANNON 대사

    - 12.4(금) DENIS 의장주재 농산물 회의(15-18 개국 참석 예상)에서는 관세화 문제가 최우선적 잇슈로 등장할 것으로 봄.

    - 카나다는 헌법 개정안에 대한 국민투표 부결이후 정치적으로 관세화를 수용하기가 더욱 어려워 진것은 사실이나

    - 미국, EC 양측이 관세화가 농산물 교역 자유화의 방편이지 그자체가 목적일 수 없다는 점을 인식하여, 관세화의 조건(TERMS OF DEAL)을 정함에 있어서 카나다의 입장을 수용할 경우 카나다는 전향적 입장을 취할 수 있음.

    - 예외없는 관세화 반대국가가 취할수 있는 대안은 1) 각국이 1 개 품목씩 선정 예외화하는 방안(ONE COUNTRY, ONE EXCEPTION)과 2) 스위스 방식의 2 가지라고 봄.

    - 전자의 경우 미국의 PEANUTS. 낙농제품등의 국내 로비에 비추어 특정 1 개 품목을 선정하기 어려워 SECTION 22(농업조정법)예외 대상 품목 전체를 계속 보호하고자 하는 입장을 취할 것이므로 현실성이 없음.

    - 후자의 대안은 완전히 만족스럽지는 않으나 스위스, 카나다등의 입장에서는 고려해 볼만한 대안임.

| 통상국 | 장관 | 차관 | 2차보 | 분석관 | 청와대 | 안기부 | 경기원 | 재무부 |
| 농수부 | 상공부 | | | | | | | |

92.12.02   08:42

외신 2과   통제관 BX

- 카나다의 경우 국내 정치적 어려움이 있는 것은 사실이나, 아래 2 가지 사항에 비추어 정치적 PACKAGE 합의를 방해하면서까지 관세화 반대입장을 관철할것인지는 확언할 수 없음.

0 미국, EC 와의 긴밀한 유대 및 그들로부터의 압력

0 년말까지 정치적 PACKAGE 성립이[84f0 년말까지 정치적 PACKAGE 성립이 이루어져야 한다는 카나다의 확고한 입장등

나. 일본 ENDO 대사(외무성 UR 협상 전담대사)

- 솔직히 일본의 입장은 변화(EVOLVING)하고 있다고 일본정부로서는 무언가선택해야 할(SOMETING MUST BE DONE) 입장임을 절감하고 있음.

- 이에따라 첫째 시장접근 부문에서 다소의 신축성을 보이면서 관세화의 예외를 얻어내는 방향에서 검토를 진행중임

- 미국, EC 와의 양자적 대화를 통해 1 국 1 개 품목 예외 방안을 이미 논의해 보았으나 미국은 수용불가 입장을 명백히 함.

- EC 도 물론 바나나 쿼타문제를 안고있으나 내부적으로 독일이 이를 강력히 반대, 종국에 가서는 바나나 수입을 관세화 하지 않을수 없을 것인바, 따라서EC 도 관세화 예외에 반대할 것이 분명히 예견됨.

- 일본은 공식적으로 발표는 않고 있으나 현재 쌀 및 낙동제품의 최소시장 접근을 적절한(MANAGEABLE) 수준(1-1.5% 등을 고려중)에서 개방하는 문제를 고려하고 있음. 그밖에 고율의 TE 설정, 세이프 가드 강화 방안도 검토중임.

- 결국 일본의 입장에서는 최소시장접근에서는 융통성이 있으나 관세화 자체는 아직 받을수 없는 상황이므로 년말까지 TAKE IT OR LEAVE IT 의 상황이 될 경우 결국 내년 3 월(미국의 신속승인 절차 시한)까지는 수락도 거부도 하지 않는 모호한 입장을 취하게 될 가능성이 많음.

- 당면 대책으로는 미.EC 간 농산물 분야 합의내용의 문제점을 공격하면서 가급적 일본 입장이 많이 반영될 수 있도록 대처해 나갈 수 밖에 없음.(언도대사의 말 인용 불원)

다. 스위스 ROSSIER 대사

- 이미 관세화 원칙은 받아들이되, 동 시행을 연기하느 제안을 제시해둔바, 이를 반영하는 형식에 대한 구체적 방안을 아직 밝히기 어려우나

- 이를 관철코자 하는 정치적 의지는 변함없음.

라. 멕시코 SEADE 대사

PAGE 2

0018

- NAFTA 협정으로 장기적인 관점에서 관세화를 수락한 것은 사실이나, 현재로서는 민감품목에 대한 관세화에 반대하고 있음.

- 그러나 결국에는 관세화 조건(TERMS OF DEAL)에 따라서 관세화의 원칙을 받게될 수 밖에 없는 입장이 될것임.

2. 본직은 아국의 변함없는 입장을 재강조하고, 앞으로도 가능한 범위내에서 공동대처해 나갈 것을 제의한바, 참석대사들이 이에 동의함으로써 차기 접촉시에는 놀웨이, 이스라엘, 인도네시아등을 포함하여 협의를 계속키로 일단 합의함.

3. 그러나 금일 협의과정에서 멕시코, 스위스, 카나다 3개국은 결국 관세화를 수용하되 시행을 연기하는 방향으로 선회하여 관세화 원칙의 수락, 거부보다는 구체적 조건(TERMS OF DEAL)에 더 관심을 보이고 있고, 일본은 최소시장 접근 등에서 상당한 융통성을 보이고 있으나 유독 아국만이 전혀 융통성을 보이지 않는등 각국의 구체적 입장에 뚜렷한 차이가 있다는 점이 확연히 들어났고, 또한여타 모든 협상 참가국이 년말이전 정치적 합의 성립에 확고한 의지를 보이고있는 상황에서 5-6개국이 동 대세를 거슬리는 방안을 논의(CONSPIRING)한다는인상을 회피해야 한다는 일부 의견도 대두됨으로써, 공동전략의 수립, 시행에는많은 한계가 있는 것으로 판단됨.

4. 인니 대사는 자국도 FOOD ADEQUACY POLICY 에 입각, 예외없는 관세화에 반대한다고 하고 유사 입장 공유국의 회동에 참가하기를 희망하였으므로 명일(12.2)멕시코, 인니대사등과 회동 공동관심사를 계속 협의할 예정임.끝

(대사 박수길-장관)

예고:93.6.30 까지

	분류번호	보존기간

발 신 전 보

WGV-1877   921202 1840 CR

번   호 : _____   종별 : _____

수   신 : 주 제네바   대사. 총영사

발   신 : 장 관 (통 기)

제   목 : UR 농산물 협상

      UR 농산물 협상과 관련한 11.30자 귀직의 건의내용을 제2차관보가 금 12.2.

경제기획원장관, 농림수산부장관 및 경제수석을 직접방문, 설명하였으니 참고바람.끝.

(통상국장   홍 정 표)

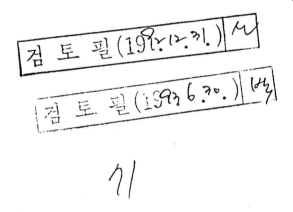

검 토 필 (1992.12.31.)

검 토 필 (1993.6.30.)

제2차관보 ///

	보 안 통 제	世

앙 고 재	92 년 12 월 2 일	통 상 기 구 과	기안자 성명		과 장	심의관	국 장		차 관	장 관	
					世		전결		/	涉	

외신과통제

0020

발 신 전 보

WJA-5089   921202 1808 EJ 종별: 긴 급

WGV -1876

번   호 :

수   신 : 주 일   대사. *총영사* (사본 : 주 제네바 대사)

발   신 : 장 관 (통 기)

제   목 : UR 농산물 대책

연: WJA-5069

　　　귀주재국 외무성 및 농림성 요로와 접촉하여 일본이 UR 쌀개방 문제에 대한
대안을 가지고 미국등 협상대상국과 교섭한 사실이 있는지 여부 및 그러할 경우
동 교섭내용 탐문 보고바람.　　끝.

(차관 노창희
(장관 이상옥)

검 토 필(199z(12기) 서

검 토 필(1993.6.30.) 안

보안 통제	

앙 고 재	년 12 월 2 일	통 상 기 구 과	기안자 성명	과 장	심의관	국 장	차 관	장 관	외신과통제
			안경숙		홍정종				

0021

외 무 부

종 별 :

번 호 : ECW-1534   일 시 : 92 1202 1730

수 신 : 장관(통기,통삼,경기원,재무부,농림수산부,상공부,기정)

발 신 : 주 EC 대사   사본: 주 미,주제네바-본부중계필

제 목 : GATT/UR 협상

1. EC-미국간 UR 농산물관련 합의사항을 문서화시키기 위한 양측 실무자회담이 금주초 이래 당지에서 개최되고 있는바, 이와관련 당관 주철기참사관이 12.2. 당지 미국대표부 GATT 담당관 RICHARDS 로부터 파악한 내용은 아래와같음

가. 미국 USTR 의 O MARA 농업담당 대표및 MS. EARLY 대표보가 현재 브랏셀에서 EC 관계자들과 함께 11.20 워싱턴에서의 농산물합의 결과를 보완, 문서화시키기 위한 작업을 진행중임

나. 동 문서화작업은 빠르면 금 12.2. 또는 12.3. 까지는 완료될 것으로 보이며, 그 경우 미국대표단은 곧 제네바로 가서 GATT/UR 협상회의에 미-EC 간 농산물 분야 합의내용을 문서로서 제출케 될것임

다. 동 합의문서에는 UR 농산물 합의내용과 OILSEEDS 관계 합의내용을 함께 포함할 것으로 봄. 미국은 OILSEEDS 문제가 UR 협상타결 문제와 분리될 수 없다는 것을 일관되게 주장해왔고, EC 로서도 현재 그러한 맥락에서 추진하고 있는것으로 앎

라. EC 집행위가 작주 공표한 EC-미국간 합의내용이 EC 의 CAP 개혁과 양립한다는 보고서 내용에 대하여 미국으로서도 전반적으로 이의가 없으나 다만 농산물 수입시장접근 (수입제도) 면의 추가적 개선과 바나나를 포함한 완전관세화를 EC 가 받아드릴 것을 EC 측에대해 거듭 촉구하고 있음

마. 불란서의 요청에따라 EC 는 12.7. 로 예정된 외상급 이사회시 농업상들도 함께 참석시켜 UR 문제를 토의케 될것으로 보나, 불란서가 그 단계에서나 에딘버러 정상회담 개최단계에서는 UR 문제에대한 VETO 권 행사를 시도하지 않을 것으로 봄

2. 동담당관은 미국 상무성의 11.30 대 EC 철강관계 상계관세 잠정부과조치와 관련하여, EC 가 크게 자극받고 있는것은 사실이나 미국이 철저히 GATT 규정의 범위내에서 이문제를 제기했음으로 EC 로서도 대응하는데 어려움이 있을 것이고, 또

통상국 재무부	장관 농수부	차관 상공부	2차보 중계	통상국	분석관	청와대	안기부	경기원

PAGE 1   92.12.03   04:48

* 원본수령부서 승인없이 복사 금지   외신 2과 통제관 FR

0022

미국의 금번조치는 예비적 조치이기 때문에 이문제에 대한 미국의 최종 공식조치 발표가 있기전 까지는 EC 로서도 어떤 대응 보복조치를 발표케 되지는 않을것으로 본다 말함

　3. 한편 EC 의 COREPER II 회의(대사급회의) 가 12.2. 개최되어, 12.7. 각료 이사회 의제와 UR 및 OILSEEDS 문제에 대해 토의했음. 끝

　(대사 권동만-국장)

　예고: 92.12.31. 까지

PAGE 2

원 본

외 무 부

종 별 : 지 급

번 호 : GVW-2256   일 시 : 92 1202 1800

수 신 : 장관(통기, 경기원, 재무부, 농수산부, 상공부)

발 신 : 주 제네바 대사

제 목 : 인니대사와 UR 대책 비공식 협의

연: GVW-2251

1. 금 12.2(수) 본직과 조찬회동한 인도네시아 BROTODININGRAT 대사는 아국등과의 관세화 예외 공동보조 문제에 대하여 인니는 관세화 자체를 반대하지 않는다고 하면서 자국 국내법에의한 쌀의 수입, 수출관리를 위하여는 쌀의 최소시장 접근(MMA)을 받을수 없다고 하고 이의 시행 연기에 관심이 있다고 함. (스위스, 멕시코 대사 참석)

2. 이에 대하여 본직은 CANADA 의 경우 비록 CAIRNS 그룹이지만 관세화 반대 입장을 분명히 한점을 들어 인니도 어떠한 형태로든 이와 같은 분명한 입장 표명이 있어야 할것이라고 하고 특히 명 12.4(금) 농산물 소그룹회의가 관세화에 대한 논의를 할것이므로 그이전에 의사 결정이 있어야 함을 강조함.

3. 동 대사는 24 시간내에 본국과 협의하여 아국등 공통관계국과 입장을 같이 할것인지의 여부를 알려주겠다고 하였음. 끝

(대사 박수길-장관)

예고 92.12.31. 까지

통상국	장관	차관	2차보	분석관	청와대	안기부	경기원	재무부
농수부	상공부							

* 원본수령부서 승인없이 복사 금지   외신 2과 통제관 FR

0024

관리 번호	92-911

외 무 부

종 별 : 지 급

번 호 : JAW-6360   일 시 : 92 1202 1024

수 신 : 장관(통기)

발 신 : 주 일 대사(경)

제 목 : UR 농산물 협상

대 : WJA-5069

대호, 본직의 주재국 인사 접촉시 참고코자 하니 하기사항 지급 회시바람.

1. 그간 제네바 현지에서 한. 일 양측 대표부간 쌀문제 관련 협의 또는 협조내용

2. 본부에서 주한 일본대사관과의 쌀문제 관련 협의 또는 협조내용. 끝.

(대사 오재희 - 차관)

예고 : 92.12.31. 까지

통상국   차관

분류번호	보존기간

발 신 전 보

WJA-5096   921203 1140 WH

번 호 : _____   종별 : 긴 급

수 신 : 주 일   대사//~~총영사~~

발 신 : 장 관(통 기)

제 목 : UR 농산물 협상

대 : JAW-6360

연 : WJA-5092

검 토 필(1992.12.31) 씨

대호 관련 하기 통보함.

검 토 필(1993.6.30.) 박

1. 본부에서의 주한 일본대사관과 협의

o 사안의 전문성 때문에 주한 일본대사관을 통한 협조는 거의 이루어지지 않음.

o 91.12.12. 야나기 주한 일본대사가 조경식 농림수산부장관을 방문, 예외없는 관세화에 반대하며, 한국등 입장이 같은 나라들과 향후 협상에서 공동보조를 취해 나가기를 희망한다는 일본정부 입장을 전달한 바 있으며, 이에 대해 아측은 예외없는 관세화 문제와 관련 양국간 긴밀한 정보교환 및 공동보조의 필요성에 공감을 표명함.

o 제1차 한.일 외무부 다자경제.통상 협의(92.11, 서울)시 아측이 쌀문제와 관련 양국간 협조를 기대한다고 언급하였으며, 일측은 농산물 분야에서 한국과 일본이 공동입장을 취하는 방안을 생각해 볼 수 있을 것이라는 반응을 보임.   / 계속...

제2 라인별 :

	보 안 통 제	박

앙 고 재	통상기구과 92년 12월 3일	기안자 성명 민재경	과장 박	심의관 출장중	국장 전결	차관	장관 박	외신과통제

0026

2. 제네바 현지에서의 협조 내용

　ㅇ 제네바 현지에서는 UR 협상 시작이래 양국 대표부간 협의 및 농산물 협상
　　담당자간 협의를 통해 수시 정보 및 의견교환을 해 왔으며, 구체적 협상
　　대책 마련과 관련한 협조 내용으로는 아래 사항을 들수 있음.

가. 예외없는 관세화 관련 공동제안 추진(91.12.13-16)

　- 주제네바 대사는 91.12.13-15.간 일본, 멕시코, 스위스와 기초식량
　　품목은 관세화 대상에서 제외한다는 내용의 4국 공동제안문을 작성,
　　농산물 협상 회의에 제출하도록 추진하였으나 92.12.16. 멕시코와
　　스위스가 불참을 통보함에 따라 무산되고, 아국과 일본은 각각 별도로
　　입장을 개진함.

　- 4개국 공동안이 무산됨에 따라 아국은 카나다가 제안한 11조 2항(C)
　　강화관련 공동입장에 일본, 이스라엘, 스위스, 노르웨이와 함께
　　참여함.(동 서면입장은 91.12.16. 던켈 사무총장에게 전달)

나. 예외없는 관세화 반대 주요국 비공식 협의(92.12.1)

　- 주제네바 아국대사 주재로 일본포함 예외없는 관세화에 반대하는 주요
　　국가 대사간 비공식 협의가 92.12.1. 개최되어 대책을 협의함.

　- 동 비공식 협의시 일본은 하기 입장을 표명함. (상세내용 연호 참조)
　　1) 일본의 입장이 변화하고 있음.
　　2) 최소시장접근 부분에서 다소의 신축성을 보이면서 관세화의 예외를
　　　얻어내는 방향으로 검토를 진행중임.
　　3) 공식적으로 발표는 않고 있으나 쌀 및 낙농제품의 최소시장접근을
　　　적절한 수준(1-1.5%)에서 개방하는 문제를 검토중이며 기타 고율의
　　　관세 상당치 설정, 세이프가드 강화 방안도 검토중임.

／ 계속...

4) 결국 최소시장접근에서는 융통성이 있으나 관세화 자체는 아직
   수락할 수 없는 상황으로서 내년 3월까지는 수락도 거부도 하지 않는
   모호한 입장을 취하게 될 가능성이 많음.

- 여사한 비공식 협의는 앞으로도 계속될 예정임. 끝.

                              (통상국장   홍 정 표)

0028

관리 번호	92 -*912*				분류번호	보존기간

발 신 전 보

WGV-1881   921203 1058 WG

번   호 : _____   종별 : _____

수   신 : 주   제네바   대사. *총영사*

발   신 : 장 관 (통 기)

제   목 : UR 농산물 대책

검 토 필 (19*92.12.31.*) *서*

검 토 필 (19*93.6.30.*) *박*

대 : GVW-2229, 2250

1. 대호 본부대표단 귀지 파견관련, 농수산부에 대표 조기 파견을 종용하였으나
   부내 사정으로 12.4(금) 회의참석은 어렵다 하고, 12.5(토) 김광희 기획관리실장,
   최양부 농경연 부원장, 김종진 사무관을 파견할 예정이라 하니 양지바람.

2. 12.7. 시작주 시장접근 협상 본부대표단 문제도 관계부처와 협의중인 바,
   확정되는 대로 통보하겠음.   끝.

(통상국장   홍 정 표)

제2차관실

앙 고 재	92 년 12 월 3 일	통 상 기 구 과	기안자 성명		과 장	심의관	국 장		차 관	장 관		보 안 통 제	*박*
					박		전결					외신과통제	

0029

농 림 수 산 부

우 427-760 / 주소 경기 과천 중앙동 1번지 / 전화 (02)503-7227 / 전송 503-7249

문서번호 국협 20644-~~986~~

시행일자 1992. 12. 3 (1 년)

(경유)

수신 외무부장관

참조 통상국장

선결			지시		
접수	일자일시	1992. 12. :	결재·공람		
	번호				
처리과					
담당자					

제목 UR농산물협상 정부대표 파견

　　　　1. '92. 11. 26 TNC회의 합의사항에 따라 개최될 연말까지의 UR농산물분야 현지 협상 참여를 위한 당부대표단을 다음과 같이 파견코자 하오니 협조하여 주시기 바랍니다.

- 다　　　　　　음 -

　　　가. 대표단 구성

소 속	직 위	성 명	비　　　　　고
농림수산부	기획관리실장	김광희	
〃 국제협력과	행정사무관	김종진	
한국농촌경제연구원	부 원 장	최양부	협상대표단 자문

　　　나. 출장기간 : '92. 12. 5 ~ 12. 24 (20일간)

　　　다. 출 장 지 : 스위스 제네바

　　　라. 출장목적 : 1) 현지 협상동향 파악
　　　　　　　　　　 2) 각종 공식, 비공식협의 참석
　　　　　　　　　　 3) 던켈협정초안 수정제안등 아국입장관철 방안강구

　　　마. 소요경비 : $ 17,437 (농림수산부 부담)

첨부　1. UR 농산물 협상대책　1부.

　　　2. 출장일정 및 소요경비 내역　1부. 끝.

농 림 수 산 부 장

0030

출장일정 및 소요경비 내역

가. 출장일정

o '92. 12. 5 (토), 12:55 : 서울 발·(KE 905)
  18:05 : 프랑크푸르트 착
  21:05 : 프랑크푸르트 발(SR 545)
  22:15 : 제네바착

6~22 : 현지협상참여

23 (수) 16:15 : 제네바발 (SR 726)
  17:20 : 파리착
  20:30 : 파리발 (KE 902)

24 (목) 17:35 : 서울착

나. 소요경비

(1) 국외여비 : $ 17,437 (지변과목 : 1113 - 213)

구 분	기획관리실장	김종진 사무관	최양부 부원장
o 항공료	$ 4,575	$ 2,111	$ 2,111
o 체제비	$ 3,458	$ 2,386	$ 2,796
- 일 비	$30×20일 = $ 600	$20×20일 = $ 400	$25×20일 = $ 500
- 숙박비	$106×18일 =$ 1,908	$66×18일 = $ 1,188	$79×18일 = $ 1,422
- 식 비	$50×19일 = $ 950	$42×19일 = $ 798	$46×19일 = $ 874
합 계	$ 8,033	$ 4,497	$ 4,907

UR농산물협상 대책 (안) ('92. 12. 4~23)

o '92. 11. 26 무역협상위원회(TNC)에서 던켈총장이 밝힌 협상일정에 따라 12. 4부터 본격적인 협상이 재개되어 년내 (12. 23경)에 정치적 타결을 시도할 것을 예상되고 있음.

o '92. 11. 20 미국과 EC가 주요쟁점사항에 대하여 양국간 합의함으로써 협상의 타결 가능성이 그 어느때보다도 높아진 상황에서, 미국, EC, 카나다등 케언즈그룹 국가등 협상참여국들이 자국의 이익확보를 위하여 막바지 협상노력을 강화할 것으로 예상됨.

o 협상대표단은 '92. 11. 27 UR대책 실무위원회 결정사항에 따라 기존의 아국입장에 의거 협상에 임하되, 특히 다음방침하에 대처하도록 함.

- 다   음 -

① 시장접근분야에서는 쌀등 기초식량의 관세화 예외는 아국의 핵심적 관심사항인 만큼 포괄적 관세화에 반대하는 입장을 강력히 제기하고, 우리 입장을 던켈초안 수정협상 (T-4)과정에서 반영시키는데 주력할 것. 또한 쌀에 대하여는 최소시장접근도 허용할 수 없음을 밝힐 것.

② 국내보조 분야에서는 식량안보를 위한 공공비축정책등 허용정책의 조건을 완화시키 는데 노력할 것.

0032

③ 수출보조 분야에서는 국제무역 왜곡협상의 근본원인임을 지적하고 국내보조나 시장접근 분야 감축약속에 상응한 엄격한 규율이 있어야 함을 촉구할 것.

④ 개도국우대와 관련해서는 아국이 개도국의 일원이며 농업여건상 필히 개도국우대 조치가 인정되어야 한다는것을 주요협상상대국에 설득하는데 노력을 집중시킬 것.

⑤ 아울러 일본, 카나다, 스위스, 멕시코등 아국과 입장이 유사한 나라들과의 막바지 공동대응 노력을 강활 할 것.

⑥ 기타사항은 기존입장에 따라 대처하되 현지에서 대처하기 어려운 상황이 발생할 경우는 본부에 청훈하여 대응토록 할 것.

던켈초안 수정협상 (T-4) 대책

Core Group 회의참석, 미.EC등 주요국과의 개별접촉, 입장이 유사한 국가와의 공동대응방안 모색등을 통하여 기초식량의 관세화 예외등 아국의 기본입장이 던켈초안에 반영되도록 총력을 집중

---

1. 기본입장

o 협상과정의 형평상 확보

 - 미.EC 합의사항뿐 아니라 여타국가의 중요한 문제들에 대한 만족스런 해결없이 협상을 조기에 종결시키고자 시도할 경우는 협상과정의 형평성 문제를 제기하여 충분한 논의가 이루어지도록 요구

o 협상내용의 형평성 확보

 - 선.개도국 및 수출.입국간의 이익의 균형된 반영을 강조

 - 특히 무역왜곡의 근본원인인 수출보조의 규율은 완화되는 대신 수입국의 국내보조 시장접근분야에 엄격한 규율을 적용하는 것은 형평에 맞지 않음을 제기

o 아국의 핵심관심사항 반영에 최대노력

 - 쌀은 관세화 및 최소시장접근 대상에서 제외

 - 여타 민감품목 (NTC품목)은 관세화 대상에서 제외

 - 개도국우대 확보

0034

2. 던켈초안에 대한 분야별 입장

< 시장접근분야 >

- 예외없는 관세화에 대한 수용불가 입장을 분명히 하고, 식량안보에 의한 쌀등 기초식품과 11조 2항C에 의한 관세화 예외를 반영하는데 주력
  - 기초식품에 대한 식량안보 반영을 위해 일본등과 긴밀히 협조
  - 11조 2항C의 유지개선을 위해 카나다등과 공동대응 방안모색
- 최소시장접근 보장은 원칙적으로 수용가능하다는 입장을 표명하되, 쌀에 대해서는 최소시장접근을 허용할 수 없다는 기존입장으로 대응. 최소시장접근에도 개도국 우대가 필요하다는 점 강조
- 전품목 양허는 공산품과 형평에 맞지 않는다는 점을 지적하면서 일부 민감품목의 경우 양허하지 않을 수 있는 가능성을 확보
- 최저 관세인하폭을 민감품목의 경우 달리 정할 수 있는 융통성을 확보토록 노력

< 국내보조분야 >

- 허용대상정책의 조건완화에 노력하되, 특히 식량안보를 위한 공공비축의 구매 및 판매조건 완화에 주력
- 인플레를 반영할 수 있는 방안 강구
- 미국의 결손지불정책은 왜곡현상이 큰 대표적인 보조정책인 점을 지적 허용정책 에 분류하지 못하도록 문제점을 제기

0035

< 수출보조분야 >

o 수출보조는 가장 무역왜곡적인 조치인 만큼 보다 엄격한 규제가 필요하며 국내보조 시장접근에 우선하여 급격히 감축되어야 한다는 입장을 강력히 제기

o 특히 수출보조의 물량기준 감축폭이 낮아진점에 문제를 제기하고 균형유지를 위해 시장접근분야에서 감축폭 인하등의 방안을 모색

< 기준년도 >

o 개도국의 경우 기준년도 선택에 융통성을 부여할 것을 주장

< 개도국우대 >

o 아국이 개도국 우대를 받을 수 있도록 하는데 주력, 특히 선진국의 개도국 차별 제안이 있을 경우는 반대입장을 강력히 제기, 어타 개도국과 공동대처

< 약속이행 점검방법과 절차 >

o 약속이행등과 관련된 농업위원회 설치, 이행점검방법, 분쟁해결절차등에 대하여는 기본적으로 특별한 문제가 없으나 농업생산과 교역의 특성상 공산품에 적용되는 규정보다는 완화되도록 하는데 주력하고, 명료하게 규정되어야 함을 제기

0036

T-4 협 상 참 고 자 료

1. 던켈초안의 주요내용

가. 협정적용 대상품목

ㅇ 모든 농산물 (가공산품을 포함하며 수산물은 제외됨)

나. 분야별 일반원칙과 감축의무

구 분	일 반 원 칙	감 축 약 속 지 침
가) 시장개방 분 야	① 양허대상 : 관세의 양허와 감축등 시장개방에 관한 약속사항 (MMA, CMA 등) ② 관세화품목은 비관세조치를 재운용하지 않을 것을 약속 ③ 관세화 품목의 수입급증, 국제가격 하락에 대비 특별 긴급피해 구제제도 운용	① 시장개방확대 원칙 : 관세(TE포함) 감축등 시장접근 기회확대 ② 관세감축기준 ㅇ 자유화 품목 　- 양허품목 : 현행 양허세율 　- 비양허품목 : '86. 9현재 실행관세 ㅇ 비관세조치 품목 　- 관세화 대상품목범위 : 국제수지 보호 (GATT 12조, 18조 B) 긴급피해구제제도 운용(제 19조) 식품위생 및 검역규제 (21조) 적용품목을 제외한 모든 비관세조치품목(예외없는 관세화 원칙 규정) 　- TE 산출 : '86~'88 평균 국내외 가격차로 산출

0037

구 분	일 반 원 칙	감 축 약 속 지 침

		③ 감축목표
		
		ㅇ 단순평균 36%(개도국은 24%)
		  - 품목별로 최소 15%이상 감축
		
		④ 이행기간 :
		
		ㅇ '93-'99년 (6개년 이행계획수립)
		  - 개도국 : 10년
		
		⑤ 시장접근 기회보장
		
		ㅇ 현행 수입수준이 국내 소비량의 3%이하인 품목
		  - '93년에 국내소비량의 3% 보장, '99년까지 5%로 증량
		ㅇ 현행 수입수준이 국내소비량의 3%이상인 품목
		  - 현행 수입수준을 보장하고 이를 증량

나) 국내보조
    분   아
	① 양허대상 : 국내보조 감축약속, 허용대상보조의 유형과 운용현황
	
	② 감축약속의 성격 : 당해년도 지원상한이 됨.
	  - 약속수준을 초과하지 아니할 경우 약속의무 준수로 간주
		① 감축대상 국내보조 : 허용정책의 기준을 충족하지 아니한 모든 보조금
		  - 시장가격지지
		  - 감축대상 직접보조
		  - 생산요소보조, 유통비용 절감지원등 기타 감축대상 보조
		
		② 감축기준 : '86~'88 평균 보조액

0038

구 분	일 반 원 칙	감 축 약 속 지 침
	③ 생산자에 대한 허용 대상 보조는 본협정에 제시된 기준을 충족하여 유지할 것을 보장 (대상정책과 기준을 부속서에 제시) - 운용충족시 상계조치 대상이 되지 아니함. ④ 감축대상 보조금이 없을 경우 생산액의 5%(개도국은 10%) 이상으로 보조금을 지급할 수 없음.	③ 보조액 산출방법 - ○ 국내외 가격차 X·지원물량,재정지출액 농가수혜상당액등으로 산출 ④ 감축목표 : 20% (개도국 13.3%) ⑤ 이행기간 : '93~'99(6개년 이행계획수립) - 개도국 : 10년 ⑥ 감축방법 AMS(품목별보조 총액합산), 동등약속등의 방법으로 매년 균등 감축
다) 수출경쟁 분 야	① 일반원칙 : 이행계획서상 의 감축약속과 본협정에 합치되지 아니한 수출 보조 지급금지 ② 양허대상 : 수출보조재정 물량감축약속, 신규시장 신규품목 수출지원 금지 ③ 감축약속 우회행위 규제 원칙 설정 ④ 가공산품 수출보조 상한 규제	① 감축대상 수출보조 - 수출이행에 대한 직접수출보조등 6가지 유형에 대한 재정지원과 보조수혜 물량 ② 감축기준 : '86~'90년 평균 재정지출액과 보조수출물량 ③ 감축목표 - 재정 : 36% (개도국 24%) - 물량 : 25% (개도국 16%) ④ 이행기간 : '93~'99 (6개년 이행계획 수립) - 개도국 : 10년

다. 합의원칙과 감축약속의 이행보장 수단

　① 농업위원회를 설립, 이행계획과 감축이행과정을 점검

　② 이행과정에서의 과도한 인플레이션은 고려

　③ 협의 및 분쟁해결

　　- GATT의 일반절차 (제 22조 및 제 23조의 규정과 절차)에 따름
　　- 이행계획에 포함된 사항에 대하서는 이해당사국의 권리 행사를 적절히 자제하여
　　　행사

라. 농업개혁의 지속

　○ 이행계획 종료 1년전 지속적인 감축을 위한 협상을 개시

마. 협정초안의 주요쟁점

○ 미.EC 양자간 쟁점사항에는 합의를 이루었으나 다자화 과정에 문제제기 가능성이
　있으며, 여타국의 경우 아직까지 자국 농업정책과 수출입에 직접적으로 영향을
　미치게 될 핵심사항 (정치적 의제) 뿐만 아니라 감축약속의 기준과 이행방법등에
　관한 실천적 문제 (기술적 의제)에 있어서도 이견이 다수

○ 연말타결을 전제로 할때 핵심쟁점은 관세화 예외 인정 여부로 귀착될 전망

○ 포괄적 관세화에 대한 예외문제

　- 미.EC,케언즈그룹(카나다 제외)이 포괄적 관세화를 수용하고 있으며,

　- 포괄적 관세화에 반대해온 국가들에 있어서도 카나다와 멕시코는 미국과
　　NAFTA에 합의, 스위스, 오스트리아, 노르웨이등은 EC와의 통합을 추진하고
　　있어 사실상 한국과 일본을 제외하고는 통합된 입장을 강력히 추진하는데 애로

　- 미.EC간의 쟁점이 타결될 경우 이 문제에 대한 최종적 협의가 추진될 것으로
　　예상

0040

2. 아국의 이행계획서(C/S)과 턴켈협정 초안과의 관계

가. 시장개방분야

구 분	턴켈협정초안	아 국 입 장	이행계획 수립결과
1) 관세(TE 포함)감축 기준	◦ 자유화 품목 － 양허품목:양허세율 － 비양허품목 '86 9.1 현재실행 세율 ◦ 비관세조치 품목 :TE('86~'88)국 내외 가격차로 계산)	① 수입자유화 품목 ◦ 양허품목 : 양허세율 ◦ 비양허품목 － '86년이후 자유화 품목 '86~'88평균 TE － '86이전자유화 품목 : '86.9 적용 기본관세 ② 관세화품목 : '88~'90 국내외 가격차로 계산된 TE	<총대상품목 : HS 10단위) ① 수입자유화 품목 : 994 － '86이전 자유화품목 : 792 － '86이후자유화 품목 : 94 ② 비관세조치품목 : 275 　 합 계 1,269 품목
2) 관세화 범위	◦ 예외없는 관세화	◦ 식량안보, 11조2(C)(i) 원용대상품목 은 관세화 제의	◦ 총 275품목중 NTC 관련 124 품목을 제외한 151개 품목 은 관세화 수용 ◦ 쌀,보리등 NTC 15개 품목은 향후 양자협상 및 협정초안 수정협상 결과에 따라 조정 될 수 있음을 전문에 명시 － 15개 품목 : 쌀,보리,쇠고기, 돼지고기, 닭고기, 우유 및 유제품, 고추, 마늘, 양파 감자, 고구마, 감귤, 대두, 옥수수, 참께
3) 관세(TE 포함)	◦ 전품목 관세양허	◦ 전품목 양허불가	◦ 74% 수준양허 － 현행 21%수준에서 74%로 확대 ◦ 양허제외 품목내역 － NTC 15개 품목

0041

나. 국내보조분야

구 분	던켈협정초안	아 국 입 장	이행계획 수립결과
1) 허용감축 대상정책의 기준	○ 정부서비스, 생산자에 대한 직접보조등 허용대상 정책의 기준과 유형을 예시 ○ 허용기준을 충족하지 못한 모든 농업보조는 감축대상으로 간주	○ 보조정책의 목적과 운용형태를 기준으로 허용대상 정책과 감축대상정책으로 구분 ○ 기존아국 입장을 반영 - 식량안보, 식량원조 투자지원 기타 허용보조의 기준 완화	○ 허용기준완화 입장 또는 허용기준의 해석을 통하여 허용정책으로 분류한 정책유형 ① 농업부문에 대한 하부구조 개선정책 ② 식량안보 목적의 운용재고 (쌀, 보리) ③ 국내식량원조 ④ 농가부채 경감 (생산중립적 소득보조) ⑤ 구조조정 투자지원 (영농자금 융자포함) ⑥ 농산물 가격안정사업 및 농조운영비 지원 (기타허용정책)
2) 보조금 산정기준 연도	○ '86 ~ '88	○ '89 ~ '91	○ '89 ~ '91년도 집행실적을 기준
3) 이행기간	○ '93 ~ '99 (개도국 : '93 ~ 2002)	○ '93 ~ 2002 (개도국우대 적용)	○ 감축의무가 발생한 콩, 옥수수, 유채에 한하여 10년간 매년 1.33%씩 감축
4) 감축율	○ 20% (개도국은 2/3)	○ 13.3% (개도국우대 적용)	
5) 최소허용 보조 De-Minimis	○ 품목불특정 지원 - 당해 품목생산액의 5% (개도국 10%) ○ 품목불특정 지원 - 농업총생산액의 5% (개도국 10%)	○ 10% (개도국우대 적용)	○ 콩, 옥수수, 대두를 제외한 전품목이 De-Minimis에 해당 - 생산액의 10% 수준까지 감축대상 보조금의 증액 지원 가능

다. 수출경쟁 분야

○ 해당사항이 없으므로 감축계획을 제출하지 아니함.

○ 신규시장, 신규품목 수출보조 금지약속도 기존 수출보조 지원국과의 보조수준에 분균형을 심화시키게 되므로 제시치 아니하고 협상결과에 따라 대처

0042

던켈초안에 대한 각국의 기존입장

쟁점분야	던켈 협정초안	논 의 현 황
가. 협정일반 사항 1) 감축약속 이행점검	ㅇ 점검과정에서 국내보조 감축약속 이행시 과도한 (excessive rates) 인플레 이션 영향을 고려	ㅇ 미국 : 인플레이션은 개별농가 보조정책 에 영향을 미치지 아니하므로 고려할 필요없음 - 100%이상의 고율인플레만 고려하는 것 으로 이해 ㅇ 북구, 일본, 스위스등 : 실질가치를 기준 으로 이행 - 모든 인플레이션 영향을 고려 < 아국입장과 사유 > ㅇ 실질가치를 기준으로 감축이행 - 모든 인플레이션 영향을 국내보조 감축 약속 이행에 고려
2) 협의 및 분쟁해결	ㅇ 이행계획에 포함된 품목 에 대하여는 일반협정의 권리를 자제하여 행사할 수 있음.	ㅇ EC : 이행계획에 포함된 보조조치에 대 하여는 이해당사국의 국내법에 의한 보복조치 행사금지 명문화 (peace clause) 요구 - 미국과 동 취지의 Peace Clause에 합의
3) 농업개혁의 지속 ('99년 이후의 감 축 계획 수립)	ㅇ 이행종료 1년전 지속적인 농업개혁을 위한 협상 개시	ㅇ EC, 일본등 : 협상은 감축의 지속여부를 검토하는 것이 되어야 함. ㅇ 미국, 케언즈그룹 : 협상은 지속적인 감축을 전제 후속감축 협상을 추진 < 아국입장 > ㅇ UR협상과 감축이행을 통한 농업구조의 상황변화는 사전 예측할 수 없음. ㅇ 이행종료 1년전 협상은 먼저 이행결과와 변화된 상황을 검토하여 감축이행을 계 속할 것인가를 검토한후 필요하다고 인 정될 때 추가적인 감축문제를 협의

0043

쟁점분야	던켈 협정초안	논 의 현 황
나. 시장개방 분 야		
1) 양허범위와 의무	○ 시장개방 약속에는 관세 (TE포함) 인하 및 양허, 기타약속 사항(예 : MMA, CMA)을 포함 ○ 관세화한 품목은 다시 비관세 조치를 취하지 않을 것을 약속	○ 수출국 : 관세화 품목의 비관세 조치 재도입 금지 ○ GATT 11조 2(C) 개선요구국 - 비관세조치 재도입 금지 규정 삭제 (GATT의 정당한 권리로 유보) < 아국입장 > ○ 비관세조치 재도입 금지규정 삭제 - GATT 11조 2(C) 규정은 개선유지되어야 하며, 동 규정이 존치되고 각국이 이 규정에 합치되게 품목의 수급을 관리 하는 한 이행기간중이라도 이 규정의 운용권리는 허용되어야 함.
2) 관 세 화 ① 관세화 대상 정책 범위	○ 다음의 예외를 제외한 모든 비관세 조치 (GATT 근거 유무를 불문) 품목 은 관세화 - BOP조항 (GATT 12조, 18조 B) - 일반긴급조치 (19조) - 일반적 예외 (20조, 21조)	○ 한국, 일본 : 식량안보의 관세화 예외 (예외 규정을 GATT 21조등에 신설) ○ 한국, 일본, 카나다, 노르웨이, 스위스, 오스트리아, 멕시코등 : GATT 11조 2(C) 원용품목은 관세화 수용불가 - 스위스 : 10년후 관세화 검토 ○ 미국, 케언즈그룹 (카나다 제외) : 예외 없는 관세화 < 아국입장 > ○ 식량안보 품목, GATT 11조 2항(C) 원용 계획 품목의 관세화 예외인정 - 식량안보등 농업의 특수성 반영필요

쟁점분야	던켈 협정초안	논 의 현 황
다. 국내보조 분야		
1) 허용대상 보조의 유형과 기준	○ 공통기준, 정부서비스, 생산자에 대한 직접지불 정책의 유형과 조건의 제시	○ EC : 감산정책에 따른 휴경보상등 소득 보상 정책을 허용 (미국과 합의) ○ 일본 : 시장개방으로 인한 피해보상, 작목전환 지원허용 ○ 스위스, 북구 : 낙후지역 지원조건 완화 ○ 아국 : 식량안보 투자지원 조건완화
2) 감축대상 품목분류	○ 개별기초 농산물	○ 일본, 스위스 : 품목군별 AMS 감축약속 ○ 미. EC간 합의 : Total AMS
3) 국내보조 감축약속	○ 보조금 산정 기준기간 : '86~'88 ○ 감축폭 : 20% (개도국 13.3%)	○ 대다수 국가가 던켈협정 초안수용 < 아국입장 > : '89~'91년 사용 ○ EC, 노르웨이, 핀랜드 : 미제시 ○ 스위스 : 생산통제품목 : 15% < 아국입장 > : 13.3% (개도국우대 적용)
라. 수출보조 분 야		
1) 수출보조 감축목표	○ 감 축 폭 - 재 정 : 36% - 보조물량 : 24% ○ 이행기간 : '93~'99 ○ 감축방법 - 초기연도 이후에는 균등 감축 예외인정	○ 미. EC간 합의 : 수출보조 물량감축:21%

0045

UR농산물협상 기술적 의제에 대한 협상대책

- 주요 8개국 비공식협의 결과와 아국입장 -

구 분	구체초안 규정	협의내용 및 결과	아국입장과의 관계
1. 시장접근분야 (1) 관세(TE포함) 감축 및 평가 방법	ㅇ 감축목표 : 단순평균 36% - C/S에 감축기준, 양허세율, 감축율을 제시 ㅇ 평가방법 : 제시 없음 (별도 합의해야 할 사항)	1) 관세감축 평가방법 ㅇ 36% 관세감축 평가방법에 관하여 다음의 2가지 방법이 논의됨. ① 단순평균 관세의 감축 (기준 관세와 양허 관세의 단순평균 비교) ② 감축율의 단순평균 (품목별 감축율의 단순 평균) ㅇ 대부분의 국가가 관세가 종량세의 종가세로 전환에 따른 평가의 기술적 어려움을 이유로 ②항의 방법을 선호 - 한 참가국이 C/S가 작성되지 않았음을 이유로 입장표명 유보 2) TQ에 적용될 관세감축 평가의 여부 ㅇ 평가대상에서 제외하는데 의견 일치 ㅇ 다만 TQ적용 관세가 특별히 높을 경우 UR 협상을 통한 양허의 균형의 측면에서 자발적 삭감 (가나다는 TQ세 관세 삭감 주장)	ㅇ ②항의 방법으로 24%의 감축율이 계산됨. ㅇ 다수의 견과 같음.

구 분	연결초안 규정	협의내용 및 결과	아국입장과의 관계
(2) 현행시장접근	○ 기준년도 : '86~'88 ○ 수입량 산정기준 - 수량규제, 자율규제, 협정등 : 수입허용량 또는, 실제수입량이 수입허용량 보다 큰 경우 실제수입량 - 수입허가, 국영무역등 : 실제수입량 ○ 이행방법 - 기준 CMA 유지 및 증량 - 신규증량분은 MFN 원칙준수	1) 현행시장접근 기회의 정의 ○ '86~'88 평균실적으로 한 것인지 또는 최근년도의 실적이 더 클 경우 최근 년도의 수입실적을 기준으로 할 것인지 (구체적인 최근 연도는 제시되지 아니함.) 대하여 이견이 대립 (기술적 문제가 아니라고 판단됨) 2) 수입량 산정기준 ○ 실수입량과 수입허용량중 더 큰것을 Current access로 사용할 것을 고려 ○ 다수국가가 가변부과금제, 자유무역지대에서의 수입물량의 처리에 깊은 관심 표명 - 한국가는 CMA에 두가지 제도하의 수입물량을 모두 제외하고 있으며, 한국가는 가변 부과금제하의 수입물량 제외 ○ 대부분의 국가가 MMA를 포함 이문제에 대한 추가적인 검토가 필요하다는데 인식을 같이 함.	○ 최근년도는 TE산출 기준년도를 최근년도로 인정할 경우가 (아국 입장)수용가능하나 기준년도의 최근년도를 사용이 인정되지 아니 한 경우 CMA만 최근년도를 사용 할 수 없음. ○ 실 수입량으로 산정 - 수입주천 계획과의 관계 확인 필요 ○ EC의 가변부과금제하의 수입은 별도 합의가 필요한 사항으로 간주됨.

구 분	단계준안 규정	협의 내용 및 결과	아국입장의 관계
(3) 최소시장접근	○ 대상품목 - 기준년도 수입량이 국내소비량의 3% 이하인 품목 (관세화 전제) ○ MMA 보장 - 초기년도 : 국내소비량의 3% - 증량　"　5% ○ MMA 보장방법 - 저율관세, MFN원칙 - HS 4단위 기준원칙 세분할 경우 품목별 할당 - 다른 품목분류 사용시 실현 가능해야 함.	1) CMA 산출 Data 제출 ○ CMA 대상품목에 대하여도 국내소비량등 Data가 제출되어야 한다는데 합의함. 2) 기준자료의 내실화 ○ MMA분야에 보다더 명료성이 제고될 필요성에 유념하고 개별품목별 소비량등 기초자료가 내실있게 제공되어야 한다는데 인식을 같이 함. 3) MMA 품목분류 ○ 대부분의 국가가 MMA약속 품목범위에 있어서 신선우제율 일부 품목등 제공토될 필요성이 있다고 지적 ○ 국가간 상이한 품목분류 방법 (예를들면 품목군별 또는 개별품목별)에 따라 MMA에 대한 약속이 동등하게 비교될 수 있다는 검토로 제기됨. ○ 초기 MMA 신정에 있어서 자유화된 자유화품목 등의 수입화물량의 향정접근의 현행 시장접근의 양적 평가의 제기됨, 일부 세부적인 문제가 제기됨. 4) TQ 할당방법 ○ 개별 세번별 할당방법, 할당량 허가체등이 대해서는 추가적인 검토가 필요함. - 한 참가국은 할당문제에 대하여 이해 관계 국가와 협의할 수 있다는 의사를 표명	○ C/S상 Data제시 Supporting Table이 제시되어 있지 아니함. - 추후 합의시 Data 제시 필요 ○ 국내소비량 계속의 적정성 제검토 ○ MMA 품목분류 제검토 ○ MMA가 제시되지 아니한 품목도 품목분류 제검토 ○ 할당방법은 자국의 자율적 사항으로 규정되어야 함.

구 분	연결초안 규정	협의내용 및 결과	우루과이라운드와의 관계
(4) 가공산품의 TE 계산	○ 가공품 원료의 TE에 원료의 가격 구성비를 곱하여 산출 ○ 필요한 경우 산업보호 효과를 고려	1) 상관계수의 적정성 검토 ○ 양자간 협의과정에서 논의 2) 가공품 TE 산출의 적정성 평가 ○ 비교방법의 필요성, 다양한 원료의 혼합물로 되어 있는 세번들에 대해 단일의 TE가 사용된 점이 지적됨. ○ 다양한 원료의 혼합가공품이 단일의 TE를 사용하는 국가(matrix system)는 향후에 단일물제가 될 수 있는 세번별 관세감축 평가에 어려움이 제기될 수 있다는 점에 의견의 합치를 봄. 3) 산업보호 효과 ○ 가공품의 산업보호 효과를 TE에 가산하는 문제와 관련, 적정적인 가격대비로 TE가 산출되는 경우 현행 종가세를 가산할 필요가 없다는 점이 지적됨.	○ 모든 가공품은 직접 가격 대비 또는 원료 농산물의 가격차를 사용하고 있는바 인용된 가격의 적정성 재검토 필요 ○ 해당사항 없음.
(5) '86년 이후 자유화 실적 평가	○ 고려하지 않고 있음.	○ 일본 : '86년이후 자유화 품목의 TE 계산은 현행 관세수준으로 인한 SSG적용. ○ 미국, 호주 : 관세화 품목에만 SSG 적용 ○ 아르헨틴 : 개도국의 자발적인 자유화 조치로 평가측면에서 고려	○ 일본입장 지지 - '86이후 자유화 품목은 '86~'88 국내외 가격차로 TE를 산출하고 이를 현행 관세수준으로 감축하되 현행 Credit반영으로 SSG는 적용하지 아니함.

구 분	법제조안 규정	협의내용 및 결과	우루과이라운드와 관계
2. 국내보조분야 (1) 기준농산물의 정의와 AMS 산출	o "the product as close as practicable to the point of first sale"	1) basic product의 개념 o 기초농산물에 여러 품목을 하나이 제시한 한 국가가 우려됨 표평하고있으나 기초농산물의 개념은 협정조안에 적정히 표현되어 있다는데 대체적으로 합의 2) AMS 산출 o AMS 산출은 특정품목 리스트에 국한되는 것이 아니며, AMS 계산이 가능한지의 여부가 기준이 되는 것이라는데 합의 o AMS 계산이 실천적이지 못할 경우 equivalent commitment가 적용되어야 하며 감축약속이 제시되지 아니한 품목(현재 보조가 없는 품목을 포함)은 자동적으로 De-Minimis에 해당된다는데 합의함. 3) 품목불특정 보조의 AMS o 2~4개의 다른 품목에 영향을 미칠 수 있는 정책을 Product specific AMS 및 Non-product specific AMS로 구별하는 문제와 관련, 대부분의 국가는 이러한 경제지원을 non-product-specific AMS로 처리하는 것보다는 경작면적 당, 생산가액등 실천적인 방법을 통하여 품목별로 지원액을 할당 product specific AMS로 개산하여야 한다는 의견임.	o 법제협정 조안 수용 o 품목균별 접근이 수용되는 경우 이의(일본의 국물) 하구도 이의 권리를 얻고 싶 o 이견 없음. o 배분상 기술적 문제를 들어 가급적 non-product-specific 산출

구　분	면제조건 및 규정	협의내용 및 결과	아국입장과의 관계
(2) '86이후감축 실적에 대한 Credit	° '86이후 국내보조 감축실적에 대하여는 Credit 인정	1) Credit 반영방법으로 다음의 3가지 방안이 논의됨. ① '86년의 보조가 '86~'88평균 지원예보다 클경우 감축기준으로 '86년 보조예을 사용 (미국) ② ①항의 방법으로 하되 '86~'88평균과 '86 AMS차를 감축예서 제외 (EC) ③ AMS를 구성요소로 세분하여 반영 (일본) ° 대부분의 국가가 ①의 방법을 선호	° 아국 관심사항은 아니나 ①항의 방법이 적절할 것으로 보임.
(3) De-Mimimis 규정	° AMS가 5% 또는 10%를 초과 하지 아니할 경우 감축의무 면제 - 명확한 성격 규명이 미흡	1) De-minimis 평가기준 ° AMS에 사용된 수혜물량이 총생산량 보다 적을 경우라도 De-Minimis 계산 기준은 총생산량이 되어야 한다는데 합의 - 한계 국가가 피하여는 수혜물량이 수출을 목적으로 지원되는 경우에는 일반원칙이 제고될 필요성이 있다는 점을 제기 2) 총생산의 계산방법 ° 총생산액은 국내시장 가격으로 산출한다는 데 합의됨. ° Non-product-specific AMS의 총생산액은 가공산품을 제외한 기초농산물의 가치만을 포함 ° 동등하속의 경우 관련품목의 위속의 De- minimis의 요건을 충족하고 있다는 사실을 이해당사국의 요청이 있을 경우 제시토록 한다는데 합의	° 이견 없음. ° 이견 없음.

구 분	연계초안 규정	협의내용 및 결과	우루과이라운드 관계
		3) De-minimis 산정기준연도	○ 기술적인 측면에서 고정연도 사용이 적절
		○ 다음과 같은 여러대안이 논의된 바.	- 인플레이션·생산량 변화등을 고려 Review 필요
		- '86~'88 평균으로 고정	○ 그러나 농업생산은 인위적이므로 조정할 수 없기 때문에 최근 연도 사용이 바람직하며 선택에 융통성 부여 필요
		- 5년간의 고정연도 사용, Review	
		- 수년이동 평균 연도사용	
		- 보조금이 지원되는 최근년도 사용	
		○ 대부분의 국가가 고정연도 사용을 선호 (Review 여부를 둘러싼)	
		- 계산, 적용, 이행평가등을 이유	
		○ 2개 국가가 고정연도 사용은 융통성이 축소될 수 있음을 지적하였으며, 한개 국가가 일부 지연은 최근년도를 사용해야 이행이 용이한 잇점이 있기 때문에 양자간의 선택 권리 주어져야 할 것임을 주장	
		○ 기준년도에 합의는 없었지만 De-minimis 수준이하의 지원과 이를 약간 초과한 지원의 취급 De-minimis 규정의 품목의 운용, 감시, 기초보조가 없는 품목의 취급문제 등에 관한 추가적인 토론이 되었음.	

구 분	현행조약 규정	협의내용 및 결과	아국입장과의 관계
3. 수출보조			
(1) 수출보조 감축품목 분류	○ 22개 품목군을 포함 품목별 물량 제정 감축 ○ 가공품은 합산하여 제정지출만 감축	1) 감축약속 수출보조 품목분류 ○ 품목별 수출보조 감축약속은 개별품목이 포함된 세별별로 제시되어야 한다함. - 특정품목에 포함된 세번에는 기준기간동안 실제 수출보조가 지원된 품목만 인식함. ○ 대부분의 국가는 개별특정 품목에는 가공품까지 확대되어야 한다함.	○ 이견 없음, 단, 국내보조 TE계산과 균형까지 필요성을 제기

(2) 신규수출보조 지급제한	○ 신규품목 신규시장에 대한 보조금 지급 금지	1) 적용기준 연도
		○ 기준년도를 기준으로 한다는데 합의
		  - 이행기간동안 수출보조 범위를 제한하기 위한 추가적 규정은 불필요
		○ 수출보조 제한약속은 Negative 또는 Positive List이전 약속이전에 그러한 약속의 범위이 결정되어야 한다는데 이견을 같이함.
			○ 이견 없음.
			○ 의무불균형 문제제기
			  - 수출되지 아니한 품목에 대하여는 아무런 문제

구 분	타결초안 규정	협의내용 및 결과	아국입장과의 관계
4. 기 타			
(1) 이행계획 수립기준 자료	○ 관련 C/S에 명기	1) 이행계획 수립 기준자료 ○ 이행계획에 제시된 감축약속의 해석을 위하여 요구될 자료의 정비가 필요하다는데 의견을 같이하였으나 구체적인 수단은 합의되지 못함. ○ 자료는 구체적인 숫자 뿐만 아니라 자료를 적가 포함되어야 한다고 인식됨. ○ 이행감시를 위해 요구되는 자료와 국내적으로 그러한 자료공급을 위해 취해져야 할 노력사이에 균형이 있어야 하며, 특정자료 요청의 유무 이행과 적절 관련되지 않은 분야까지 확대되어 사후 이행감시시 제기가 정의화 되는 것은 바람직하지 않다는데 의견을 같이함.	○ 이견 없음.
(2) 감축기준 년도	○ TE : '86~'88 ○ 국내보조 : '86~'88 ○ 수출보조 : '86~'90	○ 북구 : 총작들 기술적인 문제를 들어 '86~'88 평균과 다른 기준년도 사용인정 필요성 제기 ○ 미, EC, 일본, 호주, 알젠틴등 대부분의 국가가 반대입장 제시	○ 개도국에 대한 기준년도 설정의 융통성 확보

외　　무　　부

110-760 서울 종로구 세종로 77번지　　/　(02)720-2188　　/　(02)720-2686 (FAX)

문서번호 동기 20644-

시행일자 1992.12. 3.(　　　　　)

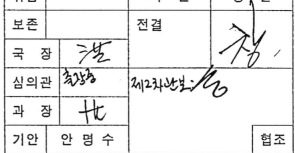

취급		차 관	장 관
보존		전결	
국 장			
심의관	최장집	제2차관보	
과 장			
기안	안 명 수		협조

수신　　내부결재

참조

제목　　UR 농산물 협상 참가 정부대표 임명

──

　　　스위스 제네바에서 개최되는 UR 농산물 협상에 참가할 정부대표를 "정부대표
및 득별사절의 임명과 권한에 관한 법률"에 의거, 아래와 같이 임명할 것을 건의
합니다.

　　　　　　　　　　-　　아　　래　　-

　　1. 회 의 명 ：UR/농산물 협상

　　2. 기간 및 장소 ： 92.12.7-23(예상), 스위스 제네바

　　3. 정부대표

　　　　대　　표 ： 농림수산부 기획관리실장　　　김광희

　　　　　　　　　　농림수산부 국제협력과 사무관　김종진

　　　　자　　문 ： 한국농촌경제연구원 부원장　　　최양부

　　4. 출장기간 ： 92.12.5-24. (19박 20일)

　　5. 소요경비 ： 소속부처 자체예산

　　6. 훈　　령 ： 별첨

첨부 ： 훈령. 끝.

0055

훈 령(안)
==============

1. 92.11.26. 무역협상위원회(TNC)에서 던켈총장이 밝힌 협상일정에 따라 12.4부터 본격적인 협상이 재개되어 UR 협상 참가국들이 연내 정치적 타결을 시도할 것으로 예상됨.

2. 특히 92.11.20. 미국과 EC가 주요 쟁점사항에 대해 합의함으로써 협상타결 가능성이 어느때보다 높아진 상황에서 미국, EC 및 카나다등 케인즈 그룹 국가등 협상참여국들이 자국의 이익확보를 위하여 막바지 협상노력을 강화할 것으로 예상됨.

3. 금번 UR 농산물 협상 참가 대표단은 기존의 아국 입장에 의거 협상에 임하되 하기 방침에 따라 대처토록 함.

- 다 음 -

가. 시장접근

쌀등 기초식량에 대한 관세화 예외는 아국의 핵심적 관심사항인 바, 우리의 기존입장이 던켈초안 수정협상(track 4) 과정에서 반영되도록 주력함.

나. 국내보조

식량안보를 위한 공공비축 정책등 허용대상 정책에 대한 조건을 완화 시키도록 노력함.

다. 수출보조

수출보조가 농산물 교역 왜곡의 근본원인임을 지적하고 국내보조나 시장 접근 분야에서의 감축약속에 상응하는 엄격한 규율이 있어야 함을 촉구함.

0056

라. 개도국 우대

아국이 개도국의 일원이며, 농업여건상 필히 개도국우대 조치가 인정
되어야 한다는 것을 주요 협상대상국에게 설득하는데 노력함.

마. 공동대응 노력

일본, 카나다, 스위스, 멕시코등 예외없는 관세화에 반대하는 국가들과의
공동대응 노력을 강화함.

바. 기   타

현지에서 대처하기 어려운 상황 발생시 본부에 청훈하여 대응토록 함. 끝.

0057

외 무 부

110-760 서울 종로구 세종로 77번지 / (02)720-2188 / (02)720-2686 (FAX)

문서번호 통기 20644-413

시행일자 1992.12.4.(   )

취급			장 관	
보존			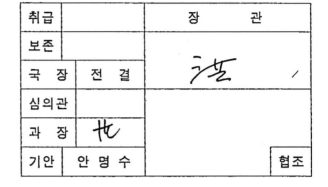	
국장	전결			/
심의관				
과장	也			
기안	안명수			협조

수신 농림수산부장관

참조

제목 정부대표 임명 통보

　　　스위스 제네바에서 개최되는 UR 농산물 협상에 참가할 정부대표가 "정부대표
및 특별사절의 임명과 권한에 관한 법률"에 의거, 아래와 같이 임명되었음을 통보
합니다.

　　　　　　　　　　　　　　- 아   래 -

　1. 회 의 명 : UR/농산물 협상

　2. 기간 및 장소 : 92.12.7-23(예상), 스위스 제네바

　3. 정부대표

　　　대   표 : 농림수산부 기획관리실장　　　김광희

　　　　　　　　농림수산부 국제협력과 사무관　김종진

　　　자   문 : 한국농촌경제연구원 부원장　　　최양부

　4. 출장기간 : 92.12.5-24. (19박 20일)

　5. 소요경비 : 소속부처 자체예산

　6. 훈   령 : 별첨

　첨부 : 훈령. 끝.

외　무　부　장　관

0058

훈 령(안)
================

1. 92.11.26. 무역협상위원회(TNC)에서 던켈총장이 밝힌 협상일정에 따라 12.4부터
   본격적인 협상이 재개되어 UR 협상 참가국들이 연내 정치적 타결을 시도할
   것으로 예상됨.

2. 특히 92.11.20. 미국과 EC가 주요 쟁점사항에 대해 합의함으로써 협상타결
   가능성이 어느때보다 높아진 상황에서 미국, EC 및 카나다등 케인즈 그룹
   국가등 협상참여국들이 자국의 이익확보를 위하여 막바지 협상노력을 강화할
   것으로 예상됨.

3. 금번 UR 농산물 협상 참가 대표단은 기존의 아국 입장에 의거 협상에 임하되
   하기 방침에 따라 대처토록 함.

               -        다   음   -

   가. 시장접근

      쌀등 기초식량에 대한 관세화 예외는 아국의 핵심적 관심사항인 바, 우리의
      기존입장이 던켈초안 수정협상(track 4) 과정에서 반영되도록 주력함.

   나. 국내보조

      식량안보를 위한 공공비축 정책등 허용대상 정책에 대한 조건을 완화
      시키도록 노력함.

   다. 수출보조

      수출보조가 농산물 교역 왜곡의 근본원인임을 지적하고 국내보조나 시장
      접근 분야에서의 감축약속에 상응하는 엄격한 규율이 있어야 함을 촉구함.

0059

라. 개도국 우대

　　아국이 개도국의 일원이며, 농업여건상 필히 개도국우대 조치가 인정
　　되어야 한다는 것을 주요 협상대상국에게 설득하는데 노력함.

마. 공동대응 노력

　　일본, 카나다, 스위스, 멕시코등 예외없는 관세화에 반대하는 국가들과의
　　공동대응 노력을 강화함.

바. 기　　타

　　현지에서 대처하기 어려운 상황 발생시 본부에 청훈하여 대응토록 함. 끝.

0060

발 신 전 보

번 호 : WGV-1891 921203 1836 타종별 :

수 신 : 주 제네바 대사. 총영사

발 신 : 장 관 (통 기)

제 목 : UR/농산물 협상

1993.6.30.에 의거 일반문서로 재분류됨

대 : GVW-2229

연 : WGV-1881

검 토 필 (1992.12.31.)

　　귀지 개최 UR 농산물 협상에 참가할 정부대표가 아래와 같이 임명되었으니 귀관 관계관과 함께 참석토록 조치바람.(본부 대표단은 12.5(토) 22:15 SR 545편 귀지 도착 예정)

1. 대 표 단

　　대　표 : 농림수산부 기획관리실장　　　김광희

　　　　　　　농림수산부 국제협력과 사무관　김종진

　　자　문 : 한국농촌경제연구원 부원장　　　최양부

2. 출장기간 : 92.12.5-24.

3. 훈　령

　가. 92.11.26. 무역협상위원회(TNC)에서 던켈총장이 밝힌 협상일정에 따라

　　　12.4부터 본격적인 협상이 재개되어 UR 협상 참가국들이 연내 정치적

　　　타결을 시도할 것으로 예상됨.

/ 계속...

보 안 통 제	世

앙고재	92년12월3일	통상기구과	기안자 성명 안명수	과 장 世	심의관 출장중	국 장 전결	차 관	장 관 世	외신과통제

0061

나. 특히 92.11.20. 미국과 EC가 주요 쟁점사항에 대해 합의함으로써 협상타결
가능성이 어느때보다 높아진 상황에서 미국, EC 및 카나다등 케인즈 그룹
국가등 협상참여국들이 자국의 이익확보를 위하여 막바지 협상노력을
강화할 것으로 예상됨.

다. 금번 UR 농산물 협상 참가 대표단은 기존의 아국 입장에 의거 협상에
임하되 하기 방침에 따라 대처토록 함.

- 다   음 -

1) 시장접근
   쌀등 기초식량에 대한 관세화 예외는 아국의 핵심적 관심사항인 바,
   우리의 기존입장이 던켈초안 수정협상(track 4) 과정에서 반영되도록
   주력함.

2) 국내보조
   식량안보를 위한 공공비축 정책등 허용대상 정책에 대한 조건을 완화
   시키도록 노력함.

3) 수출보조
   수출보조가 농산물 교역 왜곡의 근본원인임을 지적하고 국내보조나
   시장접근 분야에서의 감축약속에 상응하는 엄격한 규율이 있어야 함을
   촉구함.

4) 개도국 우대
   아국이 개도국의 일원이며, 농업여건상 필히 개도국우대 조치가 인정
   되어야 한다는 것을 주요 협상대상국에게 설득하는데 노력함.

5) 공동대응 노력
   일본, 카나다, 스위스, 멕시코등 예외없는 관세화에 반대하는 국가들과의
   공동대응 노력을 강화함.

6) 기   타
   현지에서 대처하기 어려운 상황 발생시 본부에 청훈하여 대응토록 함.끝.

(동상국장   홍 정 표)

0062

05

| 관리 |
| 번호 | 92-921 |

외 무 부

종 별 :

번 호 : JAW-6404   일 시 : 92 1203 1856

수 신 : 장 관(통기,사본 : 주제네바대사) 중계인

발 신 : 주 일 대사(일경)

제 목 : UR 농산물 협상

대 : WJA - 5089

당관 심운조 경제과장은 12. 3(목) 주재국 외무성 기타지마 국제기관 1 과장 및 이시가와 동과 수석 사무관을 접촉, 대호관련 내용을 탐문한 바, 동 주요내용 아래 보고함. (이하 일측 언급요지)

1. 일본의 관세화 대안 교섭여부

가. 일본은 쌀시장 개방에 관한 기존방침(포괄적 관세화의 예외인정)과 상이한 대안을 갖고 있지않음.

나. 지난 10 월 4 극 봉상회의가 카나다에서 개최된 것을 계기로, 일측 대표단 (엔도대사 및 시와꾸 농수산성 심의관)이 워싱턴에서 USTR 측을 접촉, 일본의 기존방침을 상세 설명하였는 바, 당시 USTR 측은 포괄적 관세화 문제는 원리 원칙의 문제로서 이의 예외를 인정할 수 없다는 강경한 자세를 보인 바 있음.

다. 지난 주말부터 엔도대사가 제네바 개최 분야별 전체 회의에 참가하면서주로 미국 및 EC 측과 개별 접촉을 하고 있는 바, 일본의 기존방침에는 변화가없으며, 이에대한 미.EC 측 반응 또한 강경함.

2. 관세화 문제에 대한 일정부 입장

가. 일정부로서는 포괄적 관세화에 대해 최후까지 저항할 것이며, DUNKEL 보고서나 미.EC 간 합의내용은 쌀 수출국과 수입국의 입장이 균형되게 반영 되어있지 않다는 인식을 갖고 있음.

나. (심과장이 최근 일본총리 및 관계장관의 발언 내용이나 언론논조로 볼때, 일본은 결국 포괄적 관세화를 수용하면서 관세화 조건 완화의 방향으로 타결점을 모색할 것이라는 관측이 많다고 지적한데 대하여) 최근 일본 언론의 보도는추측기사에 불과하며, 관계장관의 언급내용이 표현상 약간씩 차이가 있기는 하나, 포괄적 관세화

통상국   장관   차관   2차보   분석관   청와대   안기부   중계

수용 불가라는 기본방침에는 일치하고 있음.

다. (일본이 과연 UR 교섭 실패의 책임을 지면서까지, 최후까지 저항할 것인지 재차 문의한데 대하여) 최종적으로는 관료가 아닌 정치가가 판단을 내려야 할 사항이라고 보나, 현 일 국내정치 상황으로서는 정부 차원에서 포괄적 관세화수용방안을 검토할 계제가 아님. 즉, 현재 자민당과 야당이 공히 이에 반대하고 있으므로 관세화를 수용하더라도 이의 실천을 위한 식량관리법의 개정이 불가능함.

3. 향후 UR 교섭 추이전망가. 가장 빠른 수순을 상정할 경우, 금후 2 주간 제네바에서의 집중적인 교섭을 거친후 크리스마스경 POLITICAL CONCLUSION 을 만들 것으로 예상되며, 이에 따라 4 TRACK 이 개최될 것임.

나. 상기 POLITICAL CONCLUSION 내용은 DUNKEL 초안에 미.EC 간 합의내용이상당히 반영된 내용이 될 것으로 보이는 바, 일본으로서는 최후까지 저항하려 하고 있음.

4. 이와관련, 심과장이 우리의 기본입장을 설명하고 일본의 입장 변경시 충분히 사전에 우리측에 통보및 협의하여 줄 것을 요청한 바, 일측은 관세화 반대입장을 고수하고 있는 한국 및 카나다측과 긴밀히 협의해 나갈 것이라고 답함. 끝.

(대사 오재희 - 차관)

예고 : 93. 12. 31. 까지

PAGE 2

관리
번호 92-920

외 무 부

종 별 :

번 호 : FRW-2490   일 시 : 92 1203 1810

수 신 : 장관(통기,봉삼,경일,경기원,농수부,상공부)

발 신 : 주 불 대사   사본:주EC,제네바대사 (본부중계필)

제 목 : UR 협상관련 주재국 동향

연:FRW-2428, 2465

12.3.-4. 간 BONN 에서 개최되는 제 60 차 불.독 정기 정상 회담에서는 UR 농산물 협상이 주요 의제로 협의될 예정인바 이에 관련된 당지 동향 아래 보고함.

    1. 불란서는 최근 EC 내 GATT 농산물 분규관련, 금번 정상회담에서 어떤 획기적 계기가 마련 될 것으로는 기대하지는 않으나, KOHL 수상이 불란서 입장을 전적으로 외면하지는 않을 것이라는 확신을 갖고 있음에 따라 불측은 대독 관계에 있어 상금 조용한 입장을 견지하고 있음.

    2. 불란서는 미.EC 농산물 협상타결 이후 동 합의내용과 CAP 개혁간 양립 가능성에 대한 의구심이 여타 EC 회원국내 점증되고 있음에 주목하고 있으며 (불측 계산에 의하면 이미 회원국 반정도가 공식, 비공식으로 우려 입장 표명) BEREVOGOY 총리는 이러한 회원국의 입장 변화 동향에 만족을 표함.

    3. 한편 불.독 농업전문가 그룹은 12.1-2 간 미.EC 합의 10 개 항목을 합동으로 검토한 결과 어느하나도 CAP 개혁안과 양립할수 없다는 결론을 내린바 있으며, 벨지움 WATHELET 외상 역시 낙농제품등 일부 농산물 분야에서 미.EC 타협안은 CAP 개혁과 양립할수 없음이 분명하다고 지적함.

    4. 상기와 같이 불란서는 EC 각 회원국이 미.EC 타협안에 대해 검토하면 할수록 비난 또는 유보입장이 확대 될것으로 보고, 이러한 분위기가 확산되도록 다소 시간을 두고 동 타협안에 대해 EC 회원국간 토의를 적극 조장할 것으로 보임.

    5. 불란서는 12.1. 스트라스부르그 농민 대규모 시위를 통해 EC 내 미.EC 타협안에 대한 불만이 대외적으로 충분히 강도있게 과시 되었다고 보고, 앞으로는 여타 EC 회원국에 대해 양측 내용의 양립 불가 사실에 대한 이해제고 및 불입장 동조 교섭을 적극 추진 할 것으로 보임. 이와관련, 불정부는 12.7. EC 외무.농업 장관 회담이

| 통상국 | 장관 | 차관 | 2차보 | 경제국 | 통상국 | 분석관 | 청와대 | 안기부 |
| 경기원 | 농수부 | 상공부 | 중계 | | | | | |

PAGE 1

92.12.04   04:36
외신 2과   통제관 CM

0065

이태리, 스페인, 폴부갈 등 불입장에 어느정도 공명하고 있는 회원국의 향후 입장 정립에 중요한 계기가 될 것으로 보는한편 이를 위해 불독 정상 회담에서 사전 독일의 협조 확보에 노력 할 것으로 예상됨. 끝

    (대사 노영찬-국장)

    예고:92.12.31 까지

0066

외 무 부

종 별 :

번 호 : ECW-1546 　　　　　　　　일 시 : 92 1204 1700

수 신 : 장 관 (통기), 통삼, 경기원, 재무부, 농림수산부, 상공부)

발 신 : 주 EC 대사　　　　사본: 주 미, 불, 제네바대사-중계필

제 목 : GATT/UR 협상

　　　연 : ECW-1534

　　　1. EC 집행위 (GUY LEGRAS 농업총국장) 와 미국 (O'MARA 농업교섭대표) 은 연호 12.3. 까지 속개된 회의에서 미-EC 간 11.20 워싱턴 합의사항을 상세 문서화하는 작업을 완결진 것으로 밝혀짐

　　　2. 미국은 동 합의문서를 CARLA HILLS 통상대표에게 보고하는 절차를 거쳐 12.5(토) 자동발효키로 예정돼 있는 대 EC 제재조치를 공식 철회할 것으로 알려진 가운데, 12.4. EC 집행위 대변인은 상기 EC-미국간 합의작업의 완료에 따라, 미국측이 EC 의 대미 식량, 포도주수출에 대한 제재조치를 철회했음을 EC 앞으로 통보해 왔다고 밝혔음

　　　3. EC 의 ANDRIESSEN 대외관계 부위원장은 12.16-18 경 일본으로 가서 미야자와 수상등과 면담하고, UR 문제등을 협의할 예정이며, 현재 이와 관련된 일정을 일본측과 협의중에 있는 것으로 파악되고 있음. 끝

　　　(대사 권동만-국장)

통상국	장관	차관	2차보	미주국	구주국	통상국	분석관	정와대
안기부	경기원	재무부	농수부	상공부	중계			

관리
번호 92-906

외 무 부

종 별 :

번 호 : USW-5931

일 시 : 92 1204 1646

수 신 : 장 관 (통기,통이,경기원,농림수산부) 사본: 주제네바,EC대사(중계필)

발 신 : 주 미 대사

제 목 : UR/농산물 협상 동향

1972.12.71.에 대고문에
의거 일반문서로 재분류됨

1. 당관 이영래 농무관은 12.4. 미 농무부 해외농업처 JAMES GRUEFF 다자협력 과장을 면담, 표제관련 사항을 문의한바, 요지 하기 보고함.

- 미국과 EC 의 농산물 실무협상 대표들은 금주에 브랏셀에서 지난 11.20. 워싱톤에서 합의한 OILSEED 와 UR 농산물 협상에 대하여 문서화 작업을 하였으며 양자간에 합의한 TEXT 는 내주에 발표될 예정이라고함.

- 상기 내용중 국내보조와 수출보조는 물론 시장접근 분야에서도 문제의 소지가 있는 바나나를 EC 가 관세화 하기로 함에 따라 양자간에 기본적으로 문제가없고 EC 의 VARIABLE LEVY 도 당연히 관세 상당히(T.E)로 가져갈 예정이나 기술적인 사항으로서 MINIMUM MARKET ACCESS 에서 저율관세 부과문제에 대하여 EC 가 난색을 표명하고 있다고 말함.

- 동 과장은 UR 농산물 협상이 12.22. 까지는 주요 쟁점사항에 대하여 해결될 전망이 높다고 하면서 앞으로 남은 2 주간의 협상이 매우 중요하다고 말하면서 한국은 내주경에 미국과 양자협상을 할수 있을 것으로 본다고 말함.

- 동 과장은 또한 우리나라의 UR 관련 입장에 대해서는 최근 한국 언론을 통해서 알고 있다고 하면서 쌀의 예외없는 관세화 주장을 계속하면서 나라별 개도국 우대조항 적용문제는 아직 세부적으로 분류하지 않았다고 말함.

2. 한편 이 농무관은 주미 일본대사관 YOKOYAMA 농무관을 접촉, 일본의 최근 동향을 문의한바, 일본은 쌀의 관세화 문제와 관련, 외부적으로는 계속 종전과 동일한 입장을 견지하고 있으나 내부적으로는 여러가지 대안을 마련하고 있다고 말하였음을 참고바람. 끝.

(대사 현홍주-국장)

예고: 92.12.31. 까지

통상국	장관	차관	2차보	미주국	통상국		분석관	청와대
안기부	경기원	중계						

PAGE 1

92.12.05   08:19

외신 2과   통제관 BZ

0068

외 이(이사)

관리
번호 92-929

외 무 부

종   별 : 지급

번   호 : GVW-2277   일   시 : 92 1205 0900

수   신 : 장관(통기,경기원,재무부,농수산부,상공부)

발   신 : 주 제네바 대사

제   목 : UR/시장접근 농산물분야 주요국간 비공식협의

금 12.4(금) 10:00-13:30 DENIS 의장 주재 표제 23 개국 비공식 협의(당초 예정 19 개국보다 노르웨이, 콜롬비아, 헝가리, 인니등 4 개국 추가) 결과 요지 하기 보고함.

1. DENIS 의장은 금일 토의 의제를 아래와 같이 제시

- 최근 발표된 미.EC 의 합의내용 및 농산물 분야 UR 협상동향

- 상세하고 포괄적인 C/S 제출

- 협상결과를 극대화 하기위한 향후 협상일정

2. 미.EC 합의 내용 및 협상 동향 평가

가. 미국 (SCHROETER USDA 해외처장보)은 먼저 미.EC 간 합의안에 대한 세부적인 토론이 아직 계속되고 있으며, 조만간 합의된 결과를 보고 할수있을 것이라고 말하고 분야별 합의 내용을 설명한바, 동 분야별 설명 질의 및 답변내용은 아래와 같음.

나. 국내보조

1) 미국대표는 현재의 품목별 삭감약속에서 '86-'88 기준 총 AMS 20%를 매년 균등 감축하기로 하고, 생산제한과 관련된 직접 보상은 다음조건이 충족될때 감축대상에서 제외된다고 함.

- 첫째 곡물의 경우 경작면적, 고정단수, 또는 기준생산량의 85% 범위내에서 직접지불에 한정

- 둘째 축산물의 경우 고정된 두수의 가축수에 한정

2) 브라질, 인도등은 미.EC 협상의 전체적인 내용 설명을 요구하였으며 국내보조와 관련 각국은 아래와 같이 질문함.

- 브라질은 직접 보상의 한시정 문제, 인도는 품목별 AMS 를 총량 AMS 로 바꿀 경우 어떤 방법으로 DFA 를 수정할 것인가 하는 문제, 스위스, 콜롬비아는 직접

통상국	장관	차관	2차보	분석관	청와대	안기부	경기원	재무부
농수부	상공부							

PAGE 1

92.12.05   19:28
외신 2과 통제관 DI

0069

6300

보상이 GREEN BOX 의 범위에 들어가는지의 여부를 질문

- 이에대해 미국은 직접보상은 이행기간 6 년에 한정된다고 답변 EC 는 DFA의 GREEN BOX 조항 자체는 수정하지 않으나, 상기 미.EC 간 합의된 조건이 충족되는 경우는 허용대상으로 포함시킬 것이라고 답변

3) 본직은 미국, EC 간 합의대로 직접보상을 허용대상에 포함시킬 경우 미국의 DEFICIENCY PAYMENT 도 포함되는지 여부(일본도 유사질문)및 직접보상의 상한여부 (알젠틴도 질문)를 질문하고 이어 보조금이 지급된 EC 쇠고기를 아시아지역에 수출되지 않는다는 미.EC 간 합의는 소비가 이익을 침해하는 부당한 담합행위로 볼수 밖에 없다는 입장을 개진함.

- 이에대해 미국은 DEFICIENCY PAYMENT 처리 문제와 관련 구체적인 언급은 회피하면서 허용대상 정책이 되기위해서는 DFA 의 요건은 충족하여야 할것인바, 그내용은 앞으로 제출될 C/S 포함될 것이며 보상의 상한은 없다고 답변

- EC 쇠고기 수출과 관련 EC 는 동 합의를 인정하고 아국의 입장에 수긍함.

4) 호주는 총량기준 20% 감축이 직접보상에 어떻게 미치는지 여부를 질문하였음.

- 이에대해 EC 는 AMS 계산방법과 관련 아래의 방법을 제시

('EXEMPTION FORM REDUCTION COMMITMENT FOR DIRECT PAYMENT MEETING ABOVECRITERIA SHALL REFLECT BY EXCLUSION OF THE VALUE OF THOSE DIRECT PAYMENT IN A PARTIES OF CALCULATION OF TOTAL AMS".)

다. 수출보조

- 미국은 DFA 의 자구수정은 없으며 다만 24%를 21% 수치만 변경할 것이라고 설명

- 오스트리아는 감축 약속이행에 신축성을 둔것인가 하는 문제와 DFA 의 자구수정이 없다는 것은 DFA 는 변화가 없다는 것인가를 질문한바, 미국은 AGGREGATION 과 SWING 금지규정이 DFA 에 반영될 것이며, DFA 의 내용변화는 없다고 대답함.

라. 평화조항 (PEACE CLAUSE)

- 미국대표는 국내보조에 관하여는 일반협정 16 조하의 ACTION (무효화, 침해)로 부터 면제되고, 수출보조는 GATT 16 조하의 제소 (CLAIM)로 부터 면제되나,다만 상계관세 조치는 취할수 있도록 하였다고 설명하고 구체적 내용은 합의문이 나오는대로 추후 설명하겠다고 양해를 구하였음

- 이에대하여 브라질, 태국, 카나다등은 92 년도에 지급한 보조금의 처리문제를,

PAGE 2

0070

파키스탄은 문제를 삼지않는 범위가 확대됨으로 인하여 동 보조금을 지급하지 못하는 개도국은 상대적으로 손해를 본다고 주장하고 오히려 MA 분야에서는CEILING BINDING 을 의무화 함으로써 개도국은 농업을 보호할수 없다고 지적함.

- 이에 대하여 미국, EC 는 92 년도에 지급된 보조금은 제소대상에서 제외될 것이며 각국이 감축 약소만 이행하면 제소등의 문제는 없을 것이라고 함.

- 또한 이문제의 합의는 미.EC 양자간에 이루어졌지만 TEXT 상 내용을 수정할 것이라고 답변

마. 기타사항 (REBALANCING)

- 미국은 미.EC 간에 곡물대체품 (NON-GRAIN FEEDING PRODUCT)에 대하여 86-90 기준으로 일정 수준이상 상회할 경우 협의토록 합의가 있었다고 설명

- 이에대하여 BRAZIL 은 품목 범위와 동 내용이 양자간에만 적용되는지의 여부를 문의함.

- EC 는 품목은 콘구르텐, 후루트펠렛 등이라고 설명하고 동 합의가 다른 나라에도 적용되기를 기대한다고 함.

(3 항부터 GVW-2278 로 계속됨)

PAGE 3

0071

외 (이서)

관리 번호	92-130

외 무 부

종 별 : 지급

번 호 : GVW-2278   일 시 : 92 1205 0900

수 신 : 장관(봉기, 경기원, 재무부, 농수산부, 상공부)

발 신 : 주 제네바 대사

제 목 : GVW-2277 의 계속분

  3. C/S 제출

  - 의장은 각국이 DFA 에 근거하여 자세하고 포괄적인 품목별 C/S 를 제출해야 이를 근거로 TEXT 를 수정할 수 있다고 하면서 각국에 C/S 를 조속히 제출해 줄것을 촉구

  - EC 는 앞으로 1 주일이내에 새로운 협상안에 근거한 C/S 를 제출할 수 있을 것이라고 함.

  - 인도는 아직까지 농업분야에 C/S 를 제출하지 않았는바, DFA 에 자국의 입장이 명확하게 반영되지 않는한 제출할 수 없다고 말함.

  O 인도는 지역개발 정책, INPUT SUBSIDY 등은 반드시 GREEN BOX 어 포함되어야 하며, 시장개방 분야에서 CEILING BINDING 은 인도에 큰 타격을 줄것이므로반대한다는 입장표명

  - 이집트는 국내적으로 경제개혁을 추진중이어서 C/S 제출이 힘들다고 하고수출보조는 없으나 국내보조는 해당되는 것이 있으며 또한 일부 품목에 대해 포괄적인 관세화를 받아들일수 없다고 밝히고 그밖에 TE 계산에 기술적인 문제가있어 현재 GATT 와 협의중에 있다고 말함.

  - 인도네시아는 쌀문제와 관련 관세화에는 어려움이 없으나 MMA 는 국내적인 어려움으로 인해 받아들일수 없다고 말함.

  - 스위스는 관세화에 대한 원칙은 수락하나 이행을 위한 시간이 필요하며 6 년은 너무 짧으며 10 년의 유예기간이 필요하다고 주장하고 (DFA 상의 CONTINNATION CLAUSE 문제점 지적), 그외에 SAFEGUARD 조항등에도 문제점이 있다고 말함.

  - 카나다는 미.EC 간의 합의에서 관세화 분야는 제외되었는바, 특히 11 조 2C 에 의한 일부 품목의 관세화 예외가 반영되어야 한다고 말함.

  - 일본은 C/S 의 조기제출 필요성을 우선 인정하고, 또한 관세화의 개념자체를

통상국 농수부	장관 상공부	차관	2차보	분석관	청와대	안기부	경기원	재무부

PAGE 1

반대하는 것은 아니나, 예외없는 관세화를 정치적으로 수용할 수없다는 점과 C/S 제출을 위한 MODALITY 상의 기술적 문제점이 논의되어야 한다고 강조함.

- 멕시코는 직접소득 보조와 관련한 미.EC 합의가 EC 의 CAP 개혁안을 고려한 것이라는 사실은 문제가 있으며, 관세호는 장기적으로 해결되어야 할 문제이며 단기적 시행에는 정치적 어려움이 있다고 말함.

- 본직은 미.EC 간 합의내용은 DFA 의 불균형을 더욱 심화시키는 결과를 가져온다는 점을 지적하고 선진.개도국, 수출.수입국간의 균형된 PACKAGE 가 되어야 한다는 점을 강조하고 아국은 지난 4.10 가급적 DFA 에 충실하게 LINE-BY-LINE C/S 를 제출하였으나, 쌀을 포함한 15 개 품목에 대하여는 관세화의 대상에서 제외하였는바, 향후 협상과정에서 우리의 관심사항이 반영된다면 동 결과를 반영한 C/S 를 제출할 것이라고 밝힘.

4. DENIS 의장의 회의결과 종합

- 의장은 회의를 마무리 하면서 오늘 협의 내용이 매우 유익했음을 평가하고 TNC 의장에게 금일 논의된 협상 장애요인을 보고할 것이며, 미.EC 간 합의내용이 가능한 빨리 나오기를 희망한다고 밝힘.

- 향후 협상 일정과 관련 여러가지 장애요인이 있음에도 불구하고 각국이 양자협상에 적극 임해 줄것을 당부함.

- MODALITY 와 관련해서는 PART B 분만 아니라 지금까지 C/S 제출과 관련 되어 제기된 여타 기술적 문제도 포함시켜 이에대한 협의를 조속 진행시킬 것이나, 이문제로 지나친 시간을 낭비할수 없다고 언급함. 끝

(대사 박수길-국장)

예고:92.12.31. 까지

PAGE 2

외 무 부

종 별 :

번 호 : FRW-2515

일 시 : 92 1207 1810

수 신 : 장 관(통기,통삼,경일) 사본:경기원,농수부,상공부

발 신 : 주 불대사

제 목 : UR 협상동향(불.독 정상회담)

1. 92.12.3-4간 개최된 불독 정상회담에서 양국은 GATT 협상의 조속한 타결과 15개 모든 협상분야에서의 균형되고 수락 가능한 타협안의 작성 필요성을 재강조하는한편, 미.EC 농산물 타결안이 개선될 수 있도록 가능한 모든 방안이 강구되기를 희망하는 내용의 공동선언문을 발표함.

2. 또한 양국은 대미 농산물 합의내용에 대한 EC 집행위의 보다 구체적인 평가를 요구하였으나, CAP 개혁과의 양립문제에 있어 독측은 양립가능성을 주장간 반면 불측은 양립불가 입장을 재차 명백히 함으로써 상호 이견을 노정함.

3. 한편 미.EC 타협안에 대한 불란서의 거부권 행사 가능성을 우려하고 있는 독 산업계 측은 금번 정상 회담시 미테랑 대통령과의 회동을 강력히 요청하였으나 실현되지 못하였으며, 미테랑 대통령은 이들이 파리 방문시 면담을 약소코 UR 협상건 관련불 산업계 대표와의 공동협의를 요망함.

4. 금번 회담결과 관련, 불측은 독일이 미.EC 타협안을 수락키 어려운 자국의 입장에 대해 충분한 이해와 지지의사를 표한 것으로 자경하는 반면, 독측은 비록 미.EC타협안이 균형된 견지에서 당초 기대보다는 못하나 CAP 개혁내 수용될수 있다는 점을 분명히 함으로써 불측 입장과는 거리를 유지함.

5. 당지 언론은 불란서가 미.EC 타협안에 대한 여타 EC 회원국의 우려가 점증하고 있다고 평가하고 있으며 또한 불.독 정상회담에서 나타난 독일의 입장등에 비추어, 불 정부는 미.EC 농산물 타협안에 대해 거부권을 행사하기보다는 자국의 최종 입장을 모든 UR 협상이 완결되는 시점까지 유보하여 결정할 것으로 예측함. 끝

(대사 노영찬-국장)

통상국   경제국   통상국   경기원   상공부

농수부

PAGE 1   92.12.08   07:22 WH

외신 1과 통제관 ✓

0074

관리
번호 92-220

원 본

외 무 부

종 별 :

번 호 : JAW-6480   일 시 : 92 1208 1912

수 신 : 장관(통기,아일,주제네바대사-중계필,(배부처통제))

발 신 : 주 일 대사(일경, 일정)

제 목 : 우루과이 라운드 농산물 협상

대 : 1) WJA-5069 , 2) WJA-5098

1. 금 12.7(월) 본직은 외무성 오와다 사무차관과의 업무오찬시(아측 유광석 참사관, 김영소 정무과장, 일측 다께나까 심의관, 무또 북동아과장 배석) 대호에 따라 일측 입장을 타진한 바, 오와다 차관은 대외적으로 보안을 전제로 아래와 같이 언급했음

가. 아직 일본정부의 공식 방침이 결정되지 않았으며 현단계에서 어떻게 될것이라고 답변하기는 대단히 어려움.

나. 원래 쌀개방문제는 미국 정미협회의 문제제기로 슈퍼 301 조와 관련하여 일본측에 요구되어온 문제였음. 이에대해 일본은 동 문제가 다자 차원의 문제이므로 우루과이 라운드에서 협의해야 할 사항이라는 입장이었고, 따라서 그간 우루과이 라운드에서 협의되어 왔음.

다. 우루과이 라운드가 지역블럭을 배제하고 세계적 협력을 도모한다는 차원이며, 자유무역을 위해 GATT 체제를 옹호하지 않으면 안되기 때문에 일본으로서도 그 성공을 위하여 협력할 용의가 있음.

라. 그러나, 일본은 쌀개방과 관련하여 국내적으로 문제가 있음. 미국도 GATT 창립 당시부터 예외 인정받은 PEANUT 등 WAIVER 품목의 문제가 있고 또한 EC 는 나름대로 수출보조금 지원으로 농산물을 생산비보다 저렴한 가격으로 미국시장에 수출하고 있어 보조금 삭감문제가 제기되어 왔음.

마. 따라서 우루과이 라운드를 성공시키기 위하여는 미국, EC, 일본이 각각희생을 해야 할 것인 바, 일본의 경우 미국과 EC 의 희생에 해당하는 정도의 희생 (또는 양보)은 해야한다고

생각함. 이와관련 한가지 확실히 해두고자 하는 점은 일본의 쌀보호가 시장경제

통상국   장관   차관   아주국   분석관   정와대   안기부   중계

PAGE 1

92.12.09   06:55
외신 2과 통제관 BZ
0075

체제에 위반됨은 사실이나 이는 외부로부터 수입을 막는것이어서 남에게 피해를 주는것은 아니므로, EC 의 수출덤핑과는 다르며, 이점 EC 가 훨씬 나쁘다고생각함.

　　바. 금번 미국-EC 간 농산물 협상이 타결되었으나, EC 농산물의 수출보조금을 완전히 없앤 것이 아니고(당초 던켈 포괄적 합의안의) 24%는 많으므로 21%로 조정하는 정도의 내용인 바, 이러한 정도의 희생과의 균형을 고려하여 일본이 부담할 COST 는 무엇인지를 협의해 나가고자 함. 일본으로서도 쌀을 하나도 받아들일 수 없다는 것은 아님.

　　사. 그러나, 일본입장은 반드시 예외없는 관세화를 받아들이는 것은 아니며, 어느정도의 조치를 취해야 할지에 대해서는 좀더 검토해 나가야 한다고 생각함. 조만간 농수산 대신이 방미 예정인 바, 미국측과 협의하게 될 것임.

　　2. 상기 오와다 차관의 설명에 대해 본직이 일본으로서 지불할 수 있는 희생 방안으로 (가) 예외없는 관세화 (나) 최소시장 접근, (다) (가)와 (나)의 COMBINATION 등 세가지를 생각할 수 있는 바, 그이외에 다른방안이 있는지 문의한 바, 오와다 차관은 (가), (나)중 한가지 방안을 택할 수도 있고 또한 (가), (나)를 COMBINATION 시킬 수도 있으며, 스위스처럼 관세화를 수락하되 실시시기에 유에 기간을 두는 등 여러가지 방안이 있을 수 있다고 하면서 일본 국내의 동향도 고려 하면서 검토해 나갈 것이라고 말하였음(동 차관은 카나다의 경우처럼 헌법상의 문제로 까지 발전되고 있는 예도 있다고 부언하였음).

　　3. 본직이 상기 2 항 (가)및 (나)와 관련한 일측입장을 타진한 바, 동 차관은 일측으로서는 물론 최소시장 접근을 예외없는 관세화 보다 선호한다고 하면서,그 이유로서, 예외없는 관세화는 완전개방원칙을 받아들이는것 이며, 최소시장접근은 몇십만톤 정도로 국내조정도 가능 하기 때문이라고 말하였음. 동 차관은또한 미국과 EC 의 조치는 불충분하지만 어느정도 양보를 하고 있으므로 일본도이를 감안한 응분의 노력이 필요할 것이라는 점을 재강조하였음.

　　4. 본직이 본건 협상타결 시한이 정해져 있는 지를 문의한 바, 오와다 차관은 시기문제와 관련 현재 생각할 수 있는 것은 (가)미국의 FAST TRACK 기한이 93.3 월 까지이며, (나)던켈의 정치적 합의 도출목표가 금년말이라는 점인 바, (가)의 경우 클린턴 신정부가 그대로 밀고 나갈것인지는 좀더 두고봐야 하며, (나)의 경우는 어디까지나 던켈의 생각이며, 또한 금년말까지 2, 3 주밖에 남아 있지 않기 때문에 금년내 결정은 어려울 듯하다고 말하였음

PAGE 2

0076

5. 본직이 동건에 대한 일본내 정책 결정과정을 문의한 바, 오와다 차관은 총리의 결단으로 각의에서 결정케 되나, 그 과정에서 자민당이 결정적인 영향력을 행사하게 될 것이라고 하면서, 현재 야당은 모두 반대하고 있으나 금후 정부방침을 결정하여 필요할 경우 야당과도 협의할 것이라고 말하였음. 한편 오와다 차관은 동 문제에 대한 교섭은 외무성과 농수산성이 행하고 있다고 하면서 <u>그간 양성간에 의견이 일치하지 않았으나 현재 점차 가까워지고 있다</u>고 말하였음.

6. 한편 본직이 일본의 쌀시장개방을 위해 일본국내 법률개정이 필요한지 여부를 문의한 바, 오와다 차관은 관세화를 위해서는 식량관리법 개정이 필요하나, <u>최소시장접근의 경우 법개정까지는 불요</u>할 것으로 생각한다고 말하였음.

7. 본직이 동 문제는 결국 미국과의 문제가 아니겠느냐고 타진한 바, 오와다 차관은 EC 도 표면적으로는 쌀시장개방을 주장하고 있으나 결국 일본에 들어오게 될 쌀은 미국쌀이 될 것이므로 미국이 관건을 쥐고 있다고 말하였음. 이와관련, 본직이 이 문제는 당초 일.미간의 문제였던 점에 비추어, 만약 우루과이 라운드 협상에서 쌀에 대한 예외조에 대치가 합의되지 않을 경우, 쌀문제를 우루과이 라운드에서 떼어내어 재차 일.미 양자간의 문제로 되돌아갈 가능성도 있는지 문의한 바, 오와다 차관은 이론적으로는 가능하나 실제로는 어렵지 않겠느냐고 말하였음. 끝.

(대사 오재희 - 차관)

예고 : 93.6.30 일반

PAGE 3

외 무 부

관리 번호	92-940

종 별 :

번 호 : FRW-2530

일 시 : 92 1208 1800

수 신 : 장관(봉기,봉삼,경일,경기원,농수부,재무부) 사본:주EC,제네바대사

발 신 : 주 불 대사   -중계필

제 목 : UR 협상 동향

연:FRW-2519

연호 12.7. 브랏셀 개최 EC 외무.농업장관 회담 결과와 관련 주재국 동향 아래 보고함.

1. 불란서는 금번 회담의 중요성에 비추어 UR 협상관련 3개부처 모든 장관 (DUMAS 외상, SOISSON 농업장관, STRAUSS-KAHN 상공장관)이 참석한 가운데 아래3개 목표를 갖고 회담에 임한 것으로 알려짐.

가. CAP 개혁을 악화시키는 일체의 합의내용을 배격한다는 불란서의 확고한입장을 명확히 개진 함.

나.EC 집행위가 여타 UR 협상분야에서 미국의 양보를 받아내지 못하는 한 농산물 협상의 지속을 봉쇄함.

다.CAP 개혁과 미.EC 합의내용의 양립문제에 대한 기술적 토의를 적극 추진함.

2. 분야별 회담결과

가.DUMAS 외상은 EC 이사회가 CAP 개혁범위를 초과하는 내용의 미.EC 타협안의 인준을 시도한다면, 불란서는 "중대한 국익 보호" 차원에서 이에 반대할 것이라고 주장하며, 룩셈부르크 합의에 따른 VETO 권 사용방침을 강력히 시사함.

나. 또한 불측은 UR 협상 전분야에 걸친 GLOBAL APPROACH 필요성을 재차 강조하는 한편 농산물을 제외한 여타 협상분야에서 실질적 성과가 없을시 UR 농산물 협상의 봉쇄(BLOCAGE) 를 시도코자 하였으나, 협의결과 <u>농산물</u> 협상은 여타 분야에서의 <u>구체적 진전을 고려하여 추진한다는</u> 일종의 <u>농산물 협상 잠정동결 (GEL)</u> 방안에 합의함.

다. CAP 개혁과의 양립문제에 있어, 불측은 회원국별 관심품목을 염두에 두고 조목별로 양립불가 사실을 지적한 결과 과반수 이상 회원국의 동조를 득하였으며, 미.EC

통상국	장관	차관	2차보	경제국	통상국	분석관	청와대	안기부
경기원	재무부	농수부	중계					

92.12.09   05:41

외신 2과 통제관 BZ

0078

합의내용에 대한 기술적 분석을 12.14-15 개최 EC 농업장관 회담에서 구체 협의토록 함.

3. 관찰

0 불란서는 금번 회담에서 자국의 입장이 고립될 가능성에 대비하여 여타 회원국에 대한 일련의 정치적 교섭과 함께 CAP 양립불가 문제를 중심으로 한 기술적 설득을 병행하여 온 바 있음.

0 이에따라 금번 회담에서 불란서는 CAP 개혁 양립불가건과 관련 스페인, 아일랜드, 벨지움의 적극적인 동조입장 표명은 물론 이태리, 폴루갈, 그리스등의지지입장을 득하였으며, 독일로 부터도 어느정도 공감을 얻는 성과를 거둠.

0 불란서는 금번 휨당결과 자국의 입장이 만족스럽지는 않아도 상당부분 반영된것으로 자평하는 한편, 향후 UR 협상관련 농산물 분야는 가능한한 지연시키면서 (불측은 금번 회담결과 차기 EC 농업장관 회담시까지 제네바에서 농산물분야 협상은 속개 되지 않을것으로 기대함) 여타 불측 관심분야에서의 불측 이해관계 반영에 주력할 것으로 보임. 끝

(대사 노영찬-국장)

예고:92.12.31. 까지

PAGE 2

0079

관리
번호 92-939

외 무 부

종 별 :

번 호 : GVW-2295

일 시 : 92 1208 1730

수 신 : 장관(봉기, 경기원, 재무부, 농수산부, 상공부)

발 신 : 주 제네바 대사

제 목 : 공통이해국 대사간 UR 대책 비공식 협의

검 토 필 (1992.12.31)

연: GVW-2251

금 12.7(월) 당지 스위스 대표부에서 본직이 주최한 연호 협의에 이어 두번째로 예외없는 관세화에 반대하는 국가(아국포함 카나다, 이스라엘, 일본, 스위스, 멕시코등 6 개국: 놀웨이는 초청되었으나 불참)대사들이 회동, 대책을 협의한바, 주요 내용은 아래와 같음.

1997 6.30에 예고문에
의거 일반문서로 재분류됨

1. 각국의 입장

가. 일본

- 현재로서는 예외없는 관세화에 대한 반대입장에는 변함이 없으나,

- 자국은 우선 최소시장 접근(MMA)을 FLEXIBLE 하게 고려하고 있으며,

- 기타 1)관세화 이행기간의 연장, 2)관세상당치(TE) 상향 조정, 3)협정문상의 감축율의 조정, 4)관세화의 이행을 유예하는 방안등도 고려 가능한 대안으로 검토하고 있음.

나. 멕시코

- 장기적으로는 관세화를 수용가능하나, 관세화에서 오는 일부 품목에 대한단기적 충격을 우려하고 있음.

- 따라서 동 품목에 대한 충격을 피할수만 있다면, 관세화의 예외(EXCEPTION) 또는 관세화 이행의 유예 또는 관세화 방식의 변경등 여러가지 방안중에서 어느것도 수용가능함.

다. 이스라엘

- 가금류 및 낙농제품 때문에 예외없는 관세화를 수락하기 어려우나, 주요 교역국(미국을 지칭)으로 부터압력이 있을 경우, 입장을 변경하지 않을수 없을 것임.

라. 카나다

통상국 농수부	장관 상공부	차관	2차보	분석관	청와대	안기부	경기원	재무부

92.12.09 05:48
외신 2과 통제관 BZ

0080

- 11 조 2 항(C) 에 대한 입장에는 변화가 없으나 이웃국가(미국을 지칭)로부터 압력을 받고 있는 입장임.

마. 스위스

- 관세화 이행의 유예 입장에 변화가 없음.

바. 한국

- 각 협상참가국에 1 개 품목의 예외를 허용하자는 입장은 확고 부동함.

2. 상기 각 참가국들의 입장 개진에 이어 참가국들은 공동대응방안을 마련할수 있을 것인지에 대해 협의한바, 2-3 개국간에는 공동 대응방안이 가능할수도있으나 심지어 일본을 포함한 여타국들은 정도의 차이는 있으나 FLEXIBLE 한 입장을 제시한 반면, 특히 아국은 아무런 대안을 제시하지 못함에 따라 참가국 전부를 망라하는 공동입장 마련에는 어려움이 있다는 결론에 도달하였음.

3. 본직은 아국이 대안이 없어 여타국과 대안을 토의할 입장에는 있지 못하나 공통 이해 관계국들과의 모임을 계속하는 것은 협상 책임자로서 유사입장국이예외없는 관세화 문제에 대처해 나가는 방향등을 그대로 본국정부에 전달, 본국정부로 하여금 참고케 할 수 있으므로 유용하다는 의견을 표시함. 다른 한편 참가국 대사들은 앞으로 각국이 상호간 참고가 될만한 제안을 낼 경우에는 서로 통보하고, 다자 협상 FORUM 에서 상호 지원하여 다수국이 예외 없는 관세화에 반대하고 있다는 사실을 여타 협상 참가국에 과시하는 것도 중요하다는데 의견의 일치를 봄.

4. 일본 ENDO 대사는 관세화에 대한 미.EC 의 대응 방안을 아래와 같이 관측함.

- 현재 미국의 협상 전략은 관세화 문제를 가장 큰 정치적 잇슈로 부각시켜12.18(금) 경까지는 미.EC 가 관세화를 집중 공략 할것으로 보임.

- MTO 는 내년으로 넘겨 해결 가능하다고 보며, 미.EC 가 서비스 분야에서 기술적 문제만이 남았다고 얼버무리는 것도 관세화 문제를 집중 공략하게 하기 위한 전략임.

- 미국이 시장접근 분야에서 COMMIT 하지않고 있는 이유도 관세화 문제를 공략하는 동시에 MTO 등에서 이를 협상 LEVERAGE 로 이용하려는 것으로 보임.

5. 한편 바나나 문제에 관해서는 관세화 원칙에서 크게 벗어나지 않는 방식으로 문제를 해결하는 방안이 마련된 것으로 알려져 있으나 아직 동 구체적 내용은 구체적인 내용은 확인되지 않고 있음.

6. 금일 회의에서는 카나다, 스위스등이 현 DFA 의 TEXT 를 수정하지 않을 경우 향후 패널에서의 패소 우려등을 감안 TEXT 를 고치는 방안을 검토하자는 의견을

PAGE 2

0081

제시한바, 아국등은 TEXT 의 수정 이외에도 주 (FOOTNOTE), 결정(DECISION)등의 여타 형식도 검토할수 있을 것이라는 의견을 제시하였음을 참고로 첨언함.끝 (대사 박수길-국장)

예고 93.6.30. 까지

PAGE 3

0082

외 무 부

종 별 :

번 호 : USW-6006   일 시 : 92 1208 1832

수 신 : 장 관 (통기,통이,통일,경기원,농림수산부)

발 신 : 주 미 대사

제 목 : 일본 쌀시장 개방문제

1. 금일(12.8)자 당지 JOC 지는 일본의 NASASHITANABU 농무장관이 금일 미국을 방문, HILLS대표와 회담을 갖고 쌀시장 개방 불가라는 일본입장을 다시한번 전달할 것이며 상기 회담후 EC 를 방문, MACSHARRY EC 농무장관과도 회담을 가지고 같은 입장을 전달할 계획이라고 보도함.

2. 한편, W.P 지는 일본정부가 쌀시장개방 불가라는 공식 입장을 견지하고 있으나 일본정부내는 물론 업계, 언론계를 포함한 일본 조야는 쌀시장 개방의 불가피성을 인식하고 있다고 보도함. 동지는 현재 일본정부의 개방불가입장 고수는 쌀시장 개방시 예상되는 일본농민의 과격한 반응을 감안, 쌀수입 금지를 위해 끝까지 일본정부가 최선을 다했다는 인상을 심고 또한 쌀시장 개방에 따른 충격을 최소화하도록 최대한의 양보를 얻기 위한 사전포석이라는 취지로 보도함.

3. 관련기사는 별첨 FAX 송부함.끝.

첨부: USW(F)-7819(3 매)

(대사 현홍주-국장)

통상국   통상국   통상국   경기원   농수부

외 무 부

종 별 :

번 호 : USW-6007   일 시 : 92 1208 1832

수 신 : 장 관(통기,통이,경기원,농림수산부,상공부) 사본:주제네바,EC대사(직송필)

발 신 : 주 미 대사

제 목 : UR 관련 일본농상의 미국방문 결과 보고

연: USW-6006

1. 일본 농림수산성 장관 MASAMI TANABU 는 12.8. 오후 CARLA HILLS USTR 대표 및 ANN VENEMAN 미농무부 장관을 면담, UR 농산물 협상, 특히 쌀의 수입개방과 관련한협의를 갖고 일본은 DUNKEL TEXT 에서 제시된 쌀의 예외없는 관세화에 대하여 반대한다는 입장을 표명하고 쌀에 대해서는 GATT 규정화에서 예외를 인정해 주도록 요청하였음.

2. 이에 대하여 미측의 CARLA HILLS 대표는 별첨과 같이 농업부문의 시장접근 분야에서 예외없는 관세화는 미국을 포함한 다수 국가가 지지하고 있다고 강조하고 UR협상은 미국과 일본의 양자협상 문제가 아니고 제네바에서 다자간에 협상이 이루어져야 한다고 말하면서 일본이 LEADERSHIP을 발휘해서 UR 협상을 조속히 성공적으로 마무리 해줄것을 요구하였음.

3. TANABU 일본 농상은 내일 오전 브랏셀로 출발, 12.10. MACSHARRY EC 농업담당집행위원을 면담할 예정이라고 함.끝.

첨부: USW(F)-7820(2 매)

(대사 현홍주-국장)

통상국   통상국   경기원   ---   상공부   농수부

주 미 대 사 관

USW(F) : 1820　　　년월일 :　　　　시간 :

수 신 : 장　관 (통기, 통이, 경기원, 농수산부, 상공부)

발 신 : 주 미 대 사　　　　　　사본: 주제네바, EC대사

제 목 : 청부 (2매)　　　　　　　　　　　　(출처 :

모	안	
통	제	

(1820) - 2-1

익신	과	
통	제	

0085

OFFICE OF THE UNITED STATES
TRADE REPRESENTATIVE
EXECUTIVE OFFICE OF THE PRESIDENT
WASHINGTON
20506

FOR IMMEDIATE RELEASE   92-69
TUESDAY, DECEMBER 8, 1992   CONTACT: KATHY LYD...
                                                 CHRIS ALL...
                                                 202/395-3...

HILLS, TANABU MEET

United States Trade Representative Carla Hills today met
with Japan's Agriculture Minister, Masami Tanabu, to discuss ways
to bring the Uruguay Round of Multilateral Trade Negotiations to
a rapid and successful conclusion.

Meeting at Tanabu's request in Washington, D.C., Hills said
that with respect to the Dunkel Text on agriculture,
comprehensive tariffication without exceptions is a position long
held by many nations in the Uruguay Round negotiations, including
the United States. Hills said that comprehensive tariffication
and many other objectives of the Dunkel Text are not bilateral
issues between the U.S. and Japan, but issues of multilateral
interest that must be addressed in Geneva.

Hills urged Minister Tanabu to move quickly to show
leadership in these vital global trade talks.

Joining Hills in the meeting with Tanabu were: Acting U.S.
Secretary of Agriculture Ann Veneman and Deputy United States
Trade Representatives Julius Katz and Michael Moskow.

###

0086

관리
번호 92-143

외 무 부

종 별 : 지 급

번 호 : JAW-6494   일 시 : 92 1209 1618

수 신 : 장 관(봉기, 농수산부 (사본 : 주제네바대사- 중계필))

발 신 : 주 일 대사(일경)

제 목 : UR 협상(일본 농수산상 방미결과)

연 : JAW - 6480

연호, 방미중인 주재국 다나베 농수산상은 12.8(화) 오후 힐즈 USTR 대표 및
베네만 농무부장관대행과 회담한 결과를 주재국 농수산성으로 부터 입수한바, 동 요지
아래 보고함.

1. 회담관련 일측평가

일.미 양측은 UR 교섭 특히 농업분야에 관해 의견을 교환 하였으나, 상호 종래
입장을 반복 주장하였으며 다만 <u>금후 양측 입장의 상이점을 해소할 필요가 있다는</u>
<u>공동인식을 갖게 됨.</u>

2. 양측 주장내용

가. 일측주장

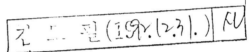

1) 현재 양국간 농산물 무역상황이 대체로 양호한 바, 이러한 관계를 유지해
나가야 할 것임. 그러나, 최근 쌀문제 관련 이러한 양호한 관계에 악영향을 줄
가능성이 있는 상황이 발생하고 있음.

2) 일본의 쌀문제를 비롯한 포괄적 관세화에의 대응이 곤란한 점은 더이상 반복할
필요가 없다고 보며, "쌀 자급"이라는 국회결의(84.7)를 무시한 조치를 취하는 경우는
중대한 정치문제로 발전될 것임.

3) UR 이 년내 정치적 타결을 목표로 재개되고 있는 바, 일본으로서도 가능한 조기
합의를 목표로 노력중에 있으나, 미.EC 간에도 어려운 문제에 대해 시간을 갖고
대화한 것과 같이, 일본이 안고있는 문제에 대해서도 <u>시간을 갖고 냉정히 검토하는</u>
<u>것이 UR 성공의 관건이 될 것임.</u>

나. 미측주장

1) 금년 7 월 서미트에서 합의한 바 대로 금년말까지 UR 협상 타결을 모색할

통상국	장관	차관	분석관	청와대	안기부	농수부	중계

PAGE 1   92.12.09   17:20

필요가 있음. 일본이 EC 와 같은 시간을 소요한다면, UR 자체가 어떻게 될지 모르는 상황에 빠질 것임. (미.EC 간 대화에 시간을 소비한 측은 미국이 아닌 EC 임)

　2) UR 교섭은 세계적으로 자유무역체제 구축을 목표로 하고 있는 바, 일.미가 모두 이익을 얻게 되므로 공동의 입장을 취할수 있다고 생각함. 그러한 방향으로 교섭하는 것이 긴요함

　3) (귀국후 총리등 관계자에게 전달바라는 바), 미국이 선거후에도 계속, UR의 성공적인 타결을 위해 노력중에 있는것과 같이, 일측도 같은 노력을 경주해주기 바람.

　4) 일측이 주장하는 포괄적 관세화의 예외는 EC 측이 요구하는 던켈 페이퍼중 일부조항 관련 예외와는 기본적으로 다름. 즉, EC 의 요구는 개혁속도의 완화인 반면, 포괄적 관세화의 예외 요구는 기본적인 틀을 변경하는 것임.

　5) 미측도 정치적으로 민감한 분야가 있으며, 어느 국가도 정치적으로 곤란한 측면이 있는 바, 일본과 같이 UR 로부터 이익을 얻는 국가야말로 더욱 지도력을 발휘해야만 할 것임.

　3. 한편, 다나베 농수산상 일행은 방미에 이어, 12.10(목) 오전 10:15(바라셀 현지시간) 맥셔리 EC 농업담당장관과 회담 예정인 바, 동 결과도 입수되는대로 추보 예정임. 끝.

　(대사 오재희 - 국장)

　예고 : 93. 6. 30 까지

PAGE 2

0088

안 　원 본

외 　무 　부

종　별 :

번　호 : GVW-2308　　　　　　　　　　일　시 : 92 1209 1800

수　신 : 장관(통기, 경기원, 재무부, 농수산부, 상공부)

발　신 : 주 제네바 대사

제　목 : UR/농산물 협상(이해 관계국 협의)

　　12.8 HASSAN 인니 대사는 당대표부를 방문 관세화 에외 공동 대체 **방안에 대하여 본직과** 협의하였는바, 요지 하기 보고함. (스위스 HEIER 참사관, 최양부 농경연 부원장 동석)

　　1. HASSAN 대사는 케언즈 그룹 국가의 일원으로서 관세화를 원칙적으로 **수용 하지만** MMA 에 근본적인 문제가 있다고 하면서 아국, 일본, 스위스등 이해 **관계국 회동에** 참여를 희망하였음.

　　2. 이에 대하여 본직은 인니가 관세화는 받으면서 MMA 부분만 못받겠다는 **입장은 받아들여질** 가능성이 높지 않으므로 관세 에외주장에 동참하는 **것이 보다 효과적이라고** 하고, 다음번 회동때 부터는 인니가 참여할수 있도록 **협조하겠다고 하였음.**

　　3. 다음 회동은 구체적인 반영방안을 협의할 계획이며 가까운 시일에 **당대표부엤 개최할** 예정임. 끝

　　(대사 박수길-국장)

　　예고 92.12.31. 까지

외 무 부

종 별 :

번 호 : GVW-2306   일 시 : 92 1209 1100

수 신 : 장관(봉기,경기원,재무부,농수산부,상공부)

발 신 : 주 제네바 대사

제 목 : UR 농산물 협상 소그룹(14개국)회의

    UR 농산물 회의 소그룹 회의를 아국을 포함 14개 국가가 참석한 가운데 계최될 예정이오니 참고 하시기 바람.

    첨부: UR 농산물 회의 참석국가 명단 1부.끝

    (GVW(F)-738)

    (대사 박수길-국장)

통상국   경기원   재무부   농수부   상공부

PAGE 1   92.12.09   22:20 EI

주 제 네 바 대 표 부

번 호 : GVW(F) - 738   년월일 : 2/20p   시간 : 1800
수 신 : 장   관 (총기, 경기원, 재무부, 농수부, 상공부)
발 신 : 주 제네바대사
제 목 :   GVW-2306 회복

총 2 매(크지포함)

보 안	
통 제	

외신과	
통 제	

738-24

0091

GATT P2-659   FACSIMILE TRAN MISSION

Centre William Rappard
Rue de Lausanne 154
CH-1211 Genève 21

Telefax: (022) 739 57 60
Telex: 412324 GATT CH
Telephone: (022) 739 56 41

TOTAL NUMBER OF PAGES   1
(including this preface)

Date: 8.12.1992

From: Frank Wolter
       Director
       Agriculture and Commodities Division
       GATT, Geneva

Signature:

To:			
ARGENTINA	H.E. Mr. J.A. Lanus	Fax No:	798 59 95/798 72 82
AUSTRALIA	H.E. Mr. D. Hawes		733 65 86
BRAZIL	H.E. Mr. C.L. Nunes Amorim		733 28 34
CANADA	H.E. Mr. G.E. Shannon		734 79 19
EEC	H.E. Mr. Trân Van-Thinh		734 22 36
FINLAND	H.E. Mr. A.A. Hynninen		740 02 87
INDIA	H.E. Mr. B.K. Zutshi		738 45 48
JAPAN	H.E. Mr. H. Ukawa		788 38 11
KOREA	H.E. Mr. Soo Gil Park		791 05 25
MEXICO	H.E. Mr. J. Seade		733 14 55
NEW ZEALAND	H.E. Mr. A.M. Bisley		734 30 62
SWITZERLAND	H.E. Mr. W. Rossier		734 56 23
THAILAND	H.E. Mr. Tej Bunnag		733 36 78
UNITED STATES	H.E. Mr. R.H. Yerxa		749 48 85/749 48 94

Your delegation is invited to participate in an informal meeting on
agriculture to be chaired by Mr. Germain Denis. The meeting will be held at
Sub-Cabinet level (Chief Negotiator); participation is restricted to one plus
one per delegation. The meeting will take place on Wednesday, 9 December at
10.30 a.m. in Room F of the Centre William Rappard. The purpose of the meeting
is to consult on the state of play of the negotiations and on key elements of
market access in agriculture.

PLEASE NOTIFY US IMMEDIATELY IF YOU DO NOT RECEIVE ALL THE PAGES

** OUR FAX EQUIPMENT IS HITACHI HIFAX 210 (COMPATIBLE WITH
GROUPS 2 AND 3) AND IS SET TO RECEIVE AUTOMATICALLY **

738-2-2   0092

원 본

외 무 부

종 별 :

번 호 : GVW-2319

일 시 : 92 1209 2010

수 신 : 장관(통기,경기원,재무부,농수산부,상공부)

발 신 : 주 제네바 대사

제 목 : UR/농산물 협상(주요국 비공식 회의)

12.9(수) 10:30 DENIS 의장 주재로 아국 포함 14 개국(미, EC, 일본, 카나다, 호주, 뉴질랜드, 알제틴, 브라질, 인도, 멕시코, 스위스, 태국, 필랜드등)이 참석한 표제 협상 주요국 비공식 회의가 개최되었는바, 요지 하기 보고함. (본직, 농림수산부 김광희 기획관리실장, 농경연 최부원장 참석)

1. 회의 개요

- 주요국 참석자

0 미국: 슈뢰터 USDA 해외농업처 부처장, 오마라 USDA 부차관보

0 EC: 뮐러 농업부총국장

0 일본: 시와쿠 심의관

0 호주: 피터필드 차관

- 의제: 별첨 FAX 송부

2. 미-EC 합의사항 다자화.

- 미-EC 합의문안 (LEGAL TEXT) 은 금번 회의때 제시되지 못하고 별첨 CONCEPT PAPER 가 미국에 의해 배포되었음.

- 미국은 양자 합의가 UR 협상을 재개시키는 계기가 되었으며, 동 합의 내용이 특정분야에 예외를 설정하는 것이 아니고 모든 분야. 모든 국가에 적용될수 있을 것이고 국내 보조, 수출 보조 분야의 양국간 합의사항을 다른 나라도 이득을 볼수 있는 내용이라고 하면서 CONCEPT PAPER 의 내용을 간략히 설명하였음.

- 스위스는 직접 지불 조건중 85 % 생산의 기준년도를 질문하였음. (86-88 평균 또는 92 년)

0 이에 대하여 미국은 추후 답변하겠다고 하였고 EC 는 직접 지불 허용조건의 합의 내용중에 기준년도에 대한 언급이 없다는 점을 강조하였음.

통상국 농수부	장관 상공부	차관	2차보	분석관	정와대	안기부	경기원	재무부

PAGE 1

92.12.10   06:53

외신 2과   통제관 FR

0093

- 케언즈 그룹을 대표하여 호주는 미.EC 합의를 환영하며 합의 내용이 국내 보조 수출 보조에는 다소의 불만이 있지만 농업 개혁 방향에 합치하므로 전반적으로 지지한다고 하였음. 남은 문제는 예외없는 관세화 원칙의 수용이며 년말까지 타결되어야 한다고 하였음.

- 인도, 멕시코등은 시장접근 문제만을 부각시키는 접근 방식에 불만을 표명하였음.

- 본직은 12.4 회의시 미.EC 합의 문안의 제시를 아국 포함 여러나라가 요구했었음을 상기시키고 동 합의 내용의 검토가 선행될 필요가 있다고 하였음.

- 알젠틴은 던켈 초안 PART B 가 계속 존치되어야 한다고 하고 별첨 자료 2 항(C)의 92 년 수준 국내 보조에 직접 지불 정책이 포함되어야 한다고 하였음.

2. 예외없는 관세화 문제

- 미국은 미.EC 합의사항에서 국내 보조. 수출보조 분야에 예외를 설정한 것이 없다고 하면서 예외없는 관세화는 시장접근 협상의 기본원칙이라고 강조하였음.

호주, 알젠틴등 케언즈 그룹 국가들도 예외없는 관세화가 협상의 기본 원칙이라고 강조하였음.

- 본직은 미.EC 합의사항이 먼저 검토되어야 한다고 전제하고, 동합의 내용은 국내보조, 수출보조등 수출국의 조치에는 상당한 융통성을 인정하고 있으면서 아국등 수입국의 입장은 공평하게 반영되어 있지 못하다고 지적하고, 아국등 수입국의 중요한 문제도 미.EC 합의사항 다자화 과정에 함께 논의되어야 한다고 강조 하였음. 특히 아국등 개도국은 미.EC 가 합의한 직접보조정책을 활용하기 어려운 상황이므로 균형유지 측면에서 관세화 예외문제가 융통성 있게 고려되어야 한다고 하였음. COMPLETE C/S 제출과 관련해서는 아국이 제출한 C/S 에 민감 품목이 빠져 있으나 협상진전에 상황에 따라 개선된 C/S 를 제출할 수 있을 것이라고 함. 또한 예외없는 관세화와 관련 EC 가 바나나에 대한 관세화 OFFER 를 낼수 있는지를 질문하였음.

0 이에대하여 EC 는 바나나 수입제도에 대한 EC 집행위의 제안을 내주 개최 예정인 이사회에서는 논의할 것이라고 하고, 현재 결론을 예단할수 없으나 EC 의장국이 관세화 방향의 새로운 제안을 준비중이라고 하고, 바나나가 시장접근 협상의 중요한 문제는 되지 않을 것이라고 함.

- 일본은 미.EC 합의사항은 수출보조, 국내보조 부분에서 규율을 완화시킴으로서 UR 의 근본적 원칙을 손상시키고 있다고 하면서, 관세화 예외문제에 대한 고려없이

PAGE 2

미.EC 합의사항만 반영한 TEXT 수정은 불균형을 초래하게 되어 국내에 설득시킬수 없을것이라고 하였음. 관세화 원칙에 반대하는 것은 아니지만 쌀, 유제품등 매우 중요한 품목은 관세화를 받아들이기 매우 어렵다고 함.

- 카나다는 예외없는 관세화 문제만 부각시키는 방식은 부적합하며, 시장접근과 관련된 여타 사항과 함께 논의되도록 하는 것이 적절하다고 하면서, 11 조에 의한 생산봉제 품목은 관세화 하지 않는 대신 시장접근 (ACCESS) OFFER 를 제시하였다고 강조하고 자국은 현재 관세화를 수용할 수는 없으나 여러가지 대안을 검토해볼 필요가 있으며 (EXPLORE OPTIONS) 모든 분야 협상 결과를 종합평가할 필요가 있다고 하였음.

- 스위스는 미.EC 합의로 모든 나라의 문제가 해결되는 것은 아니라고 전제하고 포괄적 관세화를 받아들이지만 이행문제에는 융통성이 인정되어야 한다고 하면서 장기간의 이행기간 필요성을 제기함. 특히 자국은 백지수표를 요구하는 것이 아니라면서 관세화를 장기간 유예하는 품목은 추가적 시장접근을 인정하겠다고 함.

- 멕시코는 관세화 원칙을 인정하지만 PRAGMATIC 한 접근을 취해야 한다고 한후 가입 의정서상의 권리를 강조하였음

- 북구를 대표한 핀랜드는 북구국가간 입장차이가 있다하고, 포괄적 관세화에 문제가 있는 국가가 있는바, 국내에서 이문제를 검토하고 있다 (ON GOING PROCESS)고 하였음.

- 인도는 농업의 비중이 높은 개도국에 대하여 포괄적 관세화가 유일한 해결책이 되는지에 의문을 표명하였음.

3. DENIS 의장은 금번회의에서 결론을 얻을 수는 없었으나 예외없는 관세화가 근본적인 문제로 대두되었다고 하고 이문제에 대하여 일부 국가는 특정품목의 문제를 제기하였고 일부 국가는 여타 시장접근 문제와 연계시키고 있고, 일부는 국내에서 문제를 검토중에 있음을 시사했으며, 일부개도국은 관세화에 SAFEGUARD 가 필요하다는 입장을 보였다고 하였음.

- DENIS 의장은 금번 회의결과를 TNC 의장에게 보고하고 12.11(금) 비공식 회의를 개최하여 전체협상 진전사항을 평가하도록 할 계획이라고 하였음.

4. 기타사항

- 12.10(목) 11:00 스위스대표부에서 이해관계국 회동이 있을 예정임

- 12.10(목) 17:00 그린룸 회의 개최될 예정임.끝

첨부: 회의 의제 및 미.EC 합의사항 CONCEPT PAPER 1 부

PAGE 3

0095

(GVW(F)-0742). 끝
(대사 박수길-국장)
예고:92.12.31. 까지

주 제 네 바 대 표 부

번 호 : GVW(F) - 0162   년월일 : 2.20   시간 : 20/0

수 신 : 장 관 (통가, 경기원, 재무부, 농수산부, 상공부)

발 신 : 주 제네바대사

제 목 : 첨부

총 6 매(표지포함)

브 안	
통 제	

의신과	
통 제	

142-6-1

0097

PROPOSED AGENDA

1. State of play, including multilateralization of US/EC understanding (internal support, export subsidies, export credit, peace clause).

2. Essential outstanding elements of the market access package:

    (i) Comprehensive tariffication issue;

    (ii) Market access conditions under the tariffication package (e.g. use of tariff rate quotas, including treatment of preferential trade and trade over variable levies; level of aggregation for commitments; in-quota tariffs).

3. Timing of submission of complete Schedules and review process.

4. Other issues.

$142-6-2$

0098

Article to be inserted in the text on agriculture of the Dunkel Draft Final Act*

During the implementation period,** notwithstanding the provisions of the GATT 1993 and the Agreement on Subsidies and Countervailing Measures (" Subsidies Agreement"):

1. Domestic support measures that conform fully to the provisions of Part A, Annex 2 shall be:

    (a) non-actionable subsidies for purposes of countervailing duties;***

    (b) exempt from actions based on Article XVI of the GATT 1993 and Part III of the Subsidies Agreement; and

    (c) exempt from actions based on non-violation nullification or impairment of the benefits of tariff concessions accruing to another Member under Article II of the GATT 1993, in the sense of Article XXIII:1(b) of the GATT 1993.

2. Domestic support measures**** that conform fully to the provisions of Part B, paragraph 8, including direct payments that conform to the requirements of subparagraph 2 thereof, as reflected in each Member's Schedule of Commitments, shall be:

    (a) exempt from the imposition of countervailing duties*** unless a determination of injury or threat thereof is made in accordance with Article VI of the GATT 1993 and Part V of the Subsidies Agreement, and due restraint shall be shown in initiating any countervailing duty investigations;

    (b) exempt from actions based on Article XVI:1 of the GATT 1993 or Articles 5 and 6 of the Subsidies Agreement, provided that such measures do not grant support to a specific commodity in excess of that decided during the 1992 marketing year; and

    (c) exempt from actions based on non-violation nullification or impairment of the benefits of tariff concessions accruing to another Member under Article II of the GATT 1993, in the sense of Article XXIII:1(b) of the GATT 1993, provided that such measures do not grant support to a specific commodity in excess of that decided during the 1992 marketing year.

기표-6-3

0099

3.   Export subsidies**** that conform fully to the provisions of Part V of Part A, as reflected in each Member's Schedule of Commitments, shall be:

   (a)   subject to countervailing duties*** only upon a determination of injury or threat thereof based on volume, effect on prices, or consequent impact in accordance with Article VI of the GATT 1993 and Part V of the Subsidies Agreement, and due restraint shall be shown in initiating any countervailing duty investigations; and

   (b)   exempt from actions based on Article XVI of the GATT 1993 or Articles 3, 5 and 6 of the Subsidies Agreement.

————————

*   The provisions of this Article replace those in Article 7:3, Article 12, and Article 18:2 of the Text on Agriculture of the Draft Final Act.

**   The "implementation period" is the six-year period beginning on the date of entry into force of this Agreement.

***   "Countervailing duties" are those covered by Article VI of the GATT 1993 and Part V of the Subsidies Agreement.

****   To be correct, references to domestic support measures and export subsidies for purposes of paragraphs 2(a) and 3(a) must be revised to refer to "subsidized imports that benefit from" domestic support measures and export subsidies.

November 20, 1992

0100

DRAFT TEXT

The following would replace Part B, paragraph 8 of the Draft Final Act:

(1) Internal support commitments shall be expressed and implemented through Aggregate Measures of Support as defined in Annex 5, or through equivalent commitments as defined in Annex 6 where the calculation of an AMS is not practical. The base period shall be the years 1986-88. A Total AMS shall be calculated as the sum of the value of all AMSs and equivalent commitments. The Total AMS shall be reduced during the period of implementation in equal annual installments and shall be bound, at the end of the period, at a level 20 percent below the base period level. Credit shall be allowed in respect of actions undertaken since the year 1986.

(2) Direct payments under production limiting programmes shall not be subject to the commitment to reduce internal support if:

- payments are based on fixed area and yields or

- payments are made on less than 85 percent of the base level of production;

- livestock payments are made on a fixed number of head.

The exemption from the reduction commitment for direct payments meeting the above criteria shall be reflected by the exclusion of the value of those direct payments in a party's calculation of its current total AMS.

November 20, 1992

0101

EXPORT CREDITS AND CREDIT GUARANTEES

participants undertake to work towards the development of
internationally agreed disciplines to govern the provision of
export credits, export credit guarantee or insurance programs
and, after agreement on such disciplines, to provide export
credits, export credit guarantee or insurance programs only in
conformance therewith.

October 8, 1992

0102

$\wedge \text{I} / \text{2} - 6 - 6$

외 무 부

종 별 :

번 호 : GVW-2310   일 시 : 92 1209 1800

수 신 : 장관(통기, 경기원, 재무부, 농수산부, 상공부)

발 신 : 주제네바대사

제 목 : UR 농산물 시장접근분야 양자협상 개시

    0 농산물 시장접근분야 협상과 관련 미국이12.9(수) 양자협상을 요청하였고, 카나다, 칠레, 호주등도 금주중 양자협상을 갖자는요청이 있어 이에대하여 당대표부는 12.14 주간중 개최되록 협의중에 있음.

    0 동 양자협상시 대아국에 대한 REQUEST LIST제시가 예상되므로 아국의 REQUEST LIST 사전준비 및 T-1 양자협상팀의 12.14 주간 파견등필요한 조치를 취하여 주시기바람.

    첨부: 칠레 양자협의 요청서 1부(GVW(F)-0740).끝

(대사 박수길-국장)

통상국   경기원   재무부   농수부   상공부

PAGE 1

주 제 네 바 대 표 부

번 호 : GVW(F) - 740   년월일 : 2/20/P   시간 : 18 00

수 신 : 장   관 (통기, 경기원, 재무부, 농누산축, 상공부)

발 신 : 주 제네바대사

제 목 : . GVW-2310 첨부

총 4 매(표지포함)

브 안	
통 재	

외신국	
통 재	

740 - 41   0104

MINISTERIO DE RELACIONES EXTERIORES
DELEGACION PERMANENTE DE CHILE
ANTE LAS ORGANIZACIONES INTERNACIONALES
GINEBRA

Geneva, october 29th, 1992

N° 49

Dear Ambassador,

According with instructions of my
Government, I have the pleasure to submit to your Government's
consideration, the list of requests attached herewith, in the
framework of the Market Access Negotiations of Uruguay Round.

For all products included in the attached
list, we request the elimination of all non tariff restrictions
and a substantial reduction of tariffs.

Our Mission is ready to celebrate
consultations with representatives of your Government on the
subject. We would appreciate if you can give us a reply to our
request as soon as possible.

I avail myself to renew the assurance of my
highest consideration.

ERNESTO TIRONI
Ambassador of Chile
Permanent Representative

H.E. Mr. Soo Gil Park
Ambassador
Permanent Representative of Republic of Korea to Gatt
Route de Pré-Bois 20
1216 Cointrin

0105

MINISTERIO DE RELACIONES EXTERIORES
DELEGACION PERMANENTE DE CHILE
ANTE LAS ORGANIZACIONES INTERNACIONALES
GINEBRA

REQUEST FROM CHILE TO KOREA

03031000	FROZEN PACIFIC SALMON
03037800	FROZEN HAKE
03037990	FROZEN FISH, NES
03074900	CUTTLE FISH AND SQUID (EX LIVE)
08061000	FRESH GRAPES
08062000	DRIED GRAPES
08081000	FRESH APPLES
08082010	PEARS FRESH
08093000	PEACHES, INCLUDING NECTARINES
08094010	PLUMS AND SLOES FRESH
08109090	OTHER FRUITS, FRESH, NES
08112000	RASPBERRIES, BLACKBERRIES, ETC... FROZEN
08132000	DRIED PRUNES
08133000	DRIED APPLES
12122010	SEAWEEDS AND OTHER ALGAE
16051010	CRAB PREPARED OR PRESERVED (+ 90)
20029010	TOMATOES, PRESERVED OTHERWISE
22042110	WINE NOT SPARKLING, GRAPES MUST (+ 20,90)
23012010	FLOURS, MEALS AND PELLETS OF FISH
26011110	NON AGGLOMERATED IRON ORES AND CONC
26011210	AGLOMERATED IRON ORES AND CONCENT
26030000	COPPER ORES AND CONCENTRATES
26080000	ZINC ORES AND CONCENTRATES
28100010	BORIS ACIDS
28342100	NITRATES OF POTASSIUM
28369100	LITHIUM CARBONATES
44032020	UNTREATED CONIFER WOOD IN ROUGH.
44071090	CONIFEROUS WOOD SAWN OR CHIPPED
44091000	CONIFEROUS WOOD CONTINUOUSLY SHAPED
44092000	CONIFEROUS WOOD CONTINUOUSLY SHAPED
44101000	PARTICLE BOARD AND SIM BOARD OF WOOD

760 -4 -7   0106

MINISTERIO DE RELACIONES EXTERIORES
DELEGACION PERMANENTE DE CHILE
ANTE LAS ORGANIZACIONES INTERNACIONALES
GINEBRA

44112100	FIBREBOARD OF A DENSITY 0,5 gm/cm 3
47031100	UNBLEACHED CONIFER. CHEMIC WOOD PULP
48010000	NEWSPRINT IN ROLLS OR SHEETS (+ 411, 441)
72027000	FERROMOLYBDENUM
74019900	ARTICLES OF COOPER, NES
74020010	COOPER UNREFINED
74031100	COPPER CATHODES AND SECT OF CATH.UNW
74031200	WIRE BARS, COPPER UNWROUGHT
74031900	REFINED COPPER PROD, UNWROUGHT
87084000	TRANSMISSIONS FOR MOTOR VEHICLES
94034010	KITCHEN FURNITURE, WOODEN, NES (+ 90)
95033000	FURNITURE, WOODEN, NES
95034900	TOYS, NES REPRESENTING ANIMALS. ETC. (10,20).

0107

외 무 부

원 본

종 별 :

번 호 : GVW-2327   일 시 : 92 1210 1800

수 신 : 장관(통기, 경기원, 재무부, 농림수산부, 상공부)

발 신 : 주 제네바 대사

제 목 : UR/농산물 (엔도 대사면담)

12.9(수) 본직은 일본 엔도 대사를 오찬에 초대하여 표제 협상 동향과 일본의
입장에 대하여 협의하였는바, 동인 언급 요지 하기 보고함.(농림수산부 김광희
기획관리실장 동석)

   1. 협상 전망

   - 현재까지 확실한 TIME TABLE 은 없으며, 서비스 등 다른 분야 협상 문제가 있어
아직 전망이 불확실하지만 모든 정치적 문제에 대한 합의를 년내에 시도할 것으로
예상되며, LEGAL TEXT 는 내년초에 제시될 가능성이 있음.

   0 던켈 총장은 포괄적 관세화 문제를 부각시킬 것으로 예상되는바, 일본은 서비스,
MTO 등 여타 분야의 문제점을 함께 거론해 결론을 늦춰나가는 방안을 생각중임.

   0 금년말 미국의 강한 압력이 예상됨.

   2. 일본 입장

   - 쌀을 포함한 몇개 품목에 대하여는 포괄적 관세화를 받을수 없다는 것이
현재까지의 일본 정부의 공식 입장임.

   - 일부 국가들이 관세화 원칙을 수용하되 일부 이행상 융통성을 인정받는 방안을
제시해오고 있으나 선뜻 받아들이지 못하고 있음.

   - 다음 방안들이 일본으로서 검토해볼수 있는 안이라고 생각함.

   0 쌀의 MMA 3 % 를 6 년간 계속 유지하는 대신 다른 품목의 MMA 를 늘려주는 방안

   0 최저 관세 삭감폭 15 % 를 10 % 로 조정하는 방안

   0 아주 높은 TE 를 설정하는 방안

   - 관세화 원칙을 우선 수용하고 다음에 시행상의 융통성을 인정받는
방안에대해서는 일단 원칙을 받게 되면 다음의 협상 입장이 약화될수 밖에 없기 때문에
확실한 보장이 없는 한은 관세화 원칙을 받기 어려움.

통상국 농수부	장관 상공부	차관	2차보	분석관	청와대	안기부	경기원	재무부

PAGE 1   92.12.11   05:48
                                                    외신 2과 통제관 BZ

                                                    0108

114 우루과이라운드 농산물 협상 6

- 스위스 방식은 유예기간은 확보되지만 MMA 의 증량을 요구하므로(던켈 초안보다 높은 수준) 일본 입장에서 바람직하지 않음.

- 현재 관세화에 융통성을 보이는 문제에 대하여 일본의 외무성과 농림성 사이에 심각한 논의가 진행중이며, 의견차가 상당히 접근해 가고 있음.

O TIMING 과 관련 12.11(금) 개각이 있을 예정인바(농림수산성 장관 포함) 현재로서는 UR 에 대한 중요한 결정이 내리기 어려울 것으로 보며, 내년중 논의가 활발해 질것으로 예상됨.

O 일본으로서는 관세화에 반대하지만 만약 타결될 경우 보다 나은 조건을 얻어내야 국내 설득이 가능하다고 봄.

3. 아국입장에 대한 의견

- 일본은 MMA 에 융통성이 있는바, 미리 대비할 필요가 있다고 봄.

O 이에 대하여 본직은 아국이 일본보다 더욱 어려운 입장이라고 설명하고, 일본이 입장을 변경할 경우 한국은 상당히 어려운 입장에 놓이게 된다고 하였음.끝

(대사 박수길-국장)

예고 92.12.31. 까지

```
관리
번호  92-218
```

외 무 부

종   별 : 지급

번   호 : GVW-2335

일   시 : 92 1210 2030

수   신 : 장관(통기, 경기원, 재무부, 농수산부, 상공부)

발   신 : 주 제네바 대사

제   목 : UR/협상동향(김실장의 미국 O'MARA 접촉)

검 토 필(1992.12.31)

금 12.10 (목) 12:00 농림 수산부 김광희 실장은 미국의 UR 농산물 협상 대표인 J.O'MARA 와 만나 UR 협상 동향을 논의하였는바, 동 결과 요지 하기 보고함.

(최양부 농경연 부원장, 총농무관, 이농무관보 참석)

ㅇ 김실장은 미.EC 간 합의가 이루어지고 협상이 급속히 진전되는 상황에서 아국의 입장을 분명히 하려 왔다고 하고 예외없는 관세화를 받을수 없다는 아국의 입장을 설명하면서 미국의 이해를 구함.

- 김실장은 한국이 쌀을 개방하면 한국 농업은 완전히 붕괴 될것이며, 3% 의 최소시장 접근만 허용하더라도 우리 농민들이 모두 농업에 대한 희망을 버리고 농업을 떠날 것이며 이는 정치적으로 매우 심각한 문제임을 설명

ㅇ 이에 대해 O'MARA 대표는 한국의 어려운 입장은 이해하나 관세화 이외의 다른 대안을 생각할수 없으며 예외없는 관세화를 받고 이로 인한 농가소득 손실을 국내 보조를 통해 보전하는 방안을 제시함.

ㅇ 김실장은 쌀의 개방은 단순하게 소득과 연관된 문제는 아니며 한국이 쌀을 포기할 경우 경지면적의 대부분을 차지하는 논에다 무엇을 심을 수 있는지를 반문함.

ㅇ 아측은 아국이 수입자유화 정책을 추진하고 있으며, 중국도 같은 시기에 수출 DRIVE 정책을 추진하고 있고 한. 중국이 지리적으로도 근접하기 때문에 우리의 수입자유화 정책으로 인해 중국이 값싼 농산물을 수출함으로써 많은 이득을 보고 있으며 만약 쌀시장을 개방할 경우 오히려 중국 쌀이 크게 들어올 것임을 강조하고 또한 한국의 경우 일본에 비해 쌀이 농업소득과 경지면적에서 차지하는 비중이 매우 높고 전업농이 전체농가에서 차지하는 비중이 매우 높음을 들어 경제적으로는 일본보다 매우 심각함을 설명함.

ㅇ 이에 대해 미측은 "예외없는 관세화"는 UR 협상의 대전제임을 강조하고,

통상국   장관   차관   2차보   분석관   청와대   안기부   경기원   재무부
농수부   상공부

PAGE 1

92.12.11   07:46

외신 2과   통제관 CM

0110

멕시코를 예로 들어 NAFTA 협상체결시 멕시코는 국내적으로 옥수수, 낙농제품 등에 큰 어려움이 있음에도 불구하고 다른 분야에서 많은 이득을 얻을수 있기 때문에 관세화를 수용하였다고 설명하면서, (멕시코의 경우 예외없는 관세화는 받아들이고 높은 TE 를 설정하여 15 년의 이행기간 동안 감축하고 15 년 이후에는 관세를 ZERO 로 유지함) DFA 에 따라 관세화를 받아들이고 TE 를 36 % 삭감하고 MMA 를 3 % 허용하는 것이 어떻게 농업을 붕괴시키는지 이해할수 없다고 말함.

0 아측은 아국이 1980 년 냉해로 인한 쌀 흉작시의 경험으로 국가안보차원에서 쌀 자급의 중요성이 크게 인식되었다고 하고 쌀 시장 개방시 한국의 쌀 생산이 매우 어려운 상황에 빠지게 될것임을 재삼 강조함.

0 한편 협상 일정과 관련 동 대표는 정치적 결정이 2 월말까지 확정되면 이에 따른 새로운 C/S 작성에 한달이 소요될 것이라함.

0 또한 미.EC 합의 내용(TEXT)에 대하여는 합의 내용의 구체적 제시 요구 이유를 이해하지 못하겠다고 하고 12.9 회의시 제시한 CONCEPTUAL PAPER 가 미.EC 합의 내용을 DFA 에 반영하기 위한 전부임을 강조

한편 동 회의시 수출 보조 분야에 PAPER 를 내지 않는 것은 수출 보조 분야의 경우 단순히 숫자를 24 % 에서 21 % 로 고치는 것이기 때문임을 설명함.

0 참고로 동인은 금일 WASHINGTON 으로 일단 귀임 다음주 12.16)(수) GENEVE 로 돌아올것이라고 함. 끝

(대사 박수길-국장)

예고: 92.12.31. 까지

PAGE 2

외 무 부

종 별 :

번 호 : ECW-1561　　　　　　　　　　일 시 : 92 1210 1800

수 신 : 장 관 (통기,통삼,경기원,농림수산부,상공부)

발 신 : 주 EC 대사 (사본: 주제네바,주미,주일대사:중계필)

제 목 : 일본 농업상의 EC 방문결과

　　1. 12.10. 오전 MASAMI TANABU 일본농림수산성장관은 MAC SHARRY 농업담당집행위원을 면담, UR 협상에서 자국쌀시장의 개방과 예외없는 관세화는 수용할수 없다는기존입장은 변경된바 없음을밝히고, 쌀시장 개방은 농촌사회 붕괴와 정치적불안요인이 된다는 점을 강조하면서, UR협상에서 예외취급을 받을수 있도록 협조하여줄것을요청함

　　2. 이에대해 MAC SHARRY 집행위원은 EC 의바나나문제를 예로 들면서, 어느 국가를 막론하고 민감한 품목이 있다는 것은 알고 있으나, 예외없는 관세화원칙이 받아드려져야 한다는것이 EC 의 기본입장이라고 말하고, 각국이 갖고있는 민감품목에 대해서는 제네바협상에서토의되어야 할 것이라는 의견을 제시함

　　3. 동면담후 TANABU 장관은 MAC SHARRY위원과 UR 협상전반에 관한 의견을교환했고, 자국의 쌀문제에 대해 집중적으로논의하였으나, 동회담은 매우 어려웠다고 말함.한편 MAC SHARRY 위원은 TANABU 장관에게미-EC 농산물협상 결과와 CAP 개혁이 EC농업에 미칠 영향에 대해 설명한 것으로알려짐. 끝

　　(대사 권동만-국장)

통상국　　경기원　　농수부　　상공부　　통상국　2 3년간

관리
번호 92-959

외 무 부

종 별 : 지 급

번 호 : GVW-2334

일 시 : 92 1210 2030

수 신 : 장관(봉기,경기원,재무부,농림수산부,상공부)

발 신 : 주 제네바 대사

제 목 : UR/농산물 협상(이해 관계국 회동)

검 토 필 (199 .12.31.)

연: GVW-2251

1. 12.10(목) 11:00 스위스 대표부에서 표제 협상 관련 이해 관계국 (아국, 일본, 카나다, 스위스, 멕시코, 노르웨이, 이집트, 이스라엘, 인도네시아)이 재 회동 포괄적 관세화 대처 방안에 대해 협의하였음.

가. 스위스의 구체적 대응 방안 제시

- 스위스는 가급적 이행 관계국 관심사항이 모두 포괄되는 방안을 강구하되 수용 가능성이 높아지도록 제한적인 예외 (QUALIFIED EXCEPTION)을 추진하는 것이 적절하며, TEXT 의 수정은 최소화 할 필요가 있다는 전제하에 다음과 같이 부속서 3 의 주석 조항을 수정하는 방안을 제시함.

O 주석문안 둘째줄 괄호내에 갓트 11 조 2(C) 를 삽입하는 방안

O 갓트 33 조등 법적 기초에 의거한 조치는 이행기간 종료시 철폐되도록 한다는 문안을 추가하는 방안

O 특히 어려운 국가의 당장 관세화 할수 없는 제한된 품목에 대하여는 WAIVER 를 통하여 이행기간 종료시점 예외를 인정할수 있다는 문안을 추가하는 방안

- 카나다는 첫째 대안이 자국입장에 가까우나 단지 11 조 2(C) 삽입 만으로는 불충분하고, 동 조항이 CLARIFY 되야 한다고 하였음.

또한 동 조치에 시한을 두는 것에 반대입장을 표명함. 이스라엘, 노르웨이도 동 대안에 관심을 표명하고 CLARIFICATION 이 필요하다는 점을 강조함.

(스위스는 CLARIFICATION 은 UR 외의 장에서 논의하는 것이 적합하다는 의견 피력)

- 일본은 셋째 대안의 WAIVER 획득 가능성에 의문을 제기하고 관세화의 예외를 찾는 것과 이행의 융통성을 찾는 것은 다르며 일단 포괄적 관세화를 받아 들이게 되면

통상국 장관 차관 2차보 분석관 정와대 안기부 경기원 재무부
농수부 상공부

PAGE 1

92.12.11 07:33

외신 2과 통제관 CM

0113

협상 입장이 약화될수 있다는 우려를 표명하였음. 현재까지 일본 입장은 관세화 원칙을 부정하는 것이 아니고 예외를 인정 받고자 하는 것이라고 하면서 관세화 CONCEPT 문제를 계속 거론하는 것과 구체적 대안을 논의하는 것의 정략적 평가를 해야 할 것이라고 하였음.

- 본직은 구체적 대응 방안을 논의할 필요성을 인정하지만 각국의 입장이 서로 다르기 때문에 공통입장을 수립하기 어렵다고 전제하고 스위스의 제안이 PRACTICAL 한 측면은 있으나 아국 관심사항을 반영하기는 불충분하며 그중 셋째 대안이 제한적으로 우리입장에 가까울수도 있으나 WAIVER 획득 가능성 문제가 있으므로 문안에 해당국이 WAIVER 를 원할 경우 협상 PACKAGE 의 일부분으로서 모든 국가가 WAIVER 획득에 동의한다는 부분을 추가하는 방안을 제시하였음.

- 이스라엘은 셋째 대안의 적용 국가가 OPEN 될 경우는 수용될 가능성이 높지 않다고 하면서 엄격한 CRITERIA 필요성을 제기하였음. (스위스는 NTC CRITERIA방안을 제시)

- 멕시코는 둘째 대안에 관심을 표명하였음.

- 인도네시아는 관세화를 받으면서 MMA 에 융통성을 인정받고자 하는 자국 입장을 설명하였음.

- 이집트는 포괄적 관세화를 수용하기 어려우며 예외를 원한다고 하고, 우선 원칙 자체에 문제를 제기할 필요성이 있다고 하면서 구체적인 대처 방안은 가급적 조속히 이루어졌서 던켈 총장에게 제시되야 할 것이라고 함.

나. 추진 방법 및 시기

- 본직은 T-4 가 공식저급로 아직 열리지 않았으나 실질적으로는 가동되고 있다고 하고, 공식적인 T-4 협상 개시는 EC 정상회담, 농업이사회(12.14, 15 이후인 12.15-17 경이 될 가능성이 있으며 이를 사전 대비하여 구체적 제안을 준비할 필요성이 있다고 하였음.

- 일본은 현 단계에서는 T-1, 2, 3 에서 정치적 문제를 SORT OUT 한후 던켈 초안 수정문안이 만들어지면 한차례 짧게 열것으로 예상하였음.

- 스위스는 던켈이 일단 수정 TEXT 를 내놓으면 TAKE IT OR LEAVE IT 성격이며 사실상 FINAL 이기 때문에 그후에는 수정이 불가능해지므로 T-4 공식 가동전에 수정 제안이 제시되야 한다고 하였음.

- 인니는 TEXT 수정없이 C/S 에서 문제를 해결하려는 것은 실효성이 없을 것이라고

PAGE 2

0114

하였음.

2. 기타 사항

- 스위스는 관세화 유예뿐 아니라 국내보조, 수출 보조의 이행기간도 10 년으로 연장시키려 한다면서 TEXT PART A 의 이행기간 부분의 수정 제안을 검토중이라고 하였음. 또한 특별 세이프가드의 물량기준 발동 요건을 수입비율을 기준으로 하여 달리정하는 제안을 할것이라고 하였음.

(예컨데 10 % 미만 수입시는 수입량이 25 % 이상 증가시 발동, 10-20 % 수입시는 15 % 내외 증가시 발동, 20 % 이상 수입시는 수입량의 5 % 내외 증가시)

3. 그린룸 회의 및 T-1 전체 평가회의후 동 회동을 다시 갖기로 하였으며, 구체적 대응 방안을 더욱 논의해 보기로 함. 끝

(대사 박수길-국장)

예고: 92.12.31. 까지

	분류번호	보존기간

발 신 전 보

번 호 : **WUS-5525** 921211 1644 WG   종별 : _____
                                                   WGV -1954

수 신 : <u>주   미</u>   대사. <u>총영사</u> (사본 : 주 제네바 대사)

발 신 : <u>장 관(통 기)</u>

제 목 : UR 농산물 개도국 우대

검 토 필 (1993.12.31.) 시

대 : USW-5807, 5931

검 토 필 (1993.6.30.) 박

국내 각 일간지등도

1. 92.12.11자 요미우리 신문에 <del>따르면</del> 미국이 UR 농산물 협정안에 포함된 개도국
   을 인용
   우대 조항을 확대 해석하여 한국에 대해 예외없는 관세화 적용을 완화하는
   방향으로 비공식 교섭을 벌이기 시작했다고 보도함. (동 신문은 미국의
   조치가 쌀에 대한 예외없는 관세화를 거부하고 있는 한국과 일본을 갈라놓기
   위한 의도에서 나온 것으로 보인다고 분석)

2. 상기 보도관련 미측의 입장과 대호 미측의 개도국 세부분류 작업의 진전 상황을
   은밀히 타진 바람. 끝.

(통상국장 대리   오 행 겸)

		보 안 통 제	杜

앙 고 재	92 년 12 월 1 일	통 상 기 구 과	기안자 성명 안명수		과 장 杜	심의관	국 장 전결		차 관	장 관 서명	외신과통제

0116

長 官 報 告 事 項

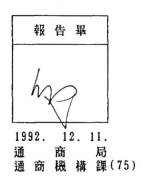

報 告 畢

1992. 12. 11.
通 商 局
通 商 機 構 課(75)

題 目 : 關稅化에 대한 開途國 優待 適用 問題

> 12.11.자 요미우리 신문은 미국이 개도국 우대 조항을 적용, 한국에 대해 예외없는 관세화 적용을 완화키로 했다고 보도한 바, 관련사항 아래 보고 드립니다.

1. 요미우리 신문보도 요지

    o 미국은 UR 농산물 협정안에 포함된 개도국 우대 조항을 확대 해석하여 한국에 대해 예외없는 관세화 적용을 완화하는 방향으로 비공식 교섭을 벌이기 시작함.

    o 이와 같은 미국의 조치는 쌀에 대한 예외없는 관세화를 거부하고 있는 한국과 일본을 갈라놓기 위한 의도에서 나온 것으로 분석됨.

2. 농산물분야 개도국 우대 적용문제와 관련한 미측의 입장

    o 미 농무성 및 USTR 관계자들은 최근 주미 아국대사관 농무관 면담시 하기와 같이 언급한 바 있음.

    - 개도국 우대 조항을 세부적으로 분류하여 각국별로 적용하는 방안에 대해 상당한 작업이 진행중임.

    - 한국은 개도국 우대 적용 대상이 되지 않을 것임.

3. 조치사항

    o 주미 대사관을 통해 미측 입장을 확인토록 조치

4. 국회 및 언론대책 : 해당사항 없음. 끝.

0117

원 본

외 무 부

종 별 :

번 호 : JAW-6558

일 시 : 92 1211 2203

수 신 : 장관(봉기,농수산부,주제네바 대사-본부중계필)

발 신 : 주 일 대사(일경)

제 목 : UR 협상(일본 농수산상 기자회견)

1993.6.30.에 대고 문서에
의거 일반문서로 재분류됨

연: JAW-6494

1. 연호 주재국 다나부 농수산상은 금 12.11(금) 미국, EC 방문직후 갖은 귀국 기자회견에서 UR 농산물교섭에 관해 아래와 같이 언급함

가. 미, EC 농업교섭 책임자에게 일본이 안고있는 곤란한 문제에 대해 명확히 인식시킴과 동시에, 그러한 문제에 대해 이들의 성의있는 노력을 요구함으로써, 금번 방문의 소기의 목적을 달성했다고 생각됨

나. 금후 본격화되는 교섭과정에서 제네바에서 미.EC 각국의 교섭담당자들이 금번 본인의 방문취지를 이해, 유연성을 보여줄것을 기대함

2. 또한, 다나부 농수산상은 기자들의 쌀시장 개방관련 종래 방침의 전환 필요성 질문에 대해, 동 장관은 미.EC 가 관세화 문제 관련 강경한 자세를 갖고 있다는 것은 출발전 부터 예상했던 것으로 놀랄것이 없다고 하고, 관세화 문제 관련 종래 방침전환을 고려치 않고 있다고 답변함. 끝

(대사 오재희-국장)

예고: 93.6.30. 까지

검 토 필 (199.12.31) 서

통상국	장관	차관	2차보	분석관	청와대	안기부	농수부	중계

농 림 수 산 부

우 427-760 / 주소 경기 과천 중앙동 1번지 / 전화 (02)503-7227 / 전송 503-7249

문서번호 국협 20644-1005

시행일자 1992. 12. 11 (1 년)

(경유)

수신 외무부장관

참조 통상국장

선결				지시	
접수	일자일시	1992. 12. :		결재 · 공람	
	번호				
	처리과				
	담당자	안 명수			

제목 UR농산물협상 시장접근분야 협상참가

1. UR농산물협상 시장접근 양자협상과 관련 미국, 호주, 카나다, 칠레등이 아국에 대하여 12. 14주간에 양자협의를 요청해 온바 있습니다.

2. 금차 양자협의는 4. 10 아국이 GATT에 제출한 이행계획을 토대로 관심사항을 제기 해 올 것으로 예상됨에 따라 아국이행계획 작성에 참여한 실무자를 기 파견 당부대표단에 합류시켜 양자협의에 대처코자 하오니 협조하여 주시기 바랍니다.

- 다   음 -

가. 대표단 구성

소 속	직 급	성 명	비 고
농림수산부 통상협력 1담당관실 한국농촌경제연구원	행정사무관 연 구 원	유 병 린 서 진 교	자문 (소요경비 농림수산부부담)

나. 출장일정 및 출장지 : '92. 12. 14 ~ 12. 20 (7일간), 스위스 제네바

다. 출장목적 : UR농산물분야 시장접근 양자협상 참가

라. 소요경비 : 농림수산부 부담

첨부 1. UR농산물분야 시장접근 양자협의대책   1부.

    2. 출장일정 및 소요경비 내역

농   림   수   산   부   장

0119

출장일정 및 소요경비내역

가. 출장일정

'92. 12. 14,   12:40   서울출발 (KE 901)
                   18:10   파리착
                   20:45   파리발 (SR 729)
                   21:50   제네바 착

        15~18,   UR농산물분야 시장접근양자 협상 (세부일정을 현지에서 이해당사국
                  과 협의하여 결정)

           19,   14:25   제네바발 (LH 4561)
                 15:50   프랑크푸르투 착
                 20:20   프랑크푸르트 발 (KE 906)

           20,   16:55   서울도착

나. 소요경비 내역

(1) 국외여비 : $ 5,666 (지변과목 : 1113 - 213)

	유 병 린	서 진 교
항공운임	$ 2,111	$ 2,111
체 제 비	$ 722	$ 722
- 일 비	$ 20 X 7일 = $ 140	$ 20 X 7일 = $ 140
- 숙박비	$ 66 X 5일 = $ 330	$ 66 X 5일 = $ 330
- 식 비	$ 42 X 6일 = $ 252	$ 42 X 6일 = $ 252
합 계	$ 2,833	$ 2,833

0120

외 무 부

4

110-760 서울 종로구 세종로 77번지 / (02)720-2188 / (02)720-2686 (FAX)

문서번호 통기 20644-429

시행일자 1992.12.11.(   )

취급		장 관	
보존		_서명_	
국장	전결		
심의관			
과장	_서명_		
기안	안 명 수		협조

수신 내부결재

참조

제목 UR 농산물 시장접근 양자협상 정부대표 임명

　　　스위스 제네바에서 개최되는 UR 농산물 시장접근 양자협상에 참가할 정부
대표를 "정부대표 및 특별사절의 임명과 권한에 관한 법률"에 의거, 아래와 같이
임명코자 하니 재가하여 주시기 바랍니다.

- 　　　　　　　아　　　　래 -

　1. 회 의 명 : UR/농산물 시장접근 양자협상

　2. 기간 및 장소 : 92.12.15-18, 스위스 제네바

　3. 정부대표

　　　　대　　표 : 농림수산부 통상협력1담당관실 사무관　유병린

　　　　자　　문 : 한국농촌경제연구원 연구원　　　　　　서진교

　4. 출장기간 : 92.12.14-20. (6박 7일)

　5. 소요경비 : 소속부처 자체예산

　6. 훈　　령 : 별　첨

첨부 : 훈　령. 끝.

0121

훈   령

1. 기본입장

o 아국의 농산물 이행계획 수립시 확정된 정부의 기본방침에 따라 대처함.

2. 아국 이행계획 설명

o 아국은 원칙적으로 던켈초안에 기초하여 이행계획서를 작성하였음을 설명함.

o 쌀에 대한 관세화 예외, 기준년도 적용, 개도국 우대등에 대한 아국입장을
   설명함.

3. 상대국 이행계획에 대한 문제제기

o 상대국 이행계획표중 아국 관심품목과 관련 불분명하거나 협정초안과
   불일치하는 부분에 대하여는 문제점을 지적하고 아측입장이 반영되도록
   요구함.

4. 기   타

o 양자협상 상대국이 제기하는 구체적인 사항에 대하여는 본부대표 지참
   세부 대책에 따라 대처함. 끝.

0122

외 무 부

110-760 서울 종로구 세종로 77번지 / (02)720-2188 / (02)720-2686 (FAX)

문서번호 통기 20644-831

시행일자 1992.12.12.(   )

수신 농림수산부장관

참조

취급		장 관
보존		
국 장	전 결	
심의관		
과 장	𝓻𝓮	
기안	안 명 수	협조

제목 정부대표 임명 통보

　　　스위스 제네바에서 개최되는 UR 농산물 시장접근 양자협상에 참가할 정부
대표가 "정부대표 및 특별사절의 임명과 권한에 관한 법률"에 의거, 아래와 같이
임명되었음을 통보합니다.

- 아　　　래 -

1. 회 의 명 : UR/농산물 시장접근 양자협상

2. 기간 및 장소 : 92.12.15-18, 스위스 제네바

3. 정부대표

　　대　　표 : 농림수산부 통상협력1담당관실 사무관　유병린

　　자　　문 : 한국농촌경제연구원 연구원　　　　·　　　서진교

4. 출장기간 : 92.12.14-20. (6박 7일)

5. 소요경비 : 소속부처 자체예산

6. 훈　령 : 별　첨

첨부 : 훈　령. 끝.

(1992.12.12 공지란)

외　무　부　장　관

0123

발 신 전 보

번   호 : **WGV-1963   921212 1003 WG**   종별 : _____

수   신 : 주 제네바   대사. 총영사

발   신 : 장 관 (통 기)

제   목 : UR/농산물 시장접근 양자협상

대 : GVW-2310

1. 92.12.15-18간 귀지에서 개최되는 표제 협상에 참가할 정부대표가 아래와 같이
   임명된 바, 귀관 관계관과 함께 참가토록 조치바람.(동 대표단은 12.14(월)
   21:50 SR729편 귀지 도착 예정)

                     - 아   래 -

        대   표 : 농림수산부 통상협력1담당관실 사무관   유병린
        자   문 : 한국농촌경제연구원 연구원   서진교

2. 훈   령

   가. 기본입장

        ㅇ 아국의 농산물 이행계획 수립시 확정된 정부의 기본방침에 따라 대처함.

   나. 아국 이행계획 설명

        ㅇ 아국은 원칙적으로 던켈초안에 기초하여 이행계획서를 작성하였음을
           설명함.   / 계속...

		보 안 통 제	⊬

양고재	92년12월12일 통상기구과	기안자성명 안영수		과 장 ⊬	심의관	국 장 전결		차 관	장 관	외신과통제

0124

○ 쌀에 대한 관세화 예외, 기준년도 적용, 개도국 우대등에 대한 아국
   입장을 설명함.

다. 상대국 이행계획에 대한 문제제기

○ 상대국 이행계획표중 아국 관심품목과 관련 불분명하거나 협정초안과
   불일치하는 부분에 대하여는 문제점을 지적하고 아측입장이 반영되도록
   요구함.

라. 기   타

○ 양자협상 상대국이 제기하는 구체적인 사항에 대하여는 본부대표 지침
   세부 대책에 따라 대처함.   끝.

(통상국장 대리 오 행 겸)

분류번호	보존기간

발 신 전 보

번 호 : WGV-1969   921214 1729 DX 종별 인 급

수 신 : 주 제네바   대사. 총영사

발 신 : 장 관 (통 기)

제 목 : UR 협상 수석대표 만찬협의

1993.6.30. 대 외 공 개
이 가 인 반 문 서 로 재 분 류 됨

대 : GVW-2351

대호 UR 협상 수석대표 만찬협의(Russin Group 협의)와 관련, ~~12.13(일) 경기원,~~ ~~외무부, 농수산부 국장 회의(대조실장 주재)~~ 및 관계부처의 내부협의를 가졌는 바, 귀관 건의사항에 대한 입장을 아래 통보하니 적의 대처 바람.

1. 농산물 Text 수정안 제출   검 토 필 (1992.12.31.)

   o 예외없는 관세화, 감축기준년도, 최소시장접근상 개도국우대, 양허
     의무의 융통성, 공공비축을 위한 보조금 허용등 5개 항목의 수정안을
     제출함. (수정안 별첨)

2. 농산물 이외의 분야에 대한 입장

   o 농산물 분야에 협상력을 집중하기 위해 수정안을 제시하지 않음.

   o 다만, 농산물분야의 아국 관심사항이 반영될 경우 농산물 이외의 분야는
     현 DFA안 대로 수락할 수 있다는 점을 밝힘.

/ 계속...

보안통제	地

앙고고재 92년 12월 14일	통상기구과	기안자성명		과 장	심의관	국 장	차관보 출림	차 관	장 관	외신과통제
				地	神	洪		장	心	

0126

3. 관세화 문제에 대한 타협안이 제시될 경우의 대응

   ○ 관세화 문제~~가 금주중~~ 금주중에 종결되지 않는 것이 바람직 함~~정~~,

   ○ 만약 금주중에 타협안이 제시되는 경우에는, 예외없는 관세화에 반대하는
     우리의 입장이 반영되지 않았으므로 타협안은 받아들이기 어려우며 본부에
     청훈한 후 최종방침을 밝히겠다는 선에서 대응함.

첨부 : 농산물 Text 수정안 ~~부~~. 국영문 각 1부 끝.

예고 : 93.6.30.일반

                           (장   관   이 상 옥)

503-72(

농산물분야 던켈초안 수정안

	던켈초안	수 정 안	사 유
1. 관세화예외 (page L.25 section A, Para 1)	관세이외의 모든 국경조치는 관세화하여야 함 BOP 또는 일반 긴급조치 및 예외 규정하의 조치는 제외(가트규정 12, 18, 19, 20및 21조)	11, 12, ... 국가별로 중요하고 민감 한 일부 농산물에 대해 서는 관세화의 예외조치 를 요구할 수 있음.	○ 11조 2항C를 관세화예외 대상 에 포함 ○ 민감하고 중요한 품목에 대한 관 세화 예외인정
2. 최소시장접근 의 개도국우대 (page L.21 Para 15)	개발도상국은 시장접근, 국내 보조 및 수출경쟁 분야에서 낮은 감축율을 적용할 수 있으며 그감축 율은 2/3수준을 넘지못함	최소시장접근에서도 개도국우대 원칙이 적용 되어야 함.	최소시장접근에도 개도국 우대원칙 적용

0128

	던 켈 초 안	수 정 안	사 유
3. 기준년도 (page L. 21, Para 15)	개발도상국은 국내보조, 시장접근 및 수출보조의 감축을 10년 기간에 걸쳐 감축할 수 있음	개발도상국은 국내보조, 시장 접근, 수출보조에 관한 기준년도 사용에 신축성을 가짐	개도국우대
4. 관세 및 관세상당치 양허수준 (page L. 19, Para 7)	모든 관세는 양허되어야 함	다만, 개도국의 경우 신축성을 부여해야 함. (Page L.20. Para 14 에 추가)	공산품도 모든 관세를 양허요청 하지않고 있기 때문에 농산물의 모든 관세를 양허 하는것은 곤란
5. 국내보조정책의 허용 (page L. 14, Para 3)	식량 안보목적으로 구입 하고 판매할때는 현시장 가격으로 하여야 함	(삭 제)	식량안보를 위한 공공비축에 대하 여는 신축성을 부여하여야 함

0129

1. Page L. 25, Section A. Para 1

Footnote to paragraph 1, should be replaced with the following :

"Excluding measures maintained for balance-of-payments reasons or under general safeguard and exception provisions(Article XI, XII, XVII, XIX, XX, XXI of the General Agreement). For exceptionally sensitive agricultural products which should be carefully circumscribed, participants may request a special derogation from tariffication as part of <u>the finalization of</u> schedules of market access commitments."

(Reasons)

Carefully defined exceptions to comprehensive tariffication should also be incoporated into the Final Act.

2. Page L. 21. Para 15

Para 15 should be replaced with the following ;

"Developing countries shall have the flexibility to apply lower rates of reduction in the area of market access, domestic support, and export competition and lower level of minimum access opportunities provided that the rate or the level in each case is no less than two thirds of that specified..."

0130

3. Page L. 21. Para 15

The following sentence should be added to the paragraph 15

"Developing countries shall have the flexibility in the use of the base period governing the commitments on domestic support, market access, and export subsidies specified in paragraph 8, 11, and Annex 3, paragraph 2."

(Reasons)

Developing countries should be granted flexibility to select the base period governing domestic support, market access, and export subsides commitments.

4. Page L.20. Para. 14

The following sentence should be added to the paragraph 14

"In relation to binding customs duties, including those resulting from tariffication, referred to in para 7. above, developing countries shall have the flexibility in deciding on the scope of binding their customs duties."

(Reason)

Since all tariffs for manufactured goods are not required to be bound, the Final Act should not require binding of all customs duties for agricultural products.

0131

5. Page L. 14, Para. 3:

The last sentence should be deleted

(Reason)

The green box criteria should be more flexible, particularly regarding public stockholding for food security, the purchase and sale prices of stocks required or held for food security purposes should not be restricted to current domestic market prices.

0132

던 켈 초 안 수 정 안

1992. 12. 14

농 업 협 력 통 상 관 실

I. 제네바 현지대사 요청사항

◇ 12.14(월) 오전중으로 던켈협정 초안의 농산물분야 수정안을 보내줄것을 요청

◇ 12.16(수) 저녁에 한국을 포함한 19개 주요국 회의에서 농산물분야등 각국의 수정안(List) 협의예정

II. 관계부처 대책협의 결과

◇ 경제기획원 대조실장(주재), 외무부 통상국장, 농림수산부 통상국장 및 담당과장들 참석(12.13. 17:40-19:20)

◇ 협의내용

o 농산물분야에서 우리입장을 반영시키기 위해 다른분야에서는 모두양보

o 농산물분야 수정안내용

- 포괄적 관세화의 예외인정
- 최소시장접근에도 개도국우대원칙 적용
- 수매비축 사업와 국내보조정책 허용
- 관세양하 수준의 신축성 부여
- 기준년도 조정허용

o 만일 우리입장과 다른 타협안(스위스방식등)이 나올경우에도 이를 받아들일 수 없음을 분명히함

o 예외없는 관세화문제에 대한 타협안이 제시될경우 최종결론이 지연되도록 하되, 타협안에 대한 입장표명은 본부지침을 받은후에 밝힐수 있다는 선에서 대응

0134

Ⅲ. 농산물분야 던켈초안 수정안

	던켈초안	수정안	사유
1. 관세화예외 (page L. 25 section A, Para 1)	관세이외의 모든 국경조치는 관세화하여야 함 BOP 또는 일반 긴급조치 및 예외 규정하의 조치는 제외(가트규정 12,18,19,20및 21조)	 11,12,...... 예외적으로 민감한 극히 한정된 농산물에 대해서는 참가국은 시장 접근 이행계획 최종확정 시 관세화의 예외조치를 요구할 수 있음	○ 11조 2항C를 관세화예외 대상 에 포함 ○ 민감품목에 대한 관세화 예외인정
2. 최초시장접근 의 개도국우대 (page L. 21 Para 15)	개발도상국은 시장접근, 국내 보조 및 수출경쟁 분야에서 낮은 감축율을 적용할 수 있으며 그감축 율은 2/3수준을 넘지못함	수출경쟁분야와 최소 시장접근 기회에	최소시장접근에도 개도국 우대원칙 적용

0135

	던 결 초 안	수 정 안	사 유
3. 기준변도 (page L. 21, Para 15)	개발도상국은 국내보조, 시장접근 및 수출보조의 감축을 10년 기간에 걸쳐 감축할 수 있음	개발도상국은 국내보조, 시장 접근, 수출보조에 관한 기준년도 사용에 신축성을 가짐	개도국우대
4. 관세 및 관세상당치 양허수준 (page L. 19, Para 7)	모든 관세는 양허되어야 함	(삭 제)	공산품도 모든 관세를 양허요청 하지않고 있기 때문에 농산물의 모든 관세를 양허 하는것은 곤란
5. 국내보조정책의 허용(page L. 14, Para 3)	식량 안보목적으로 구입 하고 판매할때는 현시장 가격으로 하여야 함	(삭 제)	식량안보를 위한 공공비축에 대하 여는 신축성을 부여하여야 함
※ 인플레(page L. 11 para 4)	채약국은 감축약속을 이행하는데 과도한 인플레율의 영향을 고려 하여야 함	(삭 제)	과도한 인플레 뿐만아니라 모든 인플레를 반영하 여야 함

0136

Proposed Amendment to the Text on Agriuclture
of the Draft Final Act

Korea proposes the following amendment to the Text on
Agriculture of Draft Final Act of December 20, 1991 :

1. Page L. 25, Section A. Para 1

Footnote to paragraph 1, should be replaced with the following :

"Excluding measures maintained for balance-of-payments reasons or
under general safeguard and exception provisions(Article XI,
XII, XVIII, XIX, XX, XXI of the General Agreement). For
exceptionally sensitive agricultural products which should be
carefully circumscribed, participants may request a special
derogation from tariffication as part of the finalization of schedules
of market access commitments."

(Reasons)

Carefully defined exceptions to comprehensive tariffication should also
be incoporated into the Final Act.

2. Page L. 21. Para 15

Para 15 should be replaced with the following ;

"Developing countries shall have the flexibility to apply lower
rates of reduction in the area of market access, domestic support,
and export competition and lower level of minimum access opportunities
provided that the rate or the level in each case is no less than two
thirds of that specified. ..."

0137

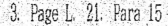

3. Page L. 21. Para 15

The following sentence should be added to the paragraph 15

"Developing countries shall have the flexibility in the use of the base period governing the commitments on domestic support, market access, and export subsidies specified in paragraph 8, 11, and Annex 3, paragraph 2."

(Reasons)

Developing countries should be granted flexibility to select the base period governing domestic support, market access, and export subsides commitments.

4. Page L. 19 Para. 7

The last sentence should be deleted

(Reason)

Since all tariffs for manufactured goods are not required to be bound, the Final Act should not require binding of all customs duties for agricultural products.

0138

5. Page L. 14, Para. 3:

The last sentence should be deleted

(Reason)

The green box criteria should be more flexible, particularly regarding public stockholding for food security, the purchase and sale prices of stocks required or held for food security purposes should not be restricted to current domestic market prices.

6. Page L. 11 Para. 4

The words "excessive rates of" should be deleted.

(Reason)

The determination of annual reduction commitments should reflect all inflation, and not just excessive rates of inflation.

0139

외 무 부

종 별 : 지급

번 호 : JAW-6563   일 시 : 92 1214 0910

수 신 : 장관(봉기,농수산부,주제네바 대사-중계필)

발 신 : 주 일 대사(일경)

제 목 : UR 교섭(일본 쌀시장 개방문제)

1. 주재국 '미야자와' 수상은 12.12(토) 개각후 갖은 기자회견에서 쌀시장 개방 관련 다음과 같이 언급함으로써, 쌀의 관세화 수락을 간접적으로 시사함. 가)미.EC 를 방문한 '다나부' 농상의 보고를 들은 바, UR 은 실로 최종단계에 들어가고 있음.

나). 일본이 UR 실패의 장본인이 되어서는 안됨. 또한, 일본의 농민이 안심하고 쌀생산을 할 수 있어야 하는 바, 이러한 2 개의 조건을 얼떻게 만족시키는 가를 주어진 시간내에 농상을 중심으로 정부 및 당도 진지하게 생각해야 함.

다). 어느정도 시간이 남아있는가 하는 문제는 년내는 무리라고 보이나, 또한 그렇게 많은 시간이 남아 있지는 않다고 생각함.

2. 일본의 쌀시장 개방문제등 UR 관련, 당관 평가 및 전망등 금주중 종합 보고 예정임. 끝.

(대사 오재희 - 국장)

예고 : 93.6.30. 까지

통상국	장관	차관	2차보	분석관	정와대	안기부	농수부	중계

발 신 전 보

<table>
<tr><td></td><td>분류번호</td><td>보존기간</td></tr>
<tr><td></td><td></td><td></td></tr>
</table>

번   호 : **WGV-1972**   921214 1830   티 종별 : _____

수   신 : 주 제네바   대사. 총영사

발   신 : 장 관 (통 기)

제   목 : UR/농산물 시장접근 양자협상

연 : WGV-1963

연호 양자협상과 관련, 미국, 카나다, 호주가 아국에 대해 request list를
제시할 경우 별첨(FAX) 아국의 request list를 이들 국가들에게 제시바람.

첨부(FAX) : 대미, 대카나다, 대호주 request list 각 1부. 끝.

WGV(F): 0532

(통 상 국 장   홍 정 표)

<table>
<tr><td rowspan="2">보 안
통 제</td><td>扎</td></tr>
</table>

<table>
<tr><td rowspan="3">양
고
재</td><td>92
년
12
월
14
일</td><td>통
상
기
획
과</td><td>기안자
성 명
안세영</td><td>과 장

扎</td><td>심의관</td><td>국 장
전결</td><td>차 관</td><td>장 관
광</td></tr>
</table>

<table>
<tr><td>외신과통제</td></tr>
<tr><td></td></tr>
</table>

0141

농 림 수 산 부

우 427-760 / 주소 경기 과천시 중앙동 1번지 / 전화 (02)503-7228 / 전송 503-7249

문서번호 국협 20644-*100*

시행일자 1992.12.14. (1 년)

(경 유)

수 신 외무부장관

참 조 통상국장

선결			지시	
접수	일자 시간	1992. :	결재·궁람	
	번호			
처 리 과				
담 당 자				

제 목 UR농산물분야 양자협의 아국 Request List송부

　　　'92.12.14 주간 추진예정인 미국, 카나다, 호주, 칠레와의 표제 협의시
당사국의 대아국 농산물 Request List 제시에 대비하여 아국의 Request List를 다음과
같이 작성하여 보내드리오니 현지 상황을고려 상호교환 여부를 결정토록 조치하여
주시기 바랍니다.

- 다 음 -

　　가. 아국 Request List 작성국가 : 미국, 카나다, 호주
　　- 칠레는 C/S상 관세부과 여부가 명시되지 않아 양자협의시 사실확인후 작성예정

　　나. Request List 선정기준

　　　o 현재 수출되고 있거나 수출전략 품목으로서 상대국 C/S상 관세인하 폭이
　　　　미흡하거나 식물검역으로 수입을 규제하고 있는 품목

　　　o 양허의무 균형을 위해서 소액수출 품목도 모두 포함하였으며 관세율의
　　　　대폭감축과 식물검역을 이유로한 수입금지 철폐요구

　　다. List교환여부 결정및 향후 조치계획

　　　o 금번 양자협의시 아국 Request List는 상대국이 제시해올 경우 아국 List도
　　　　동시교환

　　　o 최종협정문이 합의되지 아니한 단계이므로 예비적인 List이며 협정문이
　　　　합의되는경우 최종 Request LIst를 작성 양허협상 추진

첨부 : UR농산물협상 아국 Ruquest List 1부. 끝.

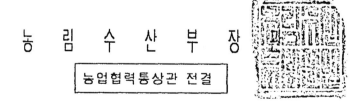

농 림 수 산 부 장

농업협력통상관 전결

0142

R. O. KOREA URUGUAY ROUND INITIAL MARKEA ACCESS
(AGRICULTURAL PRODUCTS) REQUEST FOR UNITED STATES

(U. S.)

H. S code	PRODUCT DESCRIPTION	BASE RATE OF DUTY	BOUND RATEOF DUTY	REQUEST RATE	COMMENT
0602-99-3000	Live herbaceous perennial, not orchid, soil attach to roots	2. 2%	1. 4%	Free	
0602-99-4000	Live herbaceous perennial, not orchid, no soil on roots	5. 5%	3. 5%	Free	
0602-99-6000	Other live plants nesi, with soil attached to roots	3. 0%	1. 9%	Free	
0602-99-9000	Other live plants nesi, without soil attached to roots	7. 5%	4. 8%	Free	
0703-10-2000	Onion sets, fresh or chilled	1. 3 ¢ /kg	0. 83 ¢ /kg	Free	
0705-19-2000	Lettuce, not head lettuce, fr/ch, 6/1-10/31, inclusive, in	0. 88 ¢ /kg	0. 4 ¢ /kg	Free	
0705-19-4000	Lettuce, not head lettuce, fr/ch, 11/1-5/30, inclusive, in	4. 4 ¢ /kg	3. 7 ¢ /kg	Free	
0706-90-2000	Radishes, fresh or chilled	6. 0%	2. 7%	Free	
0706-90-4000	Salsify, celeriac, radish, edible roots nesi, fresh/ chilled	12. 5%	10%	2%	
0709-51-0000	Mushrooms, fresh or chilled	11 ¢ /kg + 25%	8. 8 ¢ / kg+20%	Free	
0709-60-0000	Fuits of the genus capsicum (pepper)/pimenta, fr/chilled	5. 4 ¢ /kg	4. 4 ¢ /kg	Free	
0709-90-4000	Vegetables nesi, fresh or chilled	25%	20%	5%	
0710-29-4000	Leguminous vegetables, uncooked/cooked steam/boil, frozen	7. 7 ¢ /kg	4. 9 ¢ /kg	Free	
0710-80-2000	Mushrooms, uncooked/cooked by steaming/boiling, frozen	7. 1 ¢ /kg+ 10%	5. 7 ¢ / kg+8%	Free	

1

0143

(U. S.)

H. S code	PRODUCT DESCRIPTION	BASE RATE OF DUTY	BOUND RATEOF DUTY	REQUEST RATE	COMMENT
0710-90-1000	Mixture pea pod & water chestnut, uncook/cook stm/ bl, frozen	17. 5%	7. 9%	3%	
0710-90-9000	Mixture vegetables, uncooked or cooked steam/boil, frozen	17. 5%	14. 0%	3%	
0711-90-6000	Veg. nesi, mix veg. prov pres, not suiatble imm consumption	12%	7. 7%	2%	
0712-30-1000	Mushrooms air/sun dried, whl/ct/slc/brkn/pwdr, not furth	2. 9¢/kg + 4%	1. 3¢/ kg+1. 8%	Free	
0712-30-2000	Dried mushroom, whl/ct/slc/ brkn/pwdr, not further prepa	2. 9¢/kg + 4%	1. 9¢/ kg+2. 6%	Free	
0712-90-4000	Dried garlic, whl/ct/slc/brkn/ pwdr, not further prepare	35. 0%	29. 8%	10%	
0712-90-8000	Dried vegetables/mix dried veg, whole/cut/slice/ broken/p	13. 0%	8. 3%	2%	
0713-33-2000	Dried kidney bean/white pea bean, shelled, 5/1-8/31	2. 2¢/kg	1¢/kg	Free	
0713-33-4000	Dried kidney bean/white pea, shelled, 9/1-4/30 or if withdr	3. 3¢/kg	1. 5¢/kg	Free	
0805-20-0000	Mandarins, tangerines, satsumas; clementines, fresh/ dried	2. 2¢/kg	1. 9¢/kg	Free	P.
0808-10-0000	Apples, fresh	Free	Free	–	P.
0808-20-4000	Pears, fresh, if entered at any other time	1. 1¢/kg	0. 5¢/kg	Free	
0810-10-2000	Strawberries, fresh, if entered 6/15-9/15 inclusive	0. 4¢/kg	0. 18¢/kg	Free	p.
0810-10-4000	Strawberries, fresh, if entered at any other time	1. 7¢/kg	1. 1¢/kg	Free	
0810-90-4000	Fruit nesi, fresh	3. 4%	2. 2%	Free	
0904-20-6000	Other fruits of the genus Capsicum, not ground	5. 5¢/kg	2. 5¢/kg	Free	
0904-20-7000	Other fruits of the geneus Capsicum, gruond	11. 2¢/kg	5¢/kg	Free	

P. : Including the removal of phytosanitary restrictions

2

0144

(U. S.)

H. S code	PRODUCT DESCRIPTION	BASE RATE OF DUTY	BOUND RATE OF DUTY	REQUEST RATE	COMMENT
0910-10-4000	Ginger, ground	2. 2¢ /kg	1¢ /kg	Free	
1302-19-4000	Ginseng; substances with anesthtic, prophyactic, therape	1. 5%	1%	Free	
1302-39-0000	Mucilages & thickeners from vegetable products, other	5%	3. 2%	Free	
1702-90-5300	Other sugars; artificial honey; caramel, other	32. 7¢ /kg total sugars	27. 8¢ /kg total sugars	10¢ /kg	
1704-10-0000	Chewing gum	5. 0%	4. 0%	Free	
1704-90-1000	Candied nuts	7. 0%	4. 5%	2%	
1704-90-2000	Sugar confections ready for consumption	7. 0%	5. 6%	2%	
1704-90-5300	Sugar confections, other	43. 8¢ /kg	37. 2¢ /kg	10¢ /kg	
1704-90-5500	Sugar confections, not restricted	12. 2%	10. 4%	3%	
1902-19-2000	Uncooked pasta, not containing eggs, with sauce	10. 0%	6. 4%	Free	
1902-20-0000	Stuffed pasta, whether or not cooked or otherwise prepa	10%	6. 4%	Free	
1902-30-0000	Pasta not elsewhere specified or included	10%	6. 4%	Free	
1904-10-0000	Roasted or swollen cereals	2. 5%	1. 1%	Free	
1904-90-9000	Cereals in grain form except corn	17. 5%	14. 0%	Free	
1905-90-9000	Other baked goods	10. 0%	4. 5%	Free	
2001-90-3900	Pickled vegetables, other	12. 0%	9. 6%	3%	
2005-10-0000	Homogenized vegetables prepared or preserved & put up	17. 5%	11. 2%	3%	

3

0145

H. S code	PRODUCT DESCRIPTION	BASE RATE OF DUTY	BOUND RATE OF DUTY	REQUEST RATE	COMMENT
2005-90-9500	Vegetables, prep/pres not vinegar/acetic acid, not frozen	17. 5%	11. 2%	3%	
2007-10-0000	Homogenized cooked preparatrons of fruit put up for ret	15. 0%	12. 0%	3%	
2008-19-9000	Nuts and other seeds, prepared or preserved, other	28. 0%	17. 9%	Free	
2008-30-3000	Peel of citrus fruit otherwise prepared or preserved	17. 6 ¢ /kg	11. 3 ¢ /kg	Free	
2008-30-3700	Pulp of citrus fruit, otherwise prepared or preserved	15. 0%	9. 6%	Free	
2008-30-5400	Mandarins, otherwise prepared or preserved other	0. 44 ¢ /kg	0. 28 ¢ /kg	Free	
2008-30-9500	Citrus fruit including bergamots, prepared or preserved	17. 5%	14. 0%	Free	
2008-70-0000	Peaches, prepared or preserved	20. 0%	17. 0%	Free	
2009-80-6000	Othe single fruit juice	0. 8 ¢ / ℓ	0. 51 ¢ / ℓ	0. 2 ¢ / ℓ	
2009-80-8000	Vegetable juice	0. 3 ¢ / ℓ	0. 19 ¢ / ℓ	0. 1 ¢ / ℓ	
2103-10-0000	Soy sauce	6. 0%	3. 0%	Free	
2103-90-6300	Mixed condiments & seasonings, other	29. 4 ¢ /kg	25. 0 ¢ /kg	10 ¢ /kg	
2103-90-6500	Other sauces and condiments, not restricted	7. 5%	6. 4%	2%	
2104-10-0000	Soups and broths and preparations	7. 0%	4. 5%	2%	
2104-20-0000	Homogenized composite food preparations	10. 0%	4. 5%	2%	

4

0146

(U.S.)

H. S code	PRODUCT DESCRIPTION	BASE RATE OF DUTY	BOUND RATE OF DUTY	REQUEST RATE	COMMENT
2106-90-5500	Other food preparations, other	78. 9 ¢ /kg	67. 1 ¢ /kg	30 ¢ /kg	
2106-90-6000	Other food preparations not elsewhere specified	10. 0%	6. 4%	2%	
2202-90-9000	Nonalcoholic beverages, not including fruit or vegetable	0. 3 ¢ / ℓ	0. 19 ¢ / ℓ	Free	
2203-00-0000	Beer made from malt	1. 6 ¢ / ℓ	1. 0 ¢ / ℓ	Free	
2206-00-4500	Rice wine or sake	6. 6 ¢ / ℓ	3. 0 ¢ / ℓ	1 ¢ / ℓ	
2206-00-9000	Fermented beverage, other	6. 6 ¢ / ℓ	4. 2 ¢ / ℓ	2 ¢ / ℓ	
2208-90-7100	Imitations of brandy & other spirituous beverages conta	$1. 52/pf. ℓ	68 ¢ /pf. ℓ	3 ¢ / ℓ	
2209-00-0000	Vinegar and substitutes for vinegar obtained from aceti	0. 8 ¢ /pf. ℓ	0. 51 ¢ /pf. ℓ	0. 2 ¢ / ℓ	

5

0147

R.O. KOREA ; URUGUAY ROUND INITIAL MARKET ACESS
(AGRICULTURAL PRODUCTS) REQUEST FOR CANADA

(CANADA)

H. S code	PRODUCT DESCRIPTION	BASE RATE OF DUTY	BOUND RATE OF DUTY	REQUEST RATE	COMMENT
0602. 9999	Live plants, nes, not for propagation	10%	6. 4%	Free	
0704. 9041	Chines cabbage/lettuce, fresh/chilled, not exceed 30 weeks per year	2. 76 ¢/kg but not<15%	2. 35¢/kg but not< 12. 75%	Free	
0712. 9090	Other dried vegetables nes, whole/cut/sliced/ broken/powdered	10%	6. 4%	2%	
0802. 4000	Chestnuts, shelled or unshelled, fresh or dried	free	free	–	P.
0805-20-1000	Mandarines, clementines, wilkings, etc., fresh or dried	free	free	–	P.
0808. 1010	Apples, fresh in their natural state	free	free	–	P.
0808. 1090	Apples, fresh, other than in their natural state	10%	8. 5%	Free	P.
1902. 1912	Macaroni & vermicelli uncooked, not stuffed or otherwise prepared, containg flour & water only, in pkgs weighing > 2. 3kg each, over access commitment	17. 82 ¢/kg	15. 15 ¢/kg	5¢/kg	
1902. 1992	Uncooked pasta, not stuffed or otherwise prepared, not containing eggs, other than macaroni & vermicelli containing flour & water only in pkgs weighing>2. 3kg each, over access commitment	17. 82 ¢/kg + 10%	15. 15 ¢/kg + 8. 5%	5¢/kg	

P. : Including the removal of phytosanitary restrictions

1

0148

(CANADA)

H. S code	PRODUCT DESCRIPTION	BASE RATE OF DUTY	BOUND RATE OF DUTY	REQUEST RATE	COMMENT
1902. 3010	Cooked pasta, not stuffed, without meat in pkgs weighing not > 2. 3kg each	10%	6. 4%	Free	
1902. 3011	" , over access commitment	10%	6. 4%	Free	
1902. 3012	Cooked pasta, not stuffed, without meat, in pksg weighing>2. 3kg each, over access commitment	17. 82 ¢ /kg + 10%	15. 15 ¢ /kg + 8. 5%	5 ¢ /kg	
1902. 3018	Cooked pasta, not stuffed, with meat in pkgs not> 2. 3kg each	17. 5%	11. 2%	3%	
1902. 3019	Cooked pasta, not stuffed, with meat in pkgs>2. 3kg each within access commitment	17. 5%	11. 2%	3%	
1902 . 3020	Cooked pasta, not stuffed, with meat in pkgs>2. 3kg each over acess commitment	17. 82 ¢ /kg + 17. 5%	15. 15 ¢ /kg+ 14. 88%	5 ¢ /kg	
1904. 1001	Prepared foods obtained by the swelling or roasting of cereals or cereal products in packdges not >0. 454kg	10%	6. 4%	2%	
1904. 1002	Prepared food obtained by the swelling or roasting of cereals or cereal products in pkgs> 0. 45kg, within access commitment	10%	6. 4%	2%	
1904. 1003	" , over access commitment	12. 08 ¢ /kg + 10%	10. 27 ¢ /kg + 8. 5%	5 ¢ /kg	
1905. 90	Other	free-17. 5% 9. 91 ¢ /kg - 15. 46 ¢ /kg	free-14. 88% 8. 42 ¢ /kg- 13. 14 ¢ /kg	50% Reduction	

2

0149

(CANADA)

H. S code	PRODUCT DESCRIPTION	BASE RATE OF DUTY	BOUND RATE OF DUTY	REQUEST RATE	COMMENT
2003. 1000	Mushrooms, prepared or preserved otherwise than by vinegar or acetic acid	20%	17%	5%	
2005. 1000	Homonized vegetables, prep. or preserved otherwise than by venegar or acetic acid, not frozen	12. 5%	8%	3%	
2103. 1000	Soya sauce	15%	9. 6%	Free	
2103. 9020	Mixed condiments & mixed seasonings	12. 5%	8%	Free	
9090	Sauve & preps. therefore other than soya sauce, mayonnzise, salad dressing and tomato ketchup and sauces	15%	9. 6%	Free	
2104. 1000	Soups & broths & prep. thereof	12. 5%	8%	2%	
2106. 9090	Food preps. nes	17. 1%	10. 94%	3%	
2202. 9000	Non-alcoholic beverage, exel., waters & fruit & vegetable juice	17. 5%	11. 2%	3%	
2208. 9030	Liqueurs	19. 19 ¢ / ℓ	12. 28 ¢ / ℓ	5 ¢ /kg	
2208. 9099	Spirits & other spiritious beverages other than whiskies, rum, tafia, gin, geneva, vodka, tequila or spiritious fruit juices, alcoholic strength not> 14. 3%	19. 19 ¢ / ℓ	12. 28 ¢ / ℓ	5 ¢ /kg	

3

0150

R. O. KOREA ; URUGUAY ROUND INITIAL MARKET ACESS
(AGRICULTURAL PRODUCTS) REQUEST FOR AUSTRALIA

(AUS.)

H. S code	PRODUCT DESCRIPTION	BASE RATE OF DUTY	BOUND RATE OF DUTY	REQUEST RATE	COMMENT
0602. 9100	Mushroom spawn	2%	1%	Free	P.
0602. 9900	Other	2%	1%	Free	P.
0709. 5100	Mushrooms	25%	14%	Free	
0711. 9000	Other vegetables	$0. 04/kg	2%	Free	
0712. 3000	Mushrooms and truffles	25	14%	Free	
0805. 2000	Mandarins, clementines, wilkings and similar hybrids	2%	2%	Free	P.
0808. 1000	Apples	2%	1%	Free	P.
0808. 2000	Pears and quinces	2%	1%	Free	P.
1211. 2000	Ginseng roots	0%, 7. 5%	2%	Free	
1702. 3000	Glucose and glucose syrup, not containing fructose or containing in the dry state less than 20% by weight of fructose	5%	4%	1%	
1702. 9090	Other	10%	8%	2%	
1704. 1000	Chewing gum, whether or not sugar-coated	20%	15%	3%	
1704. 9000	Other	30%, 20%, 2%	14%	5%	
1902. 1900	Other	10%	8%	2%	
1902. 3000	Other pasta	10%	8%	Free	
1904. 1000	Prepared foods obtained by the swelling or roasting of cereals or cereal products	12%	10%	2%	
1905. 9000	Other	10%, 20%, 2%	6%	Free	
2001. 9000	Other	10%, 0%, 2%, 5%, 15%	10%	Free	

P. : Including the removal of phytosanitary restrictions

1

(AUS.)

H. S code	PRODUCT DESCRIPTION	BASE RATE OF DUTY	BOUND RATE OF DUTY	REQUEST RATE	COMMENT
2003.1000	Mushrooms	$0.18/kg	5%	Free	
2005.1000	Homogenised vegetables	$0.1/kg, 10%	5%	Free	
2005.9000	Other vegetables and mixtures of vegegtables	10%	8%	2%	
2008.3000	Citrus fruit	10%	8%	2%	
2009.8000	Juice of any other single fruit or vegetables	10%	8%	2%	
2102.2000	Inactive yeasts; other single-cell micro-organisms, dead	2%	1%	Free	
2103.9000	Other	6%, 20%	7%	Free	
2106.9090	Other	2%, 5%	4%	Free	
2202.9000	Other	15%	10%	5%	
2206.0012	Spirituous beverages' containing goods which, if imported separtely, would be classified under 2208	23+$0.3/ℓ, $0.3/ℓ	17%	5%	
2206.0090	Other	$0.3/ℓ	7%	2%	
2207.1000	Undernatured ethyl alcohol of an alcoholic strength by of 80% vol or higher volume	15%	10%	5%	
2208.9010	Other;of an alcoholic strength by volume not exceeding 57% vol.	$1,24/ℓ $1.55/ℓ $1.50/ℓ	5%	1%	
2905.4400	D-glucitol(sorbitol)	30%	17%	10%	
3503.0010	Gelatin	20%	11%	5%	

2

0152

원 본

외 무 부

종 별 : 지급

번 호 : JAW-6577   일 시 : 92 1214 1813

수 신 : 장관(봉기, 농수산부, 사본 : 주제네바대사-필)

발 신 : 주일대사(일경)

제 목 : UR 농산물 교섭

　　1. 금 12.14(월)자 주재국 산케이 신문 석간은 한국의 쌀시장 개방 문제에 대해 아래와 같이 보도함.(별전 FAX 참조)

　　가. 12.14(월) 제네바 GATT 사무국 소식통에 의하면, 한국이 관세화 수락방침을 정하고, 빠르면 대통령선거 직후 이를 밝힐 예정임.

　　나. 한국은(LDC 조항에 의해) 던켈 페이퍼의 관세율 삭감기간 6 년간을 10 년간 정도로 연장하는 등의 개도국에 대한 특별 배려를 받게되는 것을 이용, 관세화를 수락하는 것으로 보임.

　　2. 상기관련, 주재국 외무성은 당관에 동 사실 확인을 요청하였는 바, 당관은 추측 보도에 불과한것으로 보인다고 대응해둔바, 이에대한 본부입장 지급 회시바람. 끝.

　　(대사 오재희 - 국장)

　　예고 : 93. 6. 30. 까지

　　첨부 : JAW(F) - 44854

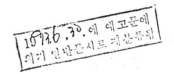

검 토 필 (1992.12.31.)

1993.6.30.에 예고문에 의거 일반문서로 재분류됨

통상국	장관	차관	2차보	분석관	정와대	안기부	농수부	중계 (OK)

PAGE 1   92.12.14   18:39

외신 2과 통제관 FT

0153

분류번호	보존기간

발 신 전 보

번 호 : WJA-5273　921215 1439 WG　종별 :

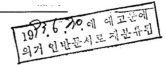

WGV -1978

수 신 : 주 일 　　대사. 총영사 (사본 : 주 제네바 대사)

발 신 : 장 관(통 기)

제 목 : UR/농산물 협상

대 : JAW-6577

아국의 쌀에 대한 관세화 불가 입장에는 아무런 변화가 없으며 대호 언론

보도는 전혀 사실무근인 바, 이러한 아국 입장을 귀주재국 외무성에 설명바람.끝.

(통상국장 홍 정 표)

걸 토 필 (19 . 6. 31)

앙고재	통상 기구과	기안자 성명 안경수	과 장 代	심의관	국 장 전결	차 관	장 관

보안통제

외신과통제

0154

외 무 부

종 별 : 지급

번 호 : GVW-2366

일 시 : 92 1215 1700

수 신 : 장관(봉기, 경기원, 재무부, 농수산부, 상공부)

발 신 : 주 제네바 대사

제 목 : UR 협상 동향 (SPS-TBT 관련 미측 설명)

가. 12.14(월) 17:30-18:30 미무역대표부에서 표제 협상관련 SPS-TBT TEXT 상 문제점과 관련 미측제기 사항에 대한 설명이 있었는바 미측 설명 요지 하기 보고함. (최농무관, 강상무관, 신서기관, 이농무관보, 김상무관보 참석)

나. 미국은 SPS 규정은 인간의 생명, 건강문제를 다루는 매우 중요한 규정으로 환경과 관련된 요소들이 DFA 에 반영되어야 하며 일부 조문에 대해서는 CLARIFICATION 이 필요함을 언급하면서 문제 제기 조문에 대해 아래와 같이 설명함.

1) SPS 규정 관련

- PARA 6,11 관련: PARA 6 에서는 SCIENTIFIC EVIDENCE 을 사용하고 있고 PARA 11 에서는 SCIENTIFIC JUSTIFICATION 을 사용하고 있는바, 같은 내용에 대해 다른 용어를 사용하고 있는 것인지 불분명함

(미국은 같은 내용으로 봄)

- PARA 9,10,11 관련 : 상기 3 조항을 종합적으로 볼 경우 동조항들이 회원국들로 하여금 새로운 무역장벽을 만들수 있다는 기대감을 줄 우려가 있음. PARA10 에 의하면 국제규범에 일치하는 경우 수입제한 효과가 없는 것으로 추정하고 있는바, 그렇다면 국제규범에 일치하지 않는 경우는 무역왜곡 효과가 있는 것으로 추정되는 것인지 불분명함.

- PARA 18 관련: 동 조항이 SPS 규정 관련하여 새로운 CRITERIA 로 ECONOMIC FACTOR 를 넣는 것은 SPS 의 취지와는 맞지 않음. 미국은 SPS 의 판단기준으로 ECONOMIC FACTOR 를 고려치 않고 있으며 양자간에 어떠한 관련이 있는지 불분명함.

- PARA 21 관련: 동 규정은 TBT 규정 2.2 항과 같은 취지의 규정으로 생각되나 사용된 용어의 차이로 인해 동조항들이 서로 다른 의미로 해석될 가능성이 있음. 미국의 경우 SPS 와 TBT 관련 문제를 같은 기관 (AUTHORITY) 에서 다루고 있어 사용된

통상국	장관	차관	2차보	구주국	분석관	정와대	안기부	경기원
재무부	농수부	상공부						

PAGE 1

92.12.16   04:42

외신 2과 통제관 DI

0155

용어가 다를 경우 시행과정에서 혼선이 있을수 있음. 또한 SPS PARA21 의 LEAST RESTRICTIVE 와 TBT 규정 2.2 항의 TRADE RESTRICTIVE 라는 구절에 대해 어떻게 이를 측정할 것이며 어떻게 결정할 것인지에 대한 명확한 기준이없음.

2) TBT 규정관련

- 2.2 항 관련: 무역제한 조치 (TRADE RESTRICTIVE)를 어떻게 측정하는 지에 대한 명확한 기준이 없음.

다. 동건 관련 미측제안서 (당일 저녁 배포)를 FAX 송부하니 본부 의견 조속검토 회신 바람.

첨부: 미측제안서 1 부

(GVW(F)-0749). 끝

(대사 박수길-국장)

예고: 92.12.31. 까지

주 제 네 바 대 표 부

번 호 : GVW(F) - 749   년월일 : 92.12.15   시간 : 1800

수 신 : 참   른 (통기, 경기원, 재무부, 농산부, 상공부)

발 신 : 주 제네바대사

제 목 : `헌부`

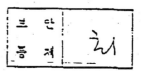

증   4 매 (르지르할)

PROPOSALS

TO ADDRESS ISSUES CONCERNING THE DRAFT
"AGREEMENT ON TECHNICAL BARRIERS TO TRADE" (TBT) AND THE
DRAFT "AGREEMENT ON THE APPLICATION OF SANITARY AND
PHYTOSANITARY MEASURES" (SPS)

SPS TEXT[1]

A.   "Not maintained against available scientific evidence" (para. 6)

Amend paragraph 6 to read:

"6.   Members shall ensure that their sanitary and
phytosanitary measures are applied only to the extent
necessary to protect human, animal or plant life or health,
are based on scientific principles and are not maintained
where there is no longer a scientific justification for such
measures against available scientific evidence."

B.   "Harmonization" (paragraphs 9 through 11)

a)   Amend paragraph 9 to read as follows:

"9.   To harmonize sanitary and phytosanitary measures on as
wide a basis as possible, and without requiring the
reduction of the level of protection of human, animal or
plant life or health, Members shall base their sanitary or
phytosanitary measures on international standards,
guidelines or recommendations, where they exist, except as
otherwise provided for in this Agreement." and

b)   Add an interpretive note at the end of paragraph 10 to read:

"*   This paragraph is not to be construed to create an
adverse presumption regarding the consistency with this
Agreement of a measure that does not conform to an
international standard, guideline or recommendation."

----

[1]   Language proposed to be added to current text is
indicated in redline typeface, and language proposed to be
deleted is indicated in strikeout typeface.

C. "Scientific justification" (paragraph 11)

Add a definition to Annex A of the text to read:

"8. Scientific justification means a reason based on data or information derived and analyzed using appropriate scientific methods."

D. "Use of economic factors" (paragraph 18)

Amend paragraph 18 to reads as follows:

"18. In assessing the risk associated with the introduction, establishment or spread of an animal or plant pest or disease and determining the appropriate level of sanitary or phytosanitary protection from such risk, Members shall take into account as relevant economic factors: the potential damage in terms of loss of production or sales in the event of the entry, establishment or spread of a pest or disease; the costs of control or eradication in the importing Member; and the relative cost effectiveness of alternative approaches to limiting risks."

E. "Least restrictive to trade" (paragraph 21)

Add a definition to Annex A of the text to read:

"9. least restrictive to trade means that there is no reasonably available alternative measure that is of a type significantly less trade restrictive."

TBT TEXT

A. "Not more trade-restrictive than necessary" (article 2.2)

a) Add a definition to Annex 1 of the text to read:

"9. Not more trade-restrictive than necessary and in a less trade-restrictive manner

There is no reasonably available alternative technical regulation that is of a type significantly less trade restrictive." and

74P- 4 -3

b)   Amend article 2.2 to read:

"Members shall ensure that technical regulations are not
prepared, adopted or applied with a view to or with the
effect of creating unnecessary obstacles to international
trade. For this purpose, technical regulations shall not be
more trade-restrictive than necessary to fulfil a legitimate
objective, taking into account technical and economic
feasibility account of the risks non-fulfilment would
create. Such legitimate objectives are, inter alia,
national security requirements; the prevention of deceptive
practices; protection of human health or safety, animal or
plant life or health, or the environment. In assessing such
risks, relevant elements of consideration are, inter alia,
available scientific and technical information, related
processing technology or intended and uses of products."

"1 This provision is intended to ensure proportionality
between regulations and the risks non-fulfilment of
legitimate objectives would create."

B.   "Harmonization"   (Articles 2.4 and 2.5)

a)   Amend article 2.4 to read:

"Where technical regulations are required and relevant
international standards exist or their completion is
imminent, and without requiring the reduction of the level
of protection of human health or safety, animal or plant
life or health, or the environment, Members shall use them,
or the relevant parts of them, as a basis for their
technical regulations except when such international
standards or relevant parts would be an ineffective or
inappropriate means for the fulfilment of the legitimate
objectives pursued, for instance because of fundamental
climatic or geographical factors or fundamental
technological problems."   and

b)   Add an interpretive note at the end of article 2.5 to read:

"* This paragraph is not to be construed to create an
adverse presumption regarding the consistancy with this
Agreement of a technical regulation that does not conform to
an international standard."

7/P - 4 - 6

주 제 네 바 대 표 부 ～ ～ ～ 안 ～ ～ ～

번 호 : GVR(F) - 0750   년월일 : 92.12.15   시간 : 1700

수 신 : 장   관 (통기, 경기원, 재무부, 농수산부, 상공부)

발 신 : 주 제네바대사

제 목 : 첨부

총   2   매 (크지크랑)

브 안 통 제	정

의신국 통 제	

150 ― 2 ―1

0161

Where a Participant [for a limited number of products], in its schedules didn't establish the tariff equivalent for all agricultural products, the corresponding tariff equivalent for these products shall be established and implemented at the latest at the end of the implementation period. [For products which will not be tariffied at the beginning of the implementation period, minimal access opportunities shall be expanded according to the schedule in Annexe ... [This sentence could also be added on page L19, after the last sentence of Para 5]

750 - 2 - 2

0162

외 무 부

종   별 :

번   호 : USW-6127   일   시 : 92 1215 20250

수   신 : 장 관(봉기,봉이,미일)

발   신 : 주 미 대사

제   목 : UR 협상 동향

대: WUS-5525

당관 장기호 참사관이 12.15. USTR 의 SUZAN EARLY 농업담당 대표보, LEONARD W. CONDONE 부대표보, MARY RICKMAN 다자협상 담당과장을 접촉 파악한 UR 협상 관련 미측 동향 요지를 아래 보고함.

1. UR 전망 (미.EC 관계)

0 EC 측이 제출하기로 되어 있던 농산물 개방 스케줄은 그간 불란서의 강한반대로 일주일 동안 지연되어 오다가 금(12.15) EC COUNCIL (농업장관) 회의에서 최종 결정을 보아 명일경 미측이 접수가능할 것으로 보임.

0 특히 독일이 불란서의 강한 반대를 봉쇄하므로서 농산물 개방 스케줄에 대한 EC 내 입장 조정이 가능하게 되었는 바, 불란서는 농산물 분야만이 아니고 서비스 협상에서도 EC 측의 합의내용과 정면으로 상치되는 입장을 담은 문서를 작일(12.14) EC 내부에 회람을 돌림으로서 협상의 진전을 BLOCKING 하는 태도를 보여온 바 이는 매우 실망스러운 일임.

0 최근 수일간은 불란서측의 강한 반대로 인해 UR 협상의 전망은 하루는 낙관적이었다 그다음날은 비관적이었던 시기였던바, 금년말까지 남은 협상시기는 12.22. 부터 시작되는 크리스마스 휴가까지 불과 일주일밖에 남지 않아 금년중 주요 현안 타결이 가능할지 의문시됨.

0 명년 1 월 협상을 개시하면 FAST TRACK AUTHORITY 에 따른 타결 시한인 3.2. 기한까지 모든 절차를 매듭지을수 있을지 우려되며 만약 FAST TRACK AUTHORITY 를 연장해야 할 경우에는 환경단체 등 각종 압력 단체의 저항을 어떻게 해결해 나가느냐가 큰 문제임.

2. MTO 문제 -

통상국	장관	차관	2차보	미주국	통상국	분석관	청와대	안기부

PAGE 1

* 원본수령부서 승인없이 복사 금지

92.12.16   11:37

외신 2과   통제관 BX

O MTO 문제와 관련 미측입장에 대해 교역국들의 오해가 있어 상당한 혼선을빚어내고 있음. 마치 미국이 UR 협상을 봉쇄하기 위한 구실을 만들고 있다고 보는 시각도 없지 않은 바 이는 사실이 아님.

O 작년 12 월 제시된 DUNKEL TEXT 의 MTO 초안내용에 대해서는 금년 2 월에개최된 법률 초안 전문가 그룹으로부터도 좀더 깊은 검토가 있어야 한다는 의견제시도 있었고, EC 를 포함한 여러나라들도 MTO 초안이 아직 완전한 내용의 것이 아니므로 검토가 필요하다고 인정한바 있기때문에 미측의 MTO 관련 수정제안은 새로운 잇슈가 아님.

미측으로서는 <u>문안수</u>정과 CLARIFICATION 을 요구하는 것이지 UR 을 지연시키려는 의도는 없음.

O NON-APPLICATION PROVISION 및 WAIVER 문제등에 관한 기존의 초안 문안이수정되지 않는한 MTO 의 전반적 구조는 WORKABLE 하다고 보지 않음. EC 측이 미측의 수정 노력에 계속 반대하고 있기때문에 UR 협상이 타결 기회를 잃어가고 있다고 봄.

3. 최근 미.일본간 UR 협상 협의

O 일본 농무장관 방미시 HILLS_USTR 대표와 UR 협상에 관한 논의가 있었는바, 농산물을 포함 서비스 및 상품에 대한 MARKET ACCESS 등 광범한 문제가 논의되었음.

O 주로 농산물 문제 관련 일본측이 관세화 예외문제등을 거론하였지만 미측은 '예외없는 관세화'라는 기존입장을 강조하고 일측의 협조를 요청하였음.

O 아직까지 일본 정부는 예외없는 관세화 수용이 곤란하다는 공식입장을 내세우고 있지만 최근 일본언론들이 농산물에 대한 예외없는 관세화를 옹호 하는 입장을 게재하고 있는 것은 주목할만한 일이며, 하나의 큰 진전으로 해석됨.

O 일본이 UR 협상에서 일본의 경제규모에 걸맞지 않게 GLOBAL LEADERSHIP 을 발휘하지 못하고 있기 때문에 일본은 비난받아야 마땅하다고 보며, 뒤늦게야 일본이 마지못해 따라 온다면 UR 협상에서 아무런 기여를 하지 못했다고 지적을 받을 것임.

4. 농산물 개도국 우대

O (장 참사관이 대호 일본언론의 보도 내용을 언급하면서 농산물에 대한 예외없는 관세화 적용의 완화 가능성과 개도국 분류에 관한 미측의 반응을 타진한데 대해)

이미 미.EC 도 국내적으로 어려움이 큰 농산물(설탕, 바나나등)이 있는 데에도 불구하고 포괄적 관세화에 합의한 사실을 상기시키면서 개도국에 대한 특별대우는

PAGE 2

0164

관세화의 예외에 있는 것이 아니며 TARIFFICATION 을 어떤 방식으로 산정하느냐하는 계산 방법에 관한 문제가 될 것으로 보며, 어떤 형태로든지 관세화의 예외를 인정한다면 지금까지 해온 농산물 협상과 UR 자체의 골격을 붕괴시키는 위험스런 생각이라고 언급하고 개도국 분류에 관해서는 언급을 회피하였음. 끝.

　　(대사 현홍주 - 국 장)

　　예고: 92.12.31. 까지

원 본

외 무 부

종 별 :

번 호 : FRW-2589   일 시 : 92 1216 1840

수 신 : 장관(봉기,통상,경일,경기원,농수부,상공부)

발 신 : 주 불 대사   사본:주EC,제네바대사-본부중계필

제 목 : UR 협상 동향

19 □□27. 에 예고문에
의거 일반문서로 재분류됨

연:FRW-2570

1. 12.15. 개최된 EC 농업이사회에서 불란서는 미.EC 타협안과 CAP 개혁간
양립문제는 물론 농산물시장 개방 합의가 EC 농업에 미치는 부정적 영향등 추가적
문제점을 아래와 같이 지적하면서 미.EC 타협안에 대한 충분한 검토가 이루어 지기
전에 이를 기초로한 UR 농산물 협상의 속개에 강력히 반대함.

0 각국 농산물 소비의 3-5 % 시장개방 의무 (MMA) 에 있어 곡류, 고기류 등
총괄적인 분류가 아닌 품목별 세분화시 EC 농업으로서는 합의내용을 이행키 어려움.

0 동 시장 개방 합의내용 관련 미.EC 간 해석이 상이한 바, 품목별로 분류시
돼지고기는 50 만톤 이상의 수입허가가 필요한 실정임.

2. 상기 불측 입장에 대해 벨지움, 이태리, 스페인등이 미.EC 합의내용의 추가
검토 필요성을 공히 지적하였으나, 영국은 아래와 같이 의장안을 작성 발표후 토론을
종결함.

0 EC 회원국은 미.EC 타협안과 CAP 개혁간 양립문제를 농업이사회등 적절한 모임을
통해 계속 검토 토록함.

0 EC 이사회는 추후 UR 협상의 GLOBAL PACKAGE 검토시 상기 분석결과를 함께
고려하며, 긍정적 결론이 나오면 CAP 에 미칠 영향을 조사토록 함.

3. 이에대해 불란서측은 상기 두번째 항목에 즉각 거부의사를 표명코, 'EC 농업
이사회에서 양립문제가 검증되지 않은 미.EC 타협안을 기초로한 EC 의 농업분야 OFFER
제출을 반대하며, 이러한 시도는 12.7. EC 일반 이사회 합의내용과 상치됨' 을
주장하는 독자적인 입장을 발표함.

4. 상기와 같이 미.EC 타협안 검토와 UR 농산물 협상재개의 우선 순위및 향후
협상방향을 놓고 불란서 및 영국간 이견대립이 계속되고 상호 해석이 다른 가운데,

통상국	장관	차관	2차보	경제국	통상국	분석관	청와대	안기부
경기원	농수부	상공부	중계					

PAGE 1   92.12.17   05:16

* 원본수령부서 승인없이 복사 금지   외신 2과 통제관 FR

0166

미국이나 EC 집행위가 양측간 농산물분야 타협내용을 GATT 사무국에 12.16. 제출할것으로 알려짐에 따라, 불측의 반대 입장에도 불구하고 조만간 UR 농산물 협상이 속개 될것을 예상됨. 끝
    (대사 노영찬-국장)
    예고:92.12.31 까지

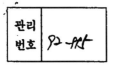

외 무 부

종   별 :

번   호 : JAW-6646   일   시 : 92 1217 1857

수   신 : 장 관(통기,농수산부 사본:주 제네바대사-중계필)

발   신 : 주 일본 대사 (일경)

제   목 : UR협상(쌀시장 개방 문제)

연:JAW-6577,6563,6558
대:WJA-5069

1. 금 12.17(목) 당관 이재춘공사는 주재국 외무성 "오구라" 경제국장과 오찬을 갖고 표제관련 의견 교환한 바,동 요지 아래 보고함.

가. 이공사는 최근 미야자와 수상의 관세화 수락 방침 시사 발언의 진의에 대해 문의한 바, 동 국장은 이는 일정부가 관세화를 무조건 수락한다는 의미가 아니라, 관세화 문제에 대해 일본이 교섭할 (NEGOTIABLE) 자세를 갖고 있다는 것을 내년초경에는 표명하지 않으면 안될 입장에 있다는 것을 의미 한다고 언급함.

나. 일본이 UR 교섭 과정에서 현재 우려하고 있는 것은 1) UR 내 MTO 문제등 각국간 제반 문제점이 있음에도불구, 마치 UR 이 진전되지 않는 것이 일본의 관세화 반대에서 비롯된 것이라는 비난으로 결국 일본이 UR 실패의 책임을 겨야하는 상황 발생과 2) 내년 1.20. 취임예정인 미국 신정부와 처음부터 동건으로 대립하는 상황의 발생인 바, 일정부는 이러한 상황 전개를 피하기 위하여 내년 1 월중순 미야자와 수상의 아세안 방문이전에 관세화 문제에 대해 언제 든지 누구와도 교섭 가능하다 (NEGOTIABLE)는 입장을 대외적으로 표명하지 않으면 안될 상황에 있다고 생각함.(이는 관세화의 무조건 반대 또는 수락의 입장은 아님을 강조)

다. 이공사는 이는 결국 일본의 종래입장의 변화를 의미하는 바, 이러한 입장 변화에 대해 국내적으로 어떻게 CONSENSUS 를 이룩해 나갈수 있겠느냐고 질의한 바, 이에대해 동 국장은 현재 일본내에는 관세화에 대해 본심(혼네)으로 반대하는 사람과 명분상(다떼마에)으로 반대하는 사람이 있는 바, 동인은 대부분 "다떼마에"로 반대하고 있는 것으로 본다고 말하고, 이들에 대한 설득 방안으로는논리적으로 다음 사항(라. 마항)이 고려될 수 있을 것이라고 언급함.

통상국	장관	차관	2차보	분석관	청와대	안기부	농수부	중계

PAGE 1   92.12.17   21:37

외신 2과   통제관 FT

0168

라. "다떼마에"에 의한 반대자의 경우는 1) 농업분야의 손실 대신에 기타 광공업, 서비스 분야에서 보다 많은 이득을 득할 수 있으며, 2) 일본입장을 관철하기 에는 미국의 반대에 부딪힐 것이므로, 이는 양국관계에 좋지않은 영향을 미칠것이라는 등의 논리로 이들의 체면만 세워 준다면 설득 가능할 것으로 봄.

마. 문제는 "혼네"에 의해 반대하는 사람의 설득인데 이는 1) 농민들이 손해를 본만큼 보상을 하거나, 2) 관세화 조치를 받아들여도 농가에 사실상 큰 손해가 없으며, 3) 끝까지 입장 주장을 해보았지만 결국 어쩔수 없었다는 점 중의 하나로 설득할 수 밖에 없다고 설명함.

바. 이공사는 일본의 입장이 NEGOTIABLE 하다는 것을 대외적으로 표명하는 시기가 늦을수록 조건부쟁시 일본이 얻을수 있는 이익이 적어지지 않겠느냐고 질의한 바, 동 국장은 그렇다고 하면서, 하지만 현재 제네바에서의 UR 협상 동향은 제반 문제로 SLOWDOWN 되고 있다고 말하고, 년내 정치적 타결은 무리일 것으로 보이며, 또한 미국의 FAST TRACK 연기 가능성도 배제할 수 없으므로 그럴 경우에는 동 교섭이 더욱 지연될 가능성도 있다고 언급함.

2. 당관 평가 및 전망

가. 일정부는 대체로 관세화 반대를 끝까지 고수할 수 없다는 공통인식을 갖고 있으나, 현재까지 대외교섭시 일단 자국내 여론등을 무마하기 위해 원칙론에 입각, "예외없는 관세화"에 대한 수정 또는 예외 조치를 계속 주장하고 있음.

나. 연이나, 일정부는 미국.EC 등의 확고한 "예외없는 관세화" 관철입장에 비추어, 원칙론적 반대입장의 지속은 결국 일본의 고립을 초래하고, 오히려 기타UR 의 시장개방 및 서비스 협상에 있어 불리한 위치에 놓이게 됨을 우려, 최근수상 및 외상의 발언을 통하여 예외없는 관세화 방침 수락의 불가피성에 대한 국내환경 조성 노력중에 있으며, 또한 관세화를 전제로 한 조건완화를 위한 교섭방안을 검토중에 있는 것으로 보임.

다. 각분야에 걸쳐 진행중인 양자교섭 및 다자교섭의 추이에 따라 상황변화가능성이 있으나, 주재국은 대체로 내년 1.20. 미국 클린톤 신정부 등장 이전까지는 "관세화원칙" 수용 가능성을 대외적으로 표명하지 않으면 안된다고 느끼고 있어, 가급적 미국 신정부와 마찰없는 일.미 경제관계를 새롭게 구축하려 할 것으로 전망됨.

라. 그러나, 이러한 일본의 "관세화원칙" 수용에는 국내여론 무마, 식량관리법

PAGE 2

0169

개정을 위한 여야당과의 사전 협조등이 필수인 바, 일정부로서는 내년 1.20. 이전에 의회의 협조 획득, 소득보상 등의 농가대책 수립 및 대미.EC 와의 교섭을 통한 관세화 또는 최소 시장개방 조건완화 실현등의 부담을 안고 있다고 할수 있음. 끝.

(대사 오재희 - 국장)

예고:93.12.31.까지

PAGE 3

0170

농 림 수 산 부

우 427-760 / 주소 경기 과천 중앙동 1번지 / 전화 (02)503-7227 / 전송 503-7249

문서번호 국협 20644-*1024*

시행일자 1992. 12. *17* (1 년)

(경유)

수신 외무부장관

참조 통상국장

선결			지시		
접수	일자일시	1992. 12.17 :	결재 . 공람		
	번호	43153			
	처리과				
	담당자	이영진			

제목 주요국 UR협상 동향파악

    1. '92. 11. 26 TNC회의를 통하여 그동안 중단되었던 UR협상이 재개된바 있습니다. 그러나 최근의 협상동향을 보면,

    ① 미.EC간 합의사항은 다자협상 차원에서 여타분야와의 균형문제·이행방법상의 기술적인 문제들이 논의되어야 하나, '92. 12. 14 현재 동 합의사항의 세부내용이 협의자료로 제시되지 않았고, EC의 C/S도 제출되지 않았으며,

    ② 미국은 향후 정치일정과 관련 현 행정부의 연내 협상 타결노력에 회의적인 견해가 대두되는가 하면 UR협상의 핵심내용이 되고 있는 MTO에 대하여 유보적인 태도를 보이고 있고,

    ③ 일본은 관세화를 수용하는데 신축성을 보일것으로 보도되고 있어 향후 협상전망을 예단하기 매우 어려운 상황입니다.

아울러 EC의 MacSharry 집행위원의 임기만료와 클린턴 미대통령당선자의 취임등도 향후 협상향방에 상당한 영향을 미칠것으로 예상됩니다.

    2. 이러한 협상동향을 감안할때 농산물분야의 아국협상 대책추진을 위해 이들 국가의 최종입장을 신속하게 파악하는 것이 대단히 중요한 과제이므로 미국.EC, 일본등 주요국 공관으로 하여금 현지 협상동향을 수시파악토록 필요한 조치하여 주시기 바랍니다. 끝.

농 림 수 산 부 장

0171

발 신 전 보

번   호 : WGV-1998   921217 1647   WG별 : 긴급

수   신 : 주 제네바   대사. 총영사

발   신 : 장 관 (통 기)

제   목 : UR/동식물 위생검역

대 : GVW-2366

대호 미측의 SPS 제안서에 대한 검토의견을 별첨(FAX) 송부함.

첨부(FAX) : 동 검토의견 1부. 끝.

WGV(F)-538

(통상국장   홍 정 표)

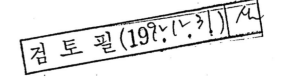

검 토 필(199 . .)

1993.6.3?에 예고문에
의거 일반문서로 재분류됨

0172

농 림 수 산 부

우 427-760 / 주소 경기 과천시 중앙동 1번지 / 전화 (02)503-7228 / 전송 503-7249

문서번호 통일 20650 - 23P

시행일자 1992. 12. 17. (1 년)

(경유) 외무부장관

수신 주제네바대표부

참조 농무관

선결			/	지시	
접수	일자 시간	1992. . : .		결재·공람	
	번호				
처리과					
담당자					

제목 미국의 SPS 수정제안 검토의견 송부

<u>검 토 필 (199 . . 31.) 서명</u>

     12월 16일 주제네바 대표부로부터 FAX송부해온 표제 관련 미측제기사항에 대한
당부 검토의견을 별첨과 같이 송부합니다.

<u>1993. 6. 20.에 예고에
의거 일반문서로 재분류됨</u>

첨부 : 미국의 SPS수정제안 검토의견 1부. 끝.

농 림 수 산 부 장

국제협력담당관 대 결

0173

미국의 sps 수정제안 검토

I. 문안검토

(1) PARA 6 및 11

PARA	현 DFA 요지	미국수정 제안요지	수용여부	검 토 의 견
6	현존하는 scientific evidence에 반하는 sps조치를 유지를 금지	Scientific justification을 더이상 할수 없는 SPS조치를 금지	미측제안 수용	(미측수정제안 분석) o Evidence 개념보다 Justification개념이 광의의 개념임 - 과학적증거 및 논리개념 포함 o Para6과 11과의 용어의 통일 및 과학적인 정당성에 관한 용어정의 o 수입국의 국내sps 조치를 가능한 합리화 시키려는 의도로도 관측 - 미측수정제안은 일단 과학적인 정당한 사유를 제시할수 있으면 국제기준과 다른 sps조치라 하더라도 계속사용가능함 (미국의 국내기준과 국제기준이 다른 경우에 대비한 것으로 보임)
11		과학적 정당성의 용어정의를 Annex에 추가		
6	Members shall ensure that sanitary and phytosanitary measures are applied only to the extent necessary to protect human, animal or plant life or health, are based on scientific principles and are not maintained against available scientific evidence.	o Amend paragraph 6 to read; Members shall ensure that their sanitary and phytosanitary measures are applied only to the extent necessary to protect human, animal or plant life or health, are based on scientific principles and are not maintained where there is no longer a scientific justification for such measures.		

PARA	현 DFA 요지	미국수정제안요지	검 토 의 견
11	Members may introduce or maintain sanitary or phytosanitary measures which result in a higher level of sanitary or phyutosanitary protection than whould be achieved by measures based on the relevant international standards, guidelines or recommendations, if there is a scientific justification, or as a consequence of the level of protection a Member determines to be appropriate in accordance with the relevant provisions of paragraphs 16 through 23. Notwithstanding the above, all measures which result in a level of sanitary or phytosanitary protection different from that which would be achieved by measures beased on international standards, guidelines or recommendations shall not be inconsistent with any other provision of this Agreement.	o Add a definition to Annex A of the text to read: Scientific justification means a reason based on data or information derived and analyzed using appropriate scientific methods.	(아측입장) o 수입국 입장인 아국으로서는 모든경우 과학적 정당성에 대한 사유를 제시하기는 어려우나 수입국의 국내기준을 최대한 합리화 시켜주는 규정으로 반대할 이유가 없다고 판단

6-2

0175

(2) PARA 9 및 10

PARA	현 DFA 요지	미국수정 제안요지	수용여부	검토 의견
9	−	SPS조치의 조화시 국내기준의 하향조정 의무를 배제시키는 조문삽입	수용	(미국수정제안 분석) ㅇ 미국이 현재 운용하고 있는 국내기준이 국제기준보다 높거나 또는 국내기준을 유지시키려 할 수 있는 명문 근거 마련 ㅇ 미국은 앞으로 제정될 국제기준이 자국의 국내기준보다 낮게 제정될 것을 봄
10	−	국제기준에 합치하지 않는 SPS조치 다 해서 보충적의무를 위배하는 것으로 간주하지 않도록 하는 명문을 주석으로 신설		─ 소비자 단체 및 환경보호 단체가 sps협정 발효시 국내기준이 국제기준수준으로 낮추어야 하게 됨으로써 소비자보호 등이 한시적 우려가 있다는 문제 제기가 우려
9	To harmonize sanitary and phytosanitary measures on as wide a basis as possible, Members shall base their sanitary or phytosanitary measures on international standards, guidelines or recommendations, where they exist, except as otherwise provided for in this Agreement.	Amend paragraph 9 to read as follows: To harmonize sanitary and phytosanitary measures on as wide a basis as possible, and without requiring the reduction of the level of protection of human, animal or plant life or health, Members shall base their sanitary or phytosanitary measures on international standards, guidelines or recommendations, where they exist, except as otherwise provided for in this Agreement.		(아측입장) ㅇ 현재 아국은 국제기준과 달리 적용하는 sps국내기준이 있을 가능성이 있고, 앞으로 계속 근거를 마련할 수 있음 (수입국 입장임)
10	Sanitary or phytosanitary measures which conform to international standards, guidelines or recommendations shall be deemed to be necessary to protect human animal or plant life or health, and presumed to be consistent with the relevant provisions of this Agreement and of the GATT 1993.	Add an interpretive note at the end of paragraph 10 to read: This paragraph is not to be construed to create an adverse presumption regarding the consistency with this Agreement of a measure that does not conform to an international standard, guideline or recommendation.		다만, 아국의 대미 등 대외 국수출시 국제기준보다 외국의 국내기준을 따라야 하는 문제출시 및 제약이 있음 ─

(3) PARA 18

PARA	현 DFA 요지	미국수정 제안요지	수용여부	검 토 의 견
18	-	위험평가시 고려할 요소를 동식물 병해충 유입, 정착, 전파와 관련된것으로 구체화	수 용	(미측수정제안 분석) o sps의 위험평가와 관련된 방법및 요소를 보다 구체화 한것으로 판단 o 수출국이 수출손실 문제를 제기할수 있는 소지를 병해충위험 평가의 범위를 정해줌으로써 사전에 배제 하려는 의도 (아측입장) o 미측이 sps의 병해충 위험 평가요소를 구체화한 것이므로 특별히 반대할 이유가 없음
18	In assessing the risk and determining the appropriate level of sanitary or phytosanitary protection, Members shall take into account as relevant economic factors: the potential damage in terms of loss of production or sales in the event of the entry, establishment or spread of a pest or disease; the costs of control or eradication in the importing Member; and the relative cost effectiveness of alternative approaches to limiting risks.	Use of economic factors(paragraph 18) Amend paragraph 18 to reads as follows: In assessing the risk associated with the introduction, establishment or spread of an animal or plant pest or disease and determining the appropriate level of sanitary or phytosanitary protection from such risk, Members shall take into account as relevant economic factors: the potential damage in terms of loss of production or sales in the event of the entry, establishment or spread of a pest or disease; the costs of control or eradication in the importing Member; and the relative cost effectiveness of alternative approaches to limiting risks.		

6- 4

0177

(4) PARA 21

PARA	현 DFA 요지	미국수정 제안요지	수용여부	검 토 의 견
21	SPS조치는 무역 제한효과가 최소화 되도록 수립	무역제한효과 최소화 의미를 Annex에 부기 (무역제한이 별한 조치가 더이상 현실적 으로 없는 상태)	반 대	(미측수정제안 분석) ○ 본제안은 수출국입장 및 무역제한수변을 강화하려는데 있다고 판단됨 ○ 미측은 TBT규정 (2조2항) 용어 및 의미를 동일화하고자 함 ○ 무역제한 효과문제에 개 가급 적 객관적인 최도를 도입함 으로써 향후분쟁소지를 줄임 - 수입국에게 무역제한 효과 가 적은 sps조치를 도입하 도록 입력행사 근거를 마련 코자 함 (아측입장)
21	Without prejudice to paragraph 10, when establishing or maintaining sanitary or phytosanitary measures to achieve the appropriate level of sanitary or phytosanitary protection, Members shall ensure that such measures are the least restrictive to trade, taking into account technical and economic feasibility.	Least restrictive to trade(paragraph 21) Add a definition to Annex A of the text to read: least restrictive to trade means that there is no reasonably available alternative measure that is of a type significantly less trade restrictive.	(수정제 안삭제)	○ 아국이 운영하는 sps제도에 대해 미측이 자국농산물 수출확대시 무역외효과가 별한 새로운 sps제도 도입 요구 가능성 때두 ○ 미국의 개념정의가 주성적 이고 일반적정의기 때문에 정의도에 합당치 막일 이경의가 체태/필정우 여면것이 가장 최소한 무역 규제조치인지를 판단필수 있음

2. 종합검토

○ 미측이 TBT와의 Consistency가 주된이유이고 법적측면에서 용어의 정리를
위한것이라고 하고 있으나 중요한 부분을 변경시키려는 상당부분 substance와
관련된 것으로 평가됨

○ 특히 사실상 합의된 Text를 reopen함에 따라 각국 반발이 예상됨

3. 협상전략

○ 수출국 특히 케언즈그룹국가의 강한 반발예상(사실상 합의된 내용 수정시도
관점과 중요한 substance를 변화시킨다는 점)

○ 아국은 미측수정 제안에 대해 다음입장으로 대처함
 - 미측수정 제안중 PARA 6및 11, PARA 9및 10, PARA18는 대부분 수입국의 입장을
   대변한것으로 아국의 입장에서 볼때 미국의 수정제안이 체택될시 국내검역 및
   위생분야의 국제대응력이 높아질것으로 판단됨

○ 다만 PARA 21에 대한 미국의 제안은 정의개념이 추상적이고 일반적이어서 본문안이
포함될경우 적용상 혼란을 가져올수 있기때문에 미측수정제안의 삭제입장 견지

6- 6

0179

외 무 부

종 별 :

번 호 : GVW-2401   일 시 : 92 1218 1930

수 신 : 장관(봉기,경기원,재무부,농림수산부,상공부)

발 신 : 주 제네바대사

제 목 : UR/농산물 협상(한.카나다, 한.호주간 양자협의)

대:GVW-2310

12.17(목) 주제네바 한국대표단부에서 개최된 표제회의 결과를 하기 보고함.

1. 회의개요

가. 대 카나다 양자협의

0 일시: 12.17(목)11:00-13:00

0 장소: 주제네바대표부

0 참석:

- 아측: 최농무관, 유사무관, KREI 서연구관, 이농무관보

- 카나다 : GIFFORD 외무성 다자무역과장외 3 명

나. 대호주 양자협의

0 일시: 12.17(목) 16:00-17:00

0 장소: 주제네바 한국대표부

- 아측: 최농무관, 유사무관, KREI 서연구관, 이농무관보

- 호주 : 외무성 DON KENYON 다자무역과 자문관 외 2 명

2. 한. 카나다 양자협의결과

가. 표제협상 동향

0 카측은 미.EC 간 농산물 분야 합의로 UR 협상의 돌파구를 마련 하였으나 농산물 이외의 분야에 대한 합의를 이루지 못함으로서 협상이 부진한데 대해 유감을 표하고, 협상이 내년으로 넘어갈 경우 미국의 정권교체에 따른 협상팀의 교체로 UR 의 조기타결에 어려움이 있을 것으로 전망함.

나. 양자협의 내용

0 카측은 아국의 쌀과 관련하여 쌀의 TE 를 계산해 보았냐고 묻고, MMMA 를 허용할

통상국 농수부	장관 상공부	차관	2차보	분석관	청와대	안기부	경기원	재무부

수 있는지 질문하였으며 이에대해 아측은 쌀의 TE 를 계산해 보지 않았다고 답변하고, 쌀에 대한 MMA 를 받기 어려운 이유를 밀, 대두, 옥수수, 쇠고기 등의 예를 들어 설명하고, 쌀이 차지하는 중요성에 대해 한국이 일본에 비해 더욱 심각함을 강조

  0 카측은 일본의 경우 쌀과 낙농제품에 대해서는 입장이 확고하지만 다른 품목에 대해서는 신축성을 보이면서 C/S 를 개선해 나가고 있다고 지적하면서 한국의 C/S 변경 의도를 타진함. 이에 대해 아측은 현재로서는 C/S 를 변경할 수 없으며, UR 협상이 성공적으로 끝난후 아국의 입장이 반영된 새로운 TEXT 에 따라 C/S 를 수정할 것이라고 답변함.

  0 카측이 아국의 보리시장접근문제를 거론한데 대해 보리 역시 아국의 농업여건상 매우 중요한 품목임에도 불구하고 MMA 를 허용하고 있음을 언급

  0 카측이 서로 대체관계에 있는 대두와 유채의 관세차이해소와 GSM 자금사용 문제를 제기한데 대해 아측은 관세는 품목간의 대체성이의 국내농업에 미치는 영향을 종합적으로 고려하여 결정되는 것으로 상기품목의 관세차이는 이러한 차원에서 발생하는 것으로 설명하였으며, GSM 자금문제는 1994.9 중단예정인 것으로 알고있다고 답변함.

  0 아측은 지난 12.15. 미국이 제출한 SPS 수정안에 대해 의견을 묻자 카측은 동 TEXT 수정안을 받아들일수 없으며, 현 TEXT 상의 내용이 유지되어야 한다고 언급함.

  다. REQUEST LIST 교환
  0 양국은 농산물 분야 관심사항에 대한 REQUEST LIST 를 교환함.

  3. 한. 호주 양자협의 결과
  가. 표제 협상동향
  0 호주는 지금까지 성공적으로 협상이 진행되어 왔으며 농산물 이외의 분야에 마지막으로 남은 문제가 있으나 협상의 진전이 이루어지고 있어 내년 상반기중 결론이 기대되며 내년 3 월까지 타결될 가능성이 있을 것으로 봄.

  나. 양자협의 내용
  0 호주측은 EC 의 C/S 가 바나나에 대해 TE 를 제시하지 않은 이외에는 DFA에 일치함을 강조하고 한국도 DFA 에 일치하는 C/S 를 제출하여야 할것을 주장하였으며 이에 대해 아측은 EC 의 C/S 가 높은 TE 의 산출, 품목군별 MMA 제시, TARIFF QUOTA 에 대한 높은 관세윰 적용등 문제가 많음을 지적하였음.

  0 호주측은 미.EC 의 C/S 가 TE 계산과 관련하여 완전히 만족스럽지는 않다고

PAGE 2

0181

말하고 결국은 협상과정에서 관세화를 수용해야 할것임을 강조함. 이에 대해 아측은 아국의입장은 변함이 없으며 현행 DFA 와 최근 미.EC 의 합의내용은 수출국의 입장만이 반영된 불공정한 것으로 수출수입국의 입장이 균형된게 반영될수 있도록 수정되어야 함을 강조함.

   0 호주는 미.EC 합의사항이외에 더이상의 DFA 수정은 없을것이라고 말하고, 아국에 대해 쌀의 관세화를 받아들이고 국내보조 및 TE 의 최소감축, SAFEGUARD 등의 대안을 모색해야 할 것이라고 언급함. 아측은 TE 의 감축은 결국 시장개방으로 이어지고 SAFEGUARD 로는 충분한 보호장치가 될수 없음을 강조하고 쌀에 대해서는 아국 농업에서 차지하는 비중 등에 비추어 결코 관세화대상이 될수 없다고 하였음.

   0 아측에서 미국의 SPS 수정제안과 관련하여 호주측의 입장을 문의한바 수정 제안은 SUBSTANCE 의 현저한 변경을 가져오고 기합의한 TEXT 를 수정해야 하기때문에, 이에 반대한다고 언급하고 우리측 입장을 문의해 온바, 본국에서 검토중에 있다고 답변하면서 아측은 잠정적 견해로서 미측이 용어표현을 분명히 하자고는 하나 중요한 실질적 내용변경이 포함된 것으로 안다고 하였음.

   0 끝으로 오늘 회의에서 C/S 나 양자간 현안에 대한 논의를 갖지 못했으므로 내년 1 월초 회의를 갖을 것을 제의하였으며 아측은 이에 대해 가능할 것으로 본다고 답변함.

   첨부: 카나다측 관심품목 리스트 1 부(GVW(F)-0764)끝

   (대사 박수길-국장)

   예고:92.12.31. 까지

외 무 부

종   별 :

번   호 : GVW-2417   일   시 : 92 1221 1500

수   신 : 장관(통기, 경기원, 재무부, 농수산부, 상공부)

발   신 : 주제네바대사

제   목 : UR 농산물 협상/EC 대표 회동

　　92.12.18. 농림수산부 김광희 기획실장은 EC집행위 MOHLER 농업담당 부총국장을 오찬에 초청 표제관련 의견교환한바 요지 하기보고함.(최농무관, OLSEN 농업담당자문관동석)

　　1. 미.EC 합의 내용

　　O 동인은 EC 가 최근 3일간에 농산물 C/S ,LEGAL TEXT, 공산품 C/S 를 제출할 것은 EC로서 협상에 최선을 다한 것이라고 하면서 아래와 같이 언급

　　- 금일 제출한 LEGAL TEXT 는 전분야에 걸친것으로 그간 지연된 사유로는 EC 내부 검토에 시간이 필요하였기 때문에 농업이 사회의인준이 필요한 것은 아니었음.

　　- EC 는 포괄적 관세화를 받아들이기로 하였으며 BANANA 가 어제 제출한 C/S 에는 빠졌으나 곧 제시하게 될것임.

　　- 미.EC 합의중 시장접근 분야만 제외되었으며 특히 CMA,MMA 에 관한 합의는 없었음.

　　- 다는 나라 특히 미국이 관심을 갖고 있는 것은 TE가 아니라 MMA 로 알고 있음.

　　O 김실장은 미.EC 의 합의 내용이 수출국 중심의 문제점만 해결 하였다는 점에서수입국인 한국은 불만이라고 하자 동인은 이해한다고 하였음.

　　2. 협상 동향과 전망

　　O 동인은 현재 협상의 걸림돌이 되고 있는 것은 불란서가 아니라 미측에 있다고하고 미국으로 부터의SIGN 이 있어야 할것이며 아직도 조기 타결의 가능성은 있다고하 고 다음과 같이 평가함.

　　- 첫째 미국이 정권교체에 따른 문제점을 어떻게 해결하느냐에 달려 있음. 특히신정권이 들어서면 각료임명, 의회증인, 협상팀의 정비등에 최소한 2주일 이상이 소요됨.

통상국　　경기원　　재무부　　농수부　　상공부

- 둘째 미측의 전술적(TRCTICS) 인면도 있다고할수 있음. 이는 BUSH 행정부가 향후 의회에서 야기될 모든 문제점(MTO 등)을 사전 협상에서모두 현 정부로서는 최선을 다했다는 표시일 수있음.

3. 관세화 예외 문제

0 동인은 현재 관세화를 반대하는 카나다, 일본,스위스도 결국 받아들일 것으로전망함.

0 김실장은 한국쌀 시장개방의 어려움을 설명하고 미.EC 간의 합의와 같이 한국이 미국과 별도의 합의(SPECIAL ARRANGEMENT)를 할경우 이에 대한 EC 입장을 타진하자 동인은만약 한국이 미국과 합의에 이른다면 EC 로서는 반대할 의향이 없다고 함

4. 기타

0 현행 DFA 의 PART 1 와 PAR B 의 연관성에 관한 질의에는 PART A 는 남겠지만 PART B는 SCHEDULE 에 관한방법이므로 양자간 상당히 관계가 있어 완전히 없어진다는것 은 불가능하다고 봄.

0 농산물 분야에서 미국이 수정 제안한 SPS 에 대하여는 불만이라고 하고 특히 과학적정당성(SCIENTIFIC JUSTIFICATION) 에 큰 문제가있다고 지적함.

0 BANANA 문제는 기존 EC 내의 합의사항(ACP국가에는 무세수입, DOLLAR BANANA 국가에는20 관세의 쿼타) 외에 잔여 분량을 높은 TE로 관세화 한다는 것으로, DOLLAR BANANA국가들이 단기적으로는 불만이겠지만 쿼타를 증량시켜 주기 때문에 장기적으로이익이 될것임.끝

(대사 박수길-국장)

관리
번호 92-998

외 무 부

종 별 : 지 급

번 호 : GVW-2419

일 시 : 92 1221 1500

수 신 : 장관(봉기, 경기원, 재무부, 농수산부, 상공부)

발 신 : 주 제네바 대사

제 목 : UR/농산물(주요국 비공식 회의)

검 토 필 (1992.12.31.)

UR/ 농산물(주요국 비공식 회의)

연: GVW-2319, 12.18.15:00 아국포함 개도국이 초청된 표제협상 주요국 비공식 회의가 DENIS 의장 주재로 개최되어 미.EC 양자협의 사항 LEGAL TEXT (DFA 의 수정안)가 제시되고 이에 대한 토론이 있었는바 요지 하기 보고함.(본직, 김광희 농림수산부 기획관리실장 참석)

1. 미.EC 합의사항 LEGAL TEXT 배포(별첨 FAX 송부)

가. 협정문 PART A 주요 수정 내용

- 1 조 용의 정의 부분에 AMS, EQUIVALENT COMMITMENT TOTAL AMS 에 대한 정의 규정 신설

- 6 조 및 7 조 국내보조 부분을 수정하여 TOTAL AMS 및 생산감축을 전제로한 직접지불 정책에 대한 양자 합의사항을 반영

- 9 조를 수정하여 수출보조의 연간 삭감폭 조정을 반영

- 10 조 2 항에 EXPORT CREDIT 의 내용을 CLARIFY

- 12 조 PEACE CLAUSE 연호 CONCEPTUAL PAPER 내용을 수록

나. 협정문 8 국내보조 약속 방법에 PART II 수출 보조 물량 삭감폭을 21 퍼센트로 조정

- ANNEX 8 수출 보조 삭감 약속 방법에 연도별 삭감율과 연간 삭감폭 조정 규정을 신설

다. 보조금 협정관련 규정 개정안 제시

2. 토의 요지

- 미국은 상기 LEGAL TEXT 를 배포하면서 현 DFA 에 최소한의 수정을 가하기 위한 제안이라는 배경설명을 하였음. (EC 는 발언하지 않았음)

통상국 농수부	장관 상공부	차관	2차보	분석관	청와대	안기부	경기원	재무부

PAGE 1

92.12.22   03:24

* 원본수령부서 승인없이 복사 금지

외신 2과   통제관 FR

0185

- 이에 대하여 일본, 스위스, 카나다, 우루과이, 북구, 오지리, 파키스탄등 대다수 국가가 동 LEGAL TEXT 에 대하여 검토할 시간이 필요하며 향후 충분한 논의가 있어야 한다 하였음.

0 일본은 동 TEXT 논의시 여타 문제로 함께 논의되어야 한다고 하면서, 직접 지불 정책은 삭감대상에서 면제시켜주고, 6 년후에는 어떻게 되는지 불분명하게 처리되었는바 포괄적 관세화 문제도 같은 방식으로 처리할 수 없느냐는 질문을 하였음.

0 본직은 <u>PART A 수정안에 PART B 를 인용한 부분</u>이 많이 있음을 지적하고 PART B 가 협상타결후에는 사라지는 것으로 일반적으로 이해되고 있는바 PART B의 법적지위가 어떻게 되는지에 대하여 CLARIFICATION 을 요청하였음.

0 카나다는 허용정책의 상계조치 면제가 이행기간중에만 되도록 되어있는 점은 수용할 수 없다는 입장을 밝혔고 직접지불 정책이 기준년도에 포함되어 있지 않은 경우 처리 방식에 대하여 CLARIFICATION 을 요청하였음

0 인도는 양자간 합의사항외에 여타 쟁점에 대하여도 CLARIFICATION 이 필요하다고 하였음.

0 북구는 허용정책은 영원히 상계조치 대상에서 제외시켜야 한다고 하였음.

0 브라질, 파키스탄등은 동 제안이 DFA 의 SUBSTANTIAL CHANGE 의미한다고 하고 특히 PEACE CLAUSE 에 문제를 제기하였음.

- 의장은 TEXT 에 대한 충분한 논의 필요성이 있다고 하면서 가급적 빠른시일 내에 그에 대한 토의를 갖도록 하겠다고 하고 구체적인 회의일정은 12.18.TNC 이후 조속 통보토록 하겠다 하였음.

첨부: 미.EC 합의사항 LEGAL TEXT 1 부(GVW(F)-770)

(대사 박수길-국장)

예고:93.6.30 까지

02

주 제 네 바 대 표 부

번 호 : GVE(F) - 0790   년월일 : 21/21   시간 : 15:00

수 신 : 장 관 (통기, 경기원, 재무부, 농림수산부, 상공부)

발 신 : 주 제네바대사

제 목 : 미-EC 합의사항 legal Text

증 17 매 (브리프함)

보 안 통 제	

| 의신과
통 제 | |

농중

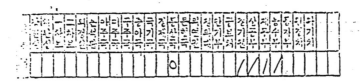

720 - 19 - 1

CHANGES TO DRAFT FINAL ACT[1]
REQUIRED BY US/EC BLAIR HOUSE AGREEMENT[2]

---

[1] All deletions from Draft Final (revised Dunkel Text) are framed in brackets; all new materials are underlined.

[2] This document only incorporates changes to reflect the Blair House agreement and does not incorporate other drafting changes that may be necessary to clarify ambiguities in the Dunkel Text.

0188

Part A

Part I

Article 1 - Definition of Terms

In this Agreement, unless the context otherwise requires:

"AMS" and "Aggregate Measurement of Support" -- mean the annual level of support, expressed in monetary terms, provided for an agricultural product in favor of the producers of the basic agricultural product or non-product-specific support provided in favor of agricultural producers in general, calculated in accordance with the provisions of Annex 5 to Part B of this Agreement [refer to the aggregate measurement as specified in the Schedules of domestic support commitments and the related supporting material];

* * *

"Equivalent Commitment"[1] means the annual level of support, expressed in monetary terms, provided to producers of a basic agricultural product through the application of one or more measures, the calculation of which in accordance with the AMS methodology is impracticable and so is determined in accordance with the provisions of Annex 5 of Part B of this Agreement [are as specified in the Schedules of domestic support commitments and the related supporting material];

* * *

"Total AMS" and "Total Aggregate Measurement of Support" mean the sum of all domestic support provided in favor of agricultural producers, other than support provided under programs that qualify as exempt from reduction under this Agreement, calculated as the sum of all AMS calculations for basic agricultural products, all non-product-specific AMS calculations and all equivalent commitments for agricultural products.

---

[1] Because the parties have agreed to make domestic support commitments on a Total AMS basis, rather than on a product-specific AMS basis, the term "equivalent commitment" appears no longer to be appropriate and should be changed to a term such as "equivalent calculation."

1

0189

Part A

Part IV

Article 6 - Domestic Support Commitments

1.   The domestic support reduction commitments of each Member contained in its Schedule of commitments shall apply to all of its domestic support measures in favor of agricultural producers with the exception of domestic measures which are not subject to reduction in terms of the criteria set out in Part B Annex 2 [to this Agreement]. The commitments are expressed in terms of Total Aggregate Measurement of Support [and of equivalent commitments]. The constituent data and methods employed in the calculation of these commitments shall be incorporated into the Schedules of domestic support commitments by reference to the relevant tables of supporting material.

2.   Investment subsidies which are generally available to agriculture in developing country Members and input subsidies generally available to low-income or resource poor producers in developing country Members shall be exempt from domestic support reduction commitments that would otherwise be applicable to such measures, as shall domestic support to producers in developing country Members to encourage diversification from growing illicit narcotic crops.

3.   A Member shall be considered to be in compliance with its domestic support reduction commitments in any year [where the product-specific and non-product-specific AMS values for support, or the equivalent commitments, do] in which its domestic support in favor of agricultural producers expressed in terms of Total AMS does not exceed the corresponding commitment levels specified in the Schedule of domestic support commitments of the Member concerned.

4.   As long as product-specific domestic support which would otherwise be required to be included in a Member's calculation of Total AMS and by such inclusion be subject to reduction does not exceed 5 per cent of the total value of production of a basic product [in the case of product-specific support], there shall be no requirement to include such support in the calculation of the Member's Total AMS [undertake the reduction of that support, and]. Similarly, as long as non-product-specific domestic support which would otherwise be required to be included in a Member's calculation of Total AMS and by such inclusion be subject to reduction does not exceed 5 percent of the value of that Member's total agricultural production [in the case of a non-product-specific AMS], there shall be no requirement to include such support in the Member's calculation of Total AMS [undertake the reduction of that support]. For developing

2

0190

country Members, the percentage under this paragraph shall be 10 per cent.

5. (a) Direct payments under production-limiting programs shall not be subject to the commitment to reduce internal support if:

      (i) payments are based on fixed area and yields; or

      (ii) payments are made on 85 percent or less of the base level of production; or

      (iii) livestock payments are made on a fixed number of head.

(b) The exemption from the reduction commitment for direct payments meeting the above criteria shall be reflected by the exclusion of the value of those direct payments in a Member's calculation of its current Total AMS.

<u>3</u>

Part A

Article 7 - General Disciplines on Domestic Support

1.   Each member shall ensure that any domestic support measures
in favor of agricultural producers which are not subject to
reduction commitments because they qualify under the criteria set
out in Part A, Annex 2, are maintained in conformity therewith
[with the criteria set out in Annex 2 to this Agreement].

2.   Any domestic support measure in favor of agricultural
producers, including any modification to such measure, and any
measure that is subsequently introduced that cannot be shown to
satisfy the criteria in Part A, Annex 2 [to this Agreement] or to
be exempt from reduction by reason of any other provision of this
Agreement shall be included in the Member's calculation of its
Total AMS [coverage of the applicable AMS or equivalent
commitment. Where no applicable AMS or equivalent commitment
exists the support in question shall not exceed the de minimis
level set out in Article 6(4)].

[3.   The domestic subsidies listed in Annex 2 to this Agreement
shall be considered as non-actionable for the purposes of
countervailing duties, but not otherwise, provided that such
subsidies are in conformity with the general and specific
criteria relating thereto as prescribed in that Annex.]

4

0192

Part A

Article 9 - Export Subsidy Reduction Commitments

2.   Except as provided in paragraph 5(c) of Annex 8 to Part B of this Agreement, reduction commitments for any year of the implementation period, as specified in Schedules, represent:

   (a) in the case of outlay reduction commitments, the maximum level of expenditure that may be allocated or incurred in that year in connection with the export subsidies listed in this Article; and

   (b) in the case of export quantity reduction commitments, the maximum quantity of an agricultural product, or group of such products, in respect of which export subsidies listed in this Article may be granted in that year.

5

0193

Part A

Article 10 - Prevention of Circumvention
of Export Competition Commitments

1.   Export subsidies not listed in Article 9(1) of this Agreement shall not be applied in a manner which results in, or which threatens to lead to, circumvention of export subsidy commitments; nor shall non-commercial transactions be used to circumvent such commitments.

2.   Members undertake to work toward the development of internationally agreed disciplines to govern the provision of [not to provide] export credits, export credit guarantees or insurance programs and, after agreement on such disciplines, to provide export credits, export credit guarantees or insurance programs only in conformance therewith [otherwise than in conformity with internationally agreed disciplines].

3.   Any Member which claims that any quantity exported in excess of a reduction commitment level is not subsidized must establish that no export subsidy, whether listed in Article 9 or not, has been granted in respect of the quantity of exports in question.

4.   Member donors of international food aid shall ensure:

   (a)   that the provision of international food aid is not tied directly or indirectly to commercial exports of agricultural products of recipient countries;

   (b)   that international food aid transactions, including bilateral food aid which is monetized, shall be carried out in accordance with the FAO "Principles of Surplus Disposal and Consultative Obligations" including, where appropriate, the system of Usual Marketing Requirements (UMRs);

   (c)   that such food aid shall be provided to the extent possible in fully grant form or on terms no less concessional that those provided for in Article IV of the Food Aid Convention 1986.

6

0194

Part A

Part IV

Article 12 - Due Restraint [Serious Prejudice]

[Where reduction commitments on domestic support and export subsidies are being applied in conformity with the terms of this Agreement, the presumption will be that they do not cause serious prejudice in the sense of Article XVI:1 of the General Agreement.]

During the implementation period, notwithstanding the provisions of the GATT 1993 and the Agreement on Subsidies and Countervailing Measures ("Subsidies Agreement"):

1. Domestic support measures that conform fully to the provisions of Part A, Annex 2 shall be:

    (a) non-actionable subsidies for purposes of countervailing duties:*

    (b) exempt from actions based on Article XVI of the GATT 1993 and Part III of the Subsidies Agreement; and

    (c) exempt from actions based on non-violation nullification or impairment of the benefits of tariff concessions accruing to another Member under Article II of the GATT 1993, in the sense of Article XXIII:1(b) of the GATT 1993.

2. Domestic support measures that conform fully to the provisions of Part B, paragraph 5, including direct payments that conform to the requirements of subparagraph 2 thereof, as reflected in each Member's Schedule of Commitments, shall be:

    (a) exempt from the imposition of countervailing duties* unless a determination of injury or threat thereof is made in accordance with Article VI of the GATT 1993 and Part V of the Subsidies Agreement, and due restraint shall be shown in initiating any countervailing duty investigations;'

    (b) exempt from actions based on Article XVI:1 of the GATT

---

¹ To be correct, references to domestic support measures and export subsidies for purposes of paragraphs 2(a) and 3(a) must be revised to refer to "subsidized imports that benefit from" domestic support measures and export subsidies.

7

0195

1993 or Articles 5 and 6 of the Subsidies Agreement, provided that such measures do not grant support to a specific commodity in excess of that decided during the 1992 marketing year; and

(c) exempt from actions based on non-violation nullification or impairment of the benefits of tariff concessions accruing to another Member under Article II of the GATT 1993, in the sense of Article XXIII:1(b) of the GATT 1993, provided that such measures do not grant support to a specific commodity in excess of that decided during the 1992 marketing year.

3. Export subsidies that conform fully to the provisions of Part V of Part A, as reflected in each Member's Schedule of Commitments, shall be:

(a) subject to countervailing duties* only upon a determination of injury or threat thereof based on volume, effect on prices, or consequent impact in accordance with Article VI of the GATT 1993 and Part V of the Subsidies Agreement, and due restraint shall be shown in initiating any countervailing duty investigations; and

(b) exempt from actions based on Article XVI of the GATT 1993 or Articles 3, 5 and 6 of the Subsidies Agreement.

* "Countervailing duties" are those covered by Article VI of the GATT 1993 and Part V of the Subsidies Agreement.

8

0196

Part A

Article 17 - Review of the Implementation of Commitments

1. Progress in the implementation of commitments negotiated under the Uruguay Round reform programme shall be reviewed.

2. The review process shall be undertaken on the basis of notifications submitted by Members in relation to such matters and at such intervals as shall be determined, as well as on the basis of such documentation as the MTO Secretariat may be requested to prepare in order to facilitate the review process.

3. In addition to the notifications to be submitted under paragraph 2, any new domestic support measure, or modification of an existing measure, for which exemption from reduction is claimed shall be notified promptly. This notification shall contain details of the new or modified measure and its conformity with the agreed criteria as set out either in Part A, Annex 2 [of this Agreement] or in Part B, paragraph 8(b).

4. In the review process members shall give due consideration to the influence of excessive rates of inflation on the ability of any member to abide by its domestic support commitments.

5. The review process shall provide any opportunity for members to raise any matter relevant to the implementation of commitments under the reform programme as set out in this Agreement.

6. Any member may bring to the attention of the members any measure which it considers ought to have been notified by another member.

9

Part A

Article 18 - Consultations and Dispute Settlement

1.   The provisions of Articles XXII and XXIII of the GATT 1993, as elaborated and applied by the MTO Understanding on Rules and Procedures Governing the Settlement of Disputes shall apply to consultations and the settlement of disputes under this Agreement.

[2.   On the basis of the commitments undertaken in the framework of this Agreement, Members will exercise due restraint in the application of their rights under the General Agreement in relation to products included in the reform programme.]

10

Part B

Specific Modalities: Domestic Support

8.   (a) All domestic support in favor of agricultural producers,
with the exception of measures [exempted from reduction under
Annex 4] meeting the criteria set out in Part A, Annex 2, shall
be [reduced] subject to commitments expressed and implemented
through Aggregate Measures of Support as defined in Annex 5, or
where the calculation of an AMS is not practicable, through
equivalent commitments as defined in Annex 6. The base period
shall be the years 1986 to 1988. A Total AMS shall be calculated
as the sum of the value of all Aggregate Measures of Support and
equivalent commitments. The Total AMS shall be reduced during
the period of implementation in equal annual installments and
shall be bound, at the end of the period, at a level 20 percent
below the base period level. Credit shall be allowed in respect
of actions undertaken since the year 1986. [The reduction
commitment shall be expressed and implemented through Aggregate
Measures of Support (AMS) as defined in Annex 5, or through
equivalent commitments as defined in Annex 6 where the
calculation of an AMS is not practicable, and shall be
implemented in equal installments.]

        (b) Direct payments under production-limiting programs shall
not be subject to the commitment to reduce internal support if:

            (i) payments are based on fixed area and yields; or

            (ii) payments are made on 85 percent or less of the
            base level of production; or

            (iii) livestock payments are made on a fixed number of
            head.

The exemption from the reduction commitment for direct payments
meeting the above criteria shall be reflected by the exclusion of
the value of those direct payments in a Member's calculation of
its current Total AMS.

9.   Where any domestic support measure cannot be shown to satisfy
the criteria set out either in Part A, Annex 2 or in Part B,
paragraph 8(b) [in Annex 4], it shall be subject to the reduction
commitment in paragraph 8(a) above.

10.   As long as product-specific domestic support which would
otherwise be required to be included in a Member's calculation of
its Total AMS and by such inclusion be subject to reduction does
not exceed 5 per cent of the total value of production of a basic
product [in the case of product-specific support], there shall be
no requirement to include such support in the calculation of the
Member's Total AMS [undertake the reduction of that support,

11

0199

7~o-/7-/3

and]. Similarly, as long as non-product-specific domestic
support which would otherwise be required to be included in a
Member's calculation of its Total AMS and by such inclusion be
subject to reduction does not exceed 5 percent of the value of
that Member's total agricultural production [in the case of
sector-wide AMS], there shall be no requirement to include such
support in the Member's calculation of Total AMS [undertake the
reduction of that support]. For developing country Members, the
percentage under this paragraph shall be 10 per cent.

12

0200

Part B

Specific Modalities: Export Competition

11.   The export subsidies listed in Annex 7 shall be subject to budgetary outlay and quantity commitments. Outlays and quantities shall be reduced from the year [1993] 199 to the year [1999] ____ by 36 per cent and :: [24] percent respectively. The base period shall be the year 1986 to the year 1990. These commitments shall be established in accordance with the modalities prescribed in Annex 8.

13

0201

Part B

Annex 8 MODALITIES OF EXPORT COMPETITION COMMITMENTS

5. (a) Each Member shall, prior to the conclusion of the implementation period, reduce:

    (i)   its budgetary outlays for export subsidies for each agricultural product or group of products specified in Annex 7 by 36 percent of the base period level; and

    (ii)   the quantities of each agricultural product or group of products specified in Annex 7 benefitting from export subsidies by 21 percent of the base period level.

(b) Except as provided in subparagraph (c), in implementing the reduction commitments under subparagraph (a), each Member's budgetary outlays and quantities shall be no greater than the following percentages of the base period level:

Year of implementation period	Budgetary outlays	Quantities
First	94	96.5
Second	88	93
Third	82	89.5
Fourth	76	86
Fifth	70	82.5
Sixth	64	79

(c) In any of the second through fifth years of the implementation period, each Member may exercise flexibility in implementing subparagraph (b) as follows. The Member's budgetary outlays and quantities for a given year may exceed those specified under subparagraph (b) by an additional 3 percent and 1.75 percent of the base period level respectively, provided that:

    (i)   the cumulative amount of the budgetary outlays and quantities for such product from the beginning of the implementation period through such year is not greater than 3 percent and 1.75 percent of the base period level respectively above the cumulative amount that would have resulted from the application of subparagraph (b);

14

    (ii) the total budgetary outlay for export subsidies for
such product or groups of products and the quantity of
such product or groups of products benefitting from
export subsidies over the entire implementation period
are no greater than the totals that would have resulted
from the application of subparagraph (b); and

    (iii) the Member's final bound budgetary outlay and quantity
commitments for each agricultural product or group of products at
the conclusion of the implementation period is no greater than 64
percent and 79 percent of the base period levels, respectively.

    [In the first year of the implementation period base levels
shall be reduced by an amount corresponding to the reduction that
would be applicable under implementation on the basis of equal
installments. Thereafter commitment levels for any year of the
implementation period shall be reduced by at least half the
reduction applicable under implementation on the basis of equal
annual installments. Commitment levels in the final year of
implementation shall be established at levels that ensure that
the overall reduction during the implementation period is no less
than if annual commitment levels has been established on the
basis of equal annual instalments.]

관리 번호	92-999

외 무 부

종 별 :

번 호 : GVW-2421

일 시 : 92 1221 1530

수 신 : 장관(통기, 경기원, 재무부, 농림수산부, 상공부)

발 신 : 주 제네바대사

제 목 : UR 농산물 협상(한,미간 양자협의)

대: GVW-2320

연: GVW-2401

검 토 필 (19??.??.??.)

12.18(금) USTR 대표부에서 개최된 표제협의 결과 요지 하기 보고함.

(아측: 최농무관, 유사무관, 이농무관보 미측: USTR THORN 참사관외 1 명)

0 금일 회의는 양국이 서로의 입장을 간략하게 표명하고 REQUEST LIST 를 교환한후 종료함 (별첨 FAX 송부)

0 미국은 아국의 C/S 가 관세화 예외, 낮은 TE 삭감율등 DFA 에 합치하지 않는 부분이 많음을 지적하였으며 한국이 조속한 시일내에 DFA 에 합치하도록 C/S 를 수정하여야 할 것이라고 말하고 BOP 품목에 대한 관세화에 반대한다는 입장을 표명

0 아측은 아국의 C/S 는 기존 아국의 입장에 따라 작성되었으며 BOP 품목에 대한 관세화와 관련 DFA 의 주석조항에 대하여 미측과 다른 견해를 가지고 있다고 말하고 TE 삭감율에 대해 개도국 우대조항을 적용하였다고 설명함.

0 이에 대해 미국은 한국에 대해 개도국 우대를 적용할지 여부는 미지수라고 말함.

첨부: 미측 관심품목 LIST 1 부(GVW(F)-0771. 끝

(대사 박수길-국장)

예고:93.6.30 까지

통상국 농수부	장관 상공부	차관	2차보	분석관	청와대	안기부	경기원	재무부

PAGE 1

92.12.22   06:26

* 원본수령부서 승인없이 복사 금지

외신 2과   통제관 CM

0204

$0S(새)30$

주 제 네 바 대 표 부

번 호 : GVW(F) - 0771　　년월일 : 2/21　　시간 : 1530

수 신 : 장 (　은ᄂ통기, 경기원, 재무부, 농림수산부, 상공부)

발 신 : 주 제네바대사

제 목 : 미측관심품목 List

총　6　매 (표지포함)

브	안	
통	지	

확산구	
통 지	

0205

771-6-1

URUGUAY ROUND AGRICULTURE NEGOTIATIONS: UNITED STATES
MARKET ACCESS REQUESTS FOR THE REPUBLIC OF KOREA

TARIFF LINE	PRODUCT
0102 10 1000	live bovine animals, pure-bred milk cows
0102 10 2000	live bovine animals, pure-bred beef cattle
0102 10 9000	live bovine animals, pure-bred, other
0103 10 0000	live swine, pure-bred breeding animals
0103 91 0000	live swine, other, under 50 kg
0103 92 0000	live swine, other, 50 kg or more
0105 11 1000	live chickens, under 185 grams
0105 91 1000	live chickens, over 185 grams
0206 21 0000	edible bovine offal, tongues
0206 22 0000	edible bovine offal, livers
0206 30 0000	pork offals, fresh or chilled
0206 41 0000	pork offals, frozen, livers
0206 49 0000	pork offals, frozen, other
0207 10 0000	chicken not cut in pieces, fresh or chilled
0207 39 2000	chicken livers, fresh or chilled
0207 39 9000	chicken offals, fresh or chilled
0407 00 1000	eggs, in-shell, fresh
0407 00 9000	eggs, in-shell, preserved or cooked
0408 11 0000	chicken egg yolks, dried
0408 19 0000	chicken egg yolks, other
0504 10 0000	guts
0504 20 0000	bladders
0504 30 0000	stomachs
0505 10 0000	feathers of a kind used for stuffing
0506 90 2000	bone meal
0511 10 0000	bovine semen
0511 99 2000	animal semen, not bovine
0511 99 3000	animal embryos
0706 10 1000	carrots, fresh or chilled
0713	pulses
0802 11 0000	almonds, in shell
0802 12 0000	almonds, shelled
0802 21 0000	hazelnuts, in shell
0802 22 0000	hazelnuts, shelled
0802 31 0000	walnuts, in-shell
0802 32 0000	walnuts, shelled
0802 50 0000	fresh pistachios
0802 90 9000	other nuts (pecans and macadamias)
0804 20 0000	figs
0804 40 0000	fresh avocados
0805 30 0000	fresh lemons and limes
0805 40 0000	fresh grapefruit
0806 20 0000	raisins
0809 20 0000	fresh cherries

0206

URUGUAY ROUND AGRICULTURE NEGOTIATIONS: UNITED STATES
MARKET ACCESS REQUESTS FOR THE REPUBLIC OF KOREA

TARIFF LINE	PRODUCT
0810 90 4000	fresh kiwifruit
0811 20 0000	frozen blueberries
0811 90 0000	frozen avocados
0811 90 0000	frozen peaches
0813 20 0000	prunes
1001 90 9000	wheat, other (not durum)
1003 00 1000	malting barley
1003 00 9010	barley, other, unhulled
1003 00 9020	barley, other, naked
1003 00 9090	barley, other
1005 10 0000	seed corn
1005 90 1000	feed corn
1005 90 2000	popcorn
1005 90 9000	other corn
1006 10 0000	rice in the husk (paddy or rough)
1006 20 1000	rice, husked, nonglutinous
1006 20 2000	rice, husked, glutinous
1006 30 1000	rice, semi-milled or wholly milled, nonglutinous
1006 30 2000	rice, semi-milled or wholly milled, glutinous
1006 40 0000	rice, broken
1007 00 0000	grain sorghum
1101 00 1000	wheat flour
1102 20 0000	corn flour
1103 13 0000	corn grits
1104 12 0000	rolled oats
1104 23 0000	corn hominy
1105 10 0000	potato flour and meal
1105 20 0000	potato flakes, pellets, etc.
1108 12 0000	corn starch
1201 00 0000	soybeans
1202 10 0000	peanuts, in-shell
1202 20 0000	peanuts, shelled
1206 00 0000	sunflowerseed
1207 20 0000	cottonseed
1208 10 0000	soybean flour/dry meal
1209 91 0000	vegetable seeds
1211 20	ginseng
1214 10 0000	alfalfa meal and pellets
1214 90 9000	hay (alfalfa bales/cubes)
1502 00 1010	beef tallow, acid value not exceeding 2
1502 00 1090	beef tallow, other
1507 10 0000	soybean oil, crude
1507 90 1000	soybean oil, refined
1508 10 0000	peanut oil, crude

0207

URUGUAY ROUND AGRICULTURE NEGOTIATIONS: UNITED STATES
MARKET ACCESS REQUESTS FOR THE REPUBLIC OF KOREA

TARIFF LINE	PRODUCT
1508 90 1000	peanut oil, refined
1512 11 1000	sunflowerseed oil, crude
1512 19 1010	sunflowerseed oil, refined
1512 21 0000	crude cottonseed oil
1512 29 1000	refined cottonseed oil
1515 21 0000	crude corn oil
1515 29 0000	other corn oil
1515 90 9090	avocado oil
1516 20 2040	hydrogenated cottonseed oil
1601 00 0000	pork sausage, including hot dogs
1602 31 1000	turkey, prepared or preserved
1602 41 1000	pork, prepared/preserved, hams
1602 42 1000	pork, prepared/preserved, shoulders
1602 49 1000	pork, prepared/preserved, other
1603 00 1000	meat extracts
1702 60 2000	high fructose corn syrup
1704 10 0000	chewing gum
1704 90 2010	candies, drops
1704 90 2020	candies, caramels
1704 90 2090	candies, other
1704 90 9000	other sugar confectionary
1806 20 1000	chocolate blocks
1806 20 9090	other chocolate preparations
1806 31 1000	filled chocolate blocks
1806 31 9000	other filled blocks/slabs/bars
1806 32 1000	not filled chocolate blocks
1806 32 9000	other unfilled block/slab/bar
2001 10 0000	cucumbers & gherkins in vinegar/acetic acid
2004 10 0000	frozen french fries
2005 10 0000	canned vegetables
2005 20 0000	potatoes, prepared/preserved, not frozen
2005 51 0000	beans, prepared or preserved (canned pork & beans)
2005 80 0000	sweet corn, not frozen
2005 90 9000	other vegetables & mixtures of vegetables
2007 99 1000	fruit jams, jellies, marmalades
2007 99 9000	fruit or nut purees and pastes
2008 11 1000	peanut butter
2008 19 9000	sunflowerseed confectionary
2008 40 0000	canned pears
2008 70 0000	canned peaches
2008 92 1000	canned fruit cocktail
2008 99 9000	prepared/preserved avocados
2009 20 0000	grapefruit juice
2009 30 1000	lemon juice

0208

URUGUAY ROUND AGRICULTURE NEGOTIATIONS: UNITED STATES
MARKET ACCESS REQUESTS FOR THE REPUBLIC OF KOREA

TARIFF LINE	PRODUCT
2009 30 2000	lime juice
2009 50 0000	tomato juice
2009 80 1010	peach juice
2009 80 1090	juice of other single fruit
2009 90 2000	juice of single vegetable
2009 90 1000	mixtures of fruit juices
2009 90 2000	mixtures of vegetable juices
2102 10 1000	brewery yeast
2102 10 4000	culture yeast
2102 10 9000	other active yeast
2102 20 1000	inactive yeasts
2103 90 9030	mixed seasonings
2103 90 9090	other mixed sauces & condiments
2104 10 1000	soup and broth, of meat
2104 20 0000	homogenized composite food preparations
2105 00 1000	ice cream
2106 10 9000	soy concentrate
2106 90 1010	cola base
2106 90 1020	beverage base
2106 90 30	ginseng products
2204 21 1000	red wine, container under 2 l
2204 21 2000	white wine, container under 2 l
2204 29 1000	red wine, other
2204 29 2000	white wine, other
2206 00 1090	other fermented fruit beverage
2301 10 0000	meat meal
2303 10 0000	corn gluten feed
2304 00 0000	soybean meal
2306 10 0000	cottonseed meal
2306 30 0000	sunflowerseed meal
2309 90 1010	mixed feeds, for pigs
2309 90 1020	mixed feeds, for fowls
2309 90 1030	mixed feeds, for fish
2309 90 1040	mixed feeds, for bovine animals
2309 90 1090	mixed feeds, other
2309 90 2010	supplementary feeds, chiefly of inorganic substances/
2309 90 2020	supplementary feeds, chiefly on the basis of flavorings
2309 90 2090	supplementary feeds, other
2401 10 1000	tobacco, not stemmed or stripped, flue-cured
2401 10 2000	tobacco, not stemmed or stripped, burley
2401 10 9000	tobacco, not stemmed or stripped, other
2401 20 1000	tobacco, stemmed or stripped, flue-cured
2401 20 2000	tobacco, stemmed or stripped, burley
2401 20 9000	tobacco, stemmed or stripped, other

0209

URUGUAY ROUND AGRICULTURE NEGOTIATIONS: UNITED STATES
MARKET ACCESS REQUESTS FOR THE REPUBLIC OF KOREA

TARIFF LINE	PRODUCT
2402 10 1000	cigars
2402 10 2000	cheroots
2402 10 3000	cigarillos
2402 20 1000	cigarettes, filter-tip
2403 10 1000	pipe tobacco
2403 10 9000	other smoking tobacco
3301 24 0000	essential oils of peppermint
3504 00 2030	protein isolates

관리
번호 92-1003

외 무 부

종   별 :

번   호 : GVW-2427   일   시 : 92 1222 1730

수   신 : 장관(통기,경기원,재무부,농수산부,상공부,특허청)

발   신 : 주 제네바대사 사본: 주 미,EC,불대사(중계필)

제   목 : UR 동향/불란서 갓트대표 접촉

김 토 필 (1993~.31) 서

김대사는 12.21(월) 불란서 GATT 대표 JEAN-MARIE METZGER 와 오찬을 갖고 UR 에 대한 불란서 입장 및 UR 전망등을 논의한바, 아래 보고함.

1. 요약

1993. 6. 30.에 공개
의거 일반문서로 재분류됨

가. METZGER 불란서 갓트대표는 3 월말 정치 일정을 가지고 있는 불란서로서는 UR 의 조기타결을 원치 않는다는 입장을 분명히 하면서도, 한편으로 EC 집행위에 의한 적극적인 협상 추진 가능성을 배제하지 않았으며, '93.2 월말경까지 정치적 PACKAGE 타결, 3 월말 국내정치 일정후 최종종합 PACKAGE 완성 일정은 일응 가능할 수 있을 것이라는 반응이었음.

나. UR PACKAGE 가 전반적으로 미국에 유리하고 EC(불란서)에 불리하여 균형되지 않다는 불만이었으며, 특히 최근 미국이 MTO 문제등 "U"TURN 을 하고 있다고 협상 부진의 책임을 미측에 돌리고 있었음.

2. 듀마 외무장관은 지난 12.16(수) 던켈총장 면담시 아래 3 가지 사항을 지적하였다 함.

0 UR 농산물 PACKAGE 는 EC 의 CAP 개혁과 반드시 일치해야 함.

0 EC 집행위는 EC 이사회의 의결없이 C/S 를 제출하는등 필요한 절차를 거치지 않고 있음.

0 농산물 분야만 협상이 빨리 진전되고 다른 분야는 진전이 없는바, 농산물분야를 SINGLE CUT 해서 협상을 진전시킨것은 잘못임.

(보조금 상계관세, 분쟁해결, 지적재산권 및 MTO 등을 예로 지적)

3. 상기 EC 내부 절차 문제와 관련, 동 대표는 미.EC 농산물 PACKAGE 에 대한 이사회의 사전 승인이 불요하다는 집행위의 입장이 법적으로 옳으나 정치적으로는 이사회의 사전 승인이 있어야 하며, EC 의사 결정은 콘센서스 방식이 확립된

통상국	장관	차관	2차보	분석관	청와대	안기부	경기원	재무부
농수부	상공부	특허청	중계					

92.12.23   04:55

* 원본수령부서 승인없이 복사 금지

외신 2과 통제관 CH

0211

관행이라고 하면서, 다만 최종 PACKAGE 는 법적으로 이사회에서 승인되어야 할것이라고 말함으로써, 불란서의 주장이 정치적 동인에 기인한 것임을 사실상 시인

4. 미.EC UR PACKAGE 에 대한 미.EC 간 균형에 대해 EC 가 수량제한 자체를수락한 것이 큰 양보이며(수출보조 물량을 24 퍼센트에서 21 퍼센트로 하향 조정한 것은 지엽적인 것이라고 평가) 전반적으로 미국측 입장이 더 반영된 것으로균형을 상실하고 있다고 하면서, 불란서-미국만이 관계로 볼때는 솔직히 UR 타결 자체를 원치 않는다는 전향적 노력의 불가피성과 UR 타결 필요성을 인정하는등 이중적 입장이었음.

5. 최근 UR 협상 동향과 향후전망관련, 동인은 미국이 MTO, 반덤핑, SPS, TBT 등 분야에 대해 지난 1.13 TNC 회의시 전혀 언급조차 하지 않은 분야를 새로운 문제로 제기하고 있다고 하면서 특히 1.13. 당시 YERXA 미대사는 INSTITUTIONAL FRAMEWORK 을 환영한다고 발언한 사실을 지적, 미국이 "U" TURN 하고 있다고비난하였으며, 향후 전망에 대해 불란서로서는 솔직히 '93.3 월말 정치일정이후 타결을 희망한다고 하면서도 CLINTON 신정부의 확고한 타결 의지가 있다면 2 월말까지의 정치적 PACKAGE 타결에 이은 3 월말 이후의 PACKAGE 타결 가능성을 배제하지 않았음. 끝

(대사 박수길-차관)

예고:93.6.30 까지

PAGE 2

0212

外 務 部

종   별 : 긴 급

번   호 : GVW-2413   일   시 : 92 1212 1500

수   신 : 장관(통기,경기원,재무부,농수산부,상공부,특허청)

발   신 : 주 제네바대사

제   목 : UR 농산물 협상

대: WGV-2351

표제협상 관련 대호 아국의 수정제안에 대해 아래와같은 당관의 견해를 송부하니 본부 의견 조속 회신바람. (명.12.22.RUSSIN 조찬 회동시 아국입장 제출예정 감안)

1. 관세화 예외설정 관련

0 주가되는 문장중 "THE FINALIZATION OF"를 존치해야 할 필요성이 있는지 여부

0 관세화 예외와 관련된 아국의 입장을 반영시키는데 있어서 일본의 경우 본문의 수정을 시도하려는데 반해, 아국의 경우 FOOTNOTE 형식으로 수정을 시도하는 것이 바람직한 것인지 여부

2. 양허 범위

0 아국입장은 전품목이 아닌 일부 품목에 대한 양허불가 입장임에 비하여 동 수정안에 의할 경우 개도국은 전혀 양허하지 않아도 되는 것으로 해석되는바, 아국입장과 합치하는 방향으로 문구 수정의 필요성 여부

3. 식량안보 관련 정부 수매 정책

0 PAGE L14, PARA 3 의 마지막 문장을 삭제한다고 하여도 아국의 수매정책에 의한 보조가 감축 대상에서 제외되기에 어려움이 예상되므로 보다 직접적이고 명확한 제안의 필요성 여부.끝

(대사 박수길-국장)

통상국   장관   차관   2차보   상황실   경기원   재무부   농수부   상공부
특허정

* 원본수령부서 승인없이 복사 금지

92.12.22   00:57
외신 2과 통제관 FR

0213

	분류번호	보존기간

발 신 전 보

번 호 : **WGV-2012**   921222 1529 WG 종별 : **초긴급**

수 신 : 주 제네바   대사. 총영사

발 신 : 장 관(통 기)

제 목 : UR/농산물 협상

대 : GVW-2413

검 토 필(1993. 12. 31)

대호관련 본부 검토 의견을 별첨 FAX 편 송부함.

첨 부(FAX) : 동 검토의견 1부. 끝.   WGW(F)-544

예 고 : 93. 6. 30. 일반.   (차관 노창희)

0214

농 림 수 산 부

우 427-760 / 주소 경기 과천시 중앙동 1번지 / 전화 (02)503-7227 / 전송 503-7249

문서번호 국협 20644 - _103_

시행일자 1992.12.23 (1 년)

(경 유)

수 신 외무부장관

참 조

선결			지시	
접	일자 시간	1992. 12.24 :	결재·궁람	
수	번호	**43710**		
처리과				
담당자		0l방능		

제 목 UR농산물협상 아국 수정제안

1. GVW-2413('92.12.12)호와 관련입니다.

2. 관련호의 UR농산물협상 아국 수정제안과 관련, 주제네바 대표부의 검토

요청사항에 대한 당부 입장을 별첨과 같이 보내드리오니 지급 조치하여 주시기 바랍니다

첨부 : UR농산물협상 아국 수정제안 검토의견 1부. 끝.

농 림 수 산 부 장

┌─────────────┐
│ 차 관 전 결 │
└─────────────┘

0215

UR 농산물협상 아국 수정계안 검토의견

구 분	당부 검토의견	사 유
1. 관세화예외설정 (Annex3, section A Para 1)	1) "The FINALIZATION OF" 삭제 2) Footnote 형식(원안)대로 반영, 만일본문에 넣을 경우 Footnote상의 문장을 Para.1 에 추가	ㅇ 삭제되어도 아국입장에 변화 없음 ㅇ 현 던켈 Text체제속에서 반영
2. 양허범위 (Part B, Para 14)	ㅇ 관세화품목은 모두 양허하는 방안 채택	ㅇ 관세화는 UR협상을 통한 특별한 조치로서 국내외 가격차이상의 TE 가 부과되고 MMA, CMA Special Safeguard provision 적용등과 연계되므로 양허 불가피 - 기자유화된 품목중 수입급증 우려품목에 한하여 양허제외 가 검토되어야 하므로 Para. 14에 ceiling Binding과 양허범위 신축성 인정을 포괄

0216

구 분	당부 검토의견	사 유
3. 식량안보 (Annex 2, Para 3)	ㅇ 마지막문장을 삭제	ㅇ 아국 수매정책은 허용대상정책의 일반기준에 상치되는 문제가 있어 아국이 명시적으로 수정안을 제시할 경우 DFA 골격을 변경한다는 반대 우려 ㅇ 아국입장은 다음 방안으로 관철 　i) 식량안보 목적의 공공비축조항의 확대해석으로 　　C/S에 식량안보를 반영하고 양자협상을 통하여 관철 　ii) De-minimis(total AMS) 규정을 적용 양곡수매제도 유지 　iii) 수매정책 제도개선

0217

∧. 관세화 예외

Annex 3

MARKET ACCESS: AGRICULTURAL PRODUCTS SUBJECT TO
BORDER MEASURES OTHER THAN ORDINARY CUSTOMS DUTIES

Section A: The calculation of tariff equivalents and related provisions

1. The policy coverage of tariffication shall include all border measures other than ordinary customs duties* such as: quantitative import restrictions, variable import levies, minimum import prices, discretionary import licensing, non-tariff measures maintained through state trading enterprises, voluntary export restraints and any other schemes similar to those listed above, whether or not the measures are maintained under country-specific derogations from the provisions of the General Agreement.

---

*Excluding measures maintained under supply management programs, for balance-of-payments reasons or under general safeguard and exception provisions (Articles XI, XII, XVIII, XIX, XX, and XXI of the General Agreement). For exceptionally sensitive agricultural products which should be carefully circumscribed, participants may request a special derogation from tariffication and other related provisions as part of Schedules of market access concessions.

PROPOSALS[1]

The following amendments are proposed to the texts on Agriculture in the Draft Final Act of December 20, 1991 :

PART A

ANNEX 2

DOMESTIC SUPPORT: THE BASIS FOR EXEMPTION FROM THE REDUCTION COMMITMENTS

Government Service Programmes

3. Public stockholding for food security purposes

Expenditures (or revenue foregone) in relation to the accumulation and holding of stocks of products which form an integral part of a food security programme identified in national legislation. This may include government aid to private storage of products as part of such a programme.

The volume and accumulation of such stocks shall correspond to predetermined targets related solely to food security. The process of stock accumulation and disposal shall be financially transparent. ~~Food purchases by the government shall be made at current market prices and sales from food security stocks shall be made at no less than the current domestic market price for the product and quality in question.~~

PART B

Special and Differential Treatment

14. In the case of products subject to unbound ordinary customs duties developing countries shall have the flexibility to offer ceiling bindings on these products <u>and the flexibility in the scope of bindings notwithstanding paragraph 7 above</u>.

---

[1] Deletions appear as ~~struck-through~~ text. Additions appear as <u>underlined</u> text.

1

외 무 부

관리
번호 21-1005

원 본

종 별 :

번 호 : JAW-6808

일 시 : 92 1225 2127

수 신 : 장관(봉기)

발 신 : 주 일 대사(일경)

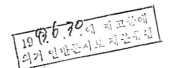

제 목 : UR 쌀시장 개방문제

1. 본직은 12.25(금) 주재국 외무성 오와다 사무차관을 조찬접촉 (아측 김영소 정무과장, 일측 무또 북동아과장 배석), 표제관련, 일본이 93.1.

미야자와 총리의 아세안순방 이전에 일측입장을 결정할 것이라는 전망이 있음을 거론하면서 이에대한 동차관의 의견을 문의하였음.

2. 오와다차관은 이에대해 일본으로서는 1) 일본때문에 우루과이라운드가 실패했다는 비판을 받아서는 안된다는 점과, 2) 일본 국내의 문제가 있는 바, 특히 자민당의 경우 선거구 대책상 의견조정이 쉽지 않은 것 같다고 말하였음을 보고함. 끝.

(대사 오재희 - 국장)

예고 : 93.6.30. 까지

검토필(1993.12.31)

통상국	장관	차관	2차보	아주국	분석관	청와대	안기부

PAGE 1

* 원본수령부서 승인없이 복사 금지

92.12.25   23:45

외신 2과 통제관 FR

0220

외 무 부

종 별 :

번 호 : USW-6338 검토필 92.(12.31.) 일 시 : 92 1230 1849

수 신 : 장 관(봉기,봉이,경기원,농림수산부,재무부,상공부)

발 신 : 주 미 대사   - 사본:주 제네바, EC 대사-중계필

제 목 : UR 농산물 협상

당관 이영래 농무관은 12.20. 미 농무부 해외농업처 RICHARD B. SCHROETER 처장보를 면담, 표제관련 사항을 문의한바, 요지 하기 보고함.

1. UR 협상 계획과 전망

- SCHROETER 처장보는 미.EC 간에 합의한 바에 따라 농산물 분야에서 국내보조금 및 수출보조금 감축을 주축으로 한 합의문서가 지난 12 월중순 GATT 회원국에 기 제시된 상황하에서 이제 농산물 분야는 UR 협상에서 핵심분야가 아니고 SERVICE 등 타분야가 핵심 쟁점사항으로 부상되었다고 말함.

- 앞으로 농산물 분야는 93.1.4. 부터 MARKET ACCESS 분야에서 ACCESS COMMITMENT 를 위한 GROUP 23 개국간에 다자 또는 양자간 협상이 병행 추진될 것으로 보고 있음.

- 동 처장보는 또한 미국의 BUSH 대통령과 영국의 MAJOR 수상이 93.1.15. 까지 협상을 완료하겠다고 말한바 있으나 현재 10 여개 국가로 부터 DUNKEL TEXT의 수정계획(안)이 제시되어 있을뿐 아니라 MARKET ACCESS 분야 협의등에 시간이 많이 소요되므로 이는 현실적으로 불가능하며 93.1.20. 이후에는 클린턴 행정부에서 지명된 각료들의 의회 인준절차 과정 및 행정부내에서의 하부 후속인사 조치등을 해야 하는 점을 강조하고 이에 많은 시간이 소요될 것이므로 오히려 FAST TRACK AUTHORITY 의 재연장 가능성이 많은 상황이라고함.

- 또한 금번 1 월 협의시 TRACK 4 의 발동과 관련해서는 DUNKEL 사무총장에게 달려있지만 현재의 분위기하에서는 각국의 수정계획이 공식적으로 거론되어 협상되는등 T4 의 공식 발동은 없을 것으로 보고 있음.

2. SCHROETER 처장보는 '쌀의 예외없는 관세화 불가' 문제와 관련한 한국측의 입장은 잘 알고 있다고 하면서 개도국 우대적용 문제와 관련한 미측 입장은 과거 1 인당 GNP 기준으로 개도국을 분류하는 내용을 제시한바 있었으나 금번에는 개도국에

통상국	장관	차관	2차보	통상국	분석관	청와대	안기부	경기원
재무부	농수부	상공부	중계					

대한 기준을 보완 발전시켜 나가야 할 것이라고 말하고 그동안은 거론되지 않았지만 앞으로 협상에서 상기 분야도 구체적으로 논의되어야 할 것이라고 하면서 그때 미측 입장도 보다 명확히 제시될 수 있을 것이라고 말함. 그러나개도국 문제관련 미측이 아국에 대하여 융통성을 부여하는 문제에는 동의하지 않는다고 말하였음을 참고바람. 끝.

　　(대사 현홍주-국장)

　　예고: 93.6.30. 까지

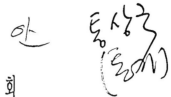

광 주 직 할 시 동 구 의 회

우 501-022 광주 동구 금남로2가22-2 전화 (062) 228-9717 전송 228 - 9718

문서번호 의사01110 - 202

시행일자 92. 12. 21.

수   신   외무부장관

참   조

선결			지시		
접수	일자 시간	92.12.24	결재		
	수 번호	**43741**			
	처리과		공람		
	담당자				

제   목   쌀수입 개방반대 결의문 송부

　　　　광주직할시 동구의회는 제18회 정기회 제5차 본회의 (92. 12. 21) 에서 최근
쌀수입 개방압력이 심화됨에 따라 <u>쌀수입 개방반대 결의문</u>을 별첨과 같이 채택 하였기
송부하오니 적극 대처하여 주시기 바랍니다.

첨   부 : 결의문 1부. 끝.

광 주 직 할 시 동 구 의 회 의 장

수신처 :

0223

우리의 결의

우리민족의 주식이며 농가소득의 절대치를 차지하는 쌀이 최근 우르과이라운드

협상으로 인하여 "예외없는 관세화" 로 수입개방 압력이 심화되어

우리 농업근간이 뿌리채 흔들리고 있는 상황으로 우리는 경악과 우려를

금할수 없다.

쌀은 식량안보에 불가결한 우리 국민의 주식임은 물론 농민의 생명줄로써

국토와 수자원의 보전, 환경보전등 다양한 공익적 기능을 수행하고 있으며

지역경제를 지탱하는 초석이 되고 있다.

따라서 우리 광주직할시 동구의회는 제18회 정기회에서 쌀을 비롯한 주요농산물을

특히 쌀은 식량안보와 농민의 생명줄 임을 감안하여 어떠한 경우에도

개방대상이 될수 없으며

U R 농산물 협상은 선진국과 개발도상국, 수출국과 수입국의 입장이

균형있게 반영되고

모든 나라의 농업발전 수준이 충분히 고려 되어야 함을 강조하면서

다음과 같이 결의한다.

0224

1. 우리의 "쌀"은 국민의 안정적인 식생활 보장, 국토자원의 합리적 이용과 보전,

농가소득의 유지를 위해서 뿐만 아니라 국민문화 정서의 뿌리가 되고 있기 때문에

어떠한 경우에도 시장개방의 대상이 될수 없다.

1. 쌀을 수입 개방할 경우 그동안 구축한 농업생산 기반이 붕괴되고

농촌이 피폐화 될것이 분명하므로 쌀의 국가적 중요성을 재 인식하여

정부는 모든 외교역량을 다해 쌀을 개방대상에서 제외시켜줄 것을 촉구한다.

1. 광주직할시 동구의회는 정부가 "쌀"농사를 근간으로 하는 우리농업의

구조적 취약성을 조속히 극복할수 있도록 농업의 경쟁력을 향상 시키고

활력있는 농촌을 만들기 위한 획기적인 대책을 마련할것을 요청한다.

1. 광주직할시 동구의회는 우리의 농업과 농촌및 지역경제의 발전을 위해

최선을 다 할것임을 다시한번 엄숙히 천명한다.

1992. 12. 21 .

광주직할시 동구의회 의원일동

0225

→ 흥기

안

목 포 시 의 회

우 530-360   전남 목포 용당 1188-2 / 전화 (0631)79-8227 / 전송

문서번호 의회 01600-364
시행일자 1992 .12 .24 . (년)

수신   수신처 참조
참조

선결			지시		
접수	일자 시간	92 · 12 ·28 :	결재 · 공람		
	번호	**43933**			
처리과					
담당자	안				

제목   결의문 송부

　　　제125회 목포시의회 정기회에서 쌀 수입 개방 반대 결의문이 채택되었기
송부합니다.

　　첨부   쌀수입 개방 반대 결의문 1부. 끝.

목 포 시 의 회 의 장

수신처   대통령, 국무총리, 외무부장관, 농수산부장관, 상공부장관. 끝.

0226

결   의   문

우리민족은 수천년을 이어져 오면서 농본을 민족의 근간으로 삼고 농자를 천하의 대본으로 여겨왔다.

더우기 우리전남은 전통적으로 농업이 융성하였으며 그 결과 국가의 안위를 지탱하는 버팀목으로의 역할을 하여 왔을뿐 아니라 최근까지도 식량자급의 주축을 이루어 왔다.

현실적으로는 산업구조의 50%이상이 농업을 위주로한 1차산업에 편중되어 있으며 그 중 대다수의 도민이 쌀농사로 생계를 유지하고 있는 실정에 있다.

고금을 통하여 생활의 터전이었던 쌀농사가 UR협상을 직면하여 위기상황을 맞고 있는데다 선진국과 농업생산국들의 압력에 밀려 개방의 불가피성을 용인하려는 정부당국과 일부인사들의 시각에 분노와 울분을 금할 수 없다.

특히 쌀시장이 개방되게 되는 것은 우리의 농촌을 황폐화 시키고 더 나아가 지역경제가 말살되는 결과를 초래하게 될 것이라는 것을 너무나도 자명하다.

0227

따라서 우리 목포시의회의원 일동은 시민과 함께 어떠한 상황에도 굴하지 않고 반대함과 함께 범국민적이고 범정부 차원의 강력하고도 실효성 있는 대책이 강구되어야 한다는 뜻을 모아 다음과 같이 결의 한다.

　1. 쌀농사는 우리민족의 주식임은 물론 우리문화를 있게한 기반으로서 어떤 형태의 시장개방도 용납할 수 없다.

　1. 우리 농촌경제에 있어서 쌀농사의 중요성을 깊이 인식하고 정부차원의 획기적인 농촌부흥 대책마련을 촉구한다.

　1. 정부는 갈수록 피폐해지는 농촌의 실정을 감안하여야하며 국가경제를 이유로 쌀농사를 희생양으로 삼아서는 안된다.

　1. 우리 목포시 의회와 26만 시민은 이상의 결의 사항이 관철되도록 최선의 노력을 다하고 이에 반하는 모든 시책이나 활동에 대해서는 적극 반대한다.

1992.　12.　23

목 포 의 회 의 원　일 동

0228

함 양 군 의 회

우 676-800 / 경남 함양군 함양읍 운림리 31-2 / 전화(0597) 63-8001~3 / 전송

문서번호   의회 01600-*138*

시행일자   92 . 12. *28* (   )

경유

수신   외무부장관

참조

선결			지시	경기반·동창 교장으로 힘쓸.	
접수	일자시각	92.12.30	결재·공람		
	번호	44199			
처리과					
담당자	이병두				

제목 :   쌀 수입 개방 반대 건의문 발송

　　　1. 국가의 번영과 국민의 복리향상을 위하여 노고가 많으십니다.

　　　2. 본의회에서는 쌀 수입 개방 반대 건의문을 제14회 함양군의회 제5차 본회의

('92. 12. 24)에서 별첨과 같이 채택하여 발송하오니 특별한 배려 있으시기 바랍니다.

　　첨부 :   건의문 1부.   끝.

함 양 군 의 회 의 장 [인]

0229

쌀 輸入開放反對建議文

貴下

　우리나라 農家의 絶對多數가 쌀농사를 生業의 근간으로 삼아 生計를 維持함과 同時에
農村經濟를 지탱하고 나아가서는 國家經濟에 寄與하여 왔으며,

더욱이 우리 咸陽郡은 農政이 郡政이라 할 程度로 70% 以上이 農民으로서, 모든 것을 쌀
農事에 依存하고 있는 實情인바,

만의 하나라도 쌀 輸入 開放이 妥結된다면 우리農村은 餘地없이 허물어지지 않을 수 없는
지경에 도달할 것이 明若觀火 함으로 우리 咸陽郡議會는 郡民들의 그 애타는 呼訴를 正確
히 收斂해서 政府에 建議함과 아울러 쌀 市場 開放은 絶對로 不可하다는 議會의 意志를
强調드리면서 다음과 같이 建議합니다.

첫째, "쌀"의 輸入을 開放할 경우 그동안 構築된 農業生産 基盤이 崩壞되어 農村이 더욱
　　　피폐화될 것이므로 모든 외교 力量을 動員하여 어떠한 경우에도 市場을 開放하지
　　　않도록 促求한다.

둘째, 우리의 "쌀"은 農家 生業의 主軸일뿐 아니라 國土資源의 合理的 利用과 保全을 爲
　　　하여도 市場開放 對象에서 除外되어야 한다.

셋째, "쌀" 農事를 基本으로 하는 우리 農業의 構造的 脆弱性을 早速히 克服할 수 있도록
　　　劃期的인 對策 마련을 要請한다.

1992. 12

咸 陽 郡 議 會 議 員 一同

0230

<table>
</table>

경상남도 함양군의회	의 장	정 용 규
,,	부의장	곽 성 식
,,	의 원	김 원 천
,,	,,	강 석 권
,,	,,	강 선 상
,,	,,	정 응 위
,,	,,	정 진 진
,,	,,	이 종 철
,,	,,	임 헌 용
,,	,,	홍 덕 균
,,	,,	정 봉 근
,,	,,	박 순

0231

성 동 구 의 회

133-071   서울시 성동구 행당동 144-17 / 전화 450~1591(591) / 전송 02)299~1549

문서번호 성의회 제 30 호

시행일자 '93. 2. /... (   )

(경유)

수신 외무부장관

참조

선결			지시		
접수	일자시간	93. 2. 2	시 결재 궁 람		
	번호	03172	재		
	처리과		궁		
	담당자	이형근	람		

제 목 결의문 송부

    1. 서울특별시 성동구의회 제19회 임시회 본회의 ('93.1.29)에서 의결한 "쌀수입 개방반대 결의문"을 따로붙임과 같이 송부합니다.

따로붙임 : 쌀수입 개방반대 결의문 1부. 끝.

성 동 구 의 회 의 장

0232

쌀수입 개방반대 결의문

O 오랜 역사를 통해 면면히 이어져 온 쌀농사의 존립기반이 국내외적으로
  크게 위협받고 있다. 현재 급속히 진행되고 있는 우루과이라운드협상은
  모든 농산물의 예외없는 관세화와 시장개방을 주장하고 있는 일부 농산
  물 수출국들에게 일방적으로 유리하게 타결되는 방향으로 전개되고 있
  으며, 또한 국내일부에서는 우리나라도 이제는 쌀시장 개방을 피할 수
  없다는 소위 "대세론"이 차츰 고개를 들고 있어 우리는 경악과 우려를
  금할 수 없다.

O 쌀은 식량안보에 불가결한 우리 국민의 주식임은 물론 국토와 수자원의
  보전, 환경보전 등 다양한 공익적 기능을 수행하고 있으며 지역경제를
  지탱하는 초석이 되고 있다.
  또한 쌀은 농가의 주작목으로 절대 다수의 농가가 쌀농사로 생계를 유지
  하고 있으며, 농업생산액,재배면적,생산량면에서 우리 농업의 근간이
  되고 있다.

O 따라서 우리 성동구의회는 쌀을 비롯한 주요 농산물은 특히 식량안보와
  지역의 균형발전 차원에서 어떠한 경우에도 개방대상이 될 수 없으며,
  우루과이라운드협상은 선진국과 개발도상국,수출국과 수입국의 입장이
  균형있게 반영되고 모든 나라의 농업발전 수준이 충분히 고려되어야 함을
  강조하면서 다음과 같이 결의한다.

0233

O 첫째, 우리의 "쌀"은 국민의 안정적인 식생활 보장, 국토자원의 합리적 이용과 보전, 농가소득의 유지를 위해서 뿐만 아니라 국민문화 정서의 뿌리가 되고 있기 때문에 어떠한 경우에도 시장개방의 대상이 될 수 없다.

O 둘째, 쌀을 수입개방할 경우 그동안 구축한 농업생산기반이 붕괴되고 농어촌이 피폐화 될 것이 분명함으로 쌀의 국가적 중요성을 재인식하여 정부는 모든 외교역량을 다해 쌀을 개방대상에서 제외하여 줄 것을 촉구한다.

O 셋째, 성동구의회는 정부가 "쌀"농사를 근간으로 하는 우리 농업의 구조적 취약성을 극복할 수 있도록 농어업의 경쟁력을 향상시키고, 활력있는 농어촌을 만들기 위한 획기적인 대책을 마련할 것을 요청한다.

O 넷째, 성동구의회는 우리의 농어업과 농어촌 및 지역경제의 발전을 위해 최선을 다할 것임을 다시 한번 엄숙히 천명한다.

성 동 구 의 회 의 원 일 동

0234

대 전 직 할 시 서 구 의 회

우 302-171 대전,서,갈마동343-29. / 전화(042)520 - 3314 / 전송 534 - 0497

문서번호 의회 0I600-I6

시행일자 I993. 2. I2.

(경유)

수신   외무부장관

참조

선결			지시	
접수	일자시간	93. 2. 15	결재	
	번호	04417	공람	
	처리과			
	담당자			

제목   쌀수입 개방 반대에 관한 결의(안)송부

   본의회에서 '93. 2. I2 제 20회 서구의회(임시회)제 2차 본회의에서 채택된
결의서를 따로붙임과 같이 송부하오니 관철될 수 있도록 하여 주시기 바랍니다.

따로붙임 : 결의(안) I부.   끝.

대 전 직 할 시 서 구 의 회 의

0235

쌀 수입 개방반대에 관한 결의문

그간 우리 농업, 농촌은 수출지향 공업국으로 나라가 발전하기까지 식량, 노동력, 구매력을 공급하고 민족문화와 전통을 계승하면서 사회안정의 보루가 되어 왔다.

현재에도 농업, 농촌은 국민식량의 안정 공급과 국토의 자연환경 보존, 푸른여가 공간의 제공과 국민생활의 터전 마련등 국가의 근간 역할을 하고 있다.

이러한 농업, 농촌이 최근에 들어 국내외적으로 크게 위협을 받고 있다.

현재 급속히 진행되고 있는 우루과이라운드 농산물 협상은 모든 농산물의 "예외없는 관세화"와 시장개방을 주장하고 있는 일부 농산물 수출국들에게 일방적으로 유리하게 타결되는 방향으로 전개되고 있으며 또한 국내 일각에서도 우리나라도 이제는 쌀 시장 개방을 피할 수 없다는 소위 "대세론"이 차츰 고개를 들고 있어 우리는 경악과 우려를 금할 수 없다.

쌀은 우리 오천년 역사의 얼과 뿌리이며 식량안보에 불가결한 우리 국민의 주식임은 다시 말할 것도 없다.

또한 쌀은 농가의 주작목으로 중부지역의 절대 다수 농가가 쌀농사로 생계를 유지하고 있으며 농업 생산액, 재배면적, 생산량면에서 우리 농업의 근간이 되고 있다.

0236

이에 서구민을 대표하는 서구의회 의원일동은 쌀을 비롯한 주요 농산물은특히 식량안보와 지역의 균형발전 차원에서 어떠한 경우에도 개방대상이 될수 없으며 UR농산물 협상은 선진국과 개발도상국 수출국과 수입국의 입장이 균형있게 반영되고 모든 나라의 농업발전 수준이 충분히 고려되어야 함을 강조하면서 다음과 같이 결의한다.

1. 우리의 쌀은 국민의 안정적인 식생활 보장, 국토자원의 합리적 이용과 보전, 농가소득의 유지를 위해서 뿐만 아니라 국민문화 정서의 뿌리가 되고있기 때문에 어떠한 경우에도 시장개방의 대상이 될수 없다.

1. 쌀을 수입개방할 경우 그동안 구축된 농업생산 기반이 붕괴되고 이로인한 도시및 농촌의 더욱 피폐화 될 것이 분명함으로 쌀의 국가적 중요성을 재인식하여 정부는 모든 외교역량을 다해 쌀을 개방대상에서 제외 시켜줄 것을 촉구한다.

1. 정부는 쌀 농사를 근간으로 하는 우리 농업의 구조적 취약성을 조속히 극복할 수 있도록 농어업의 경쟁력을 향상시키고 활력있는 농어촌을 만들기 위해 획기적인 대책을 마련할 것을 요청한다.

1. 우리 서구의회는 우리 농업과 농촌 및 지역경제의 발전을 위해 최선을 다할 것을 엄숙히 천명한다.

1993년 2월 11일

대 전 직 할 시 서 구 의 회 의 원 일 동

0237

정 리 보 존 문 서 목 록

기록물종류	일반공문서철	등록번호	2019120050	등록일자	2019-12-19
분류번호	764.51	국가코드		보존기간	영구
명 칭	UR(우루과이라운드) 농산물 협상 관련 EC(구주공동체) 입장, 1990-92				
생 산 과	통상기구과	생산년도	1990~1992	담당그룹	
내용목차	* EC 공동 농업정책(CAP) 개혁 추진 포함				

0001

외 무 부

종 별 :

번 호 : ECW-0683   일 시 : 90 1011 1700

수 신 : 장 관 (통기, 경기원, 재무, 농수산부, 상공부) 사본: 주제네바대사(직송필)

발 신 : 주 EC 대사

제 목 : 갓트/ UR 협상

연: WEC-0674

1. 10.10. 개최된 EC 일반이사회에서는 연호보고와 같이 10.8. 개최된 농업이사회에서 농산물협상 OFFER 에 대한 결론을 도출하지 못함에 따라, 표제협상에서 EC 의 전반적인 입장을 정립하는데 실패하고, 비공식 토의만을 가졌으며, 10.18. 특별 일반이사회를 다시 개최, 최종입장을 정립키로 함. 따라서 EC 의 농산물 OFFER 는 10.15-16. 농업 이사회및 10.18. 일반이사회 결과에 따라 제출케 될 것임

2. EC 집행위 ANDRIESSEN 외무담당및 MACSHARRY 농업담당 집행위원이 참석한 동 일반이사회에서 MAC SHARRY 위원은 EC농산물협상 OFFER 내용은 상당히 적극적인 것이며, 정치적, 사회적, 경제적으로 합리적일 뿐아니라, 결코 방어적인 제안이 아니라고 주장하고, 11월 또는 12월에 EC 집행위는 동 제안이 농가소득에 미칠 영향과 희생을 공평히 부담토록 하기위해 CAP 의 방향전환에 대한 제안을 이사회에 제출할 것임을첨언함

3. 한편, ANDRIESSEN 위원은 표제협상에서는 농산물 뿐 아니라, 써비스 협상에서의 EC입장을 고수하는 문제등이 전반적으로 고려되어야하며, 협상의 한 분야(농산물)가 여타 다른 분야에 나쁜 영향을 주어서는 않되며, EC 로서는 미국의 입장이 중요하나 너무 미국과의 협상에 초점을 맞추기 보다는 GULF 사태등으로 경제적 어려움을 겪고 있는 개도국들의 입장을 고려해야 할 것이며, EC 가 수출정책을 지속하기 위해서는 시장개방 노력을 보여주어야 할 것이라 함. 또한 동인은 농산물협상 관련, 미국은 더이상 보조금철폐를 주장하고 있지 않으며, EC 도 농업보조금의 점진적이고도 상당한 감축을 공약한바 있음을 상기시키면서 농산물협상 입장정립에 있어 EC 는 공격적인 측면에서의 고려가 필요할 것이라고 말함

통상국   경기원   재무부   농수부   상공부

PAGE 1   90.10.12   09:33 FC
                                                외신 1과 통제관

                                                0002

4. 또한 동 이사회에서 각료들은 농산물협상 OFFER 안이 농가소득에 주는 영향에대해 우려와 관심을 표명하고, EC 농산물 우선취급 원칙이 충분히 견지되어야 할 것이라는 의견을 표명하면서, 주요 협상국들의 비현실적 입장과 협상지연태도에 대해우려를 나타냄. 한편 농산물 OFFER 관련하여 화란은 30프로 감축은 한계선임을 주장하는 한편, 독일은 휴스턴 정상회담에서 농업보조금의 철폐가 아닌 상당수준을 감축키로 합의한바 있다고 상기하였으며, 스페인, 그리스는 지중해 연안산품의 보조감축문제에 대해 언급하고, 불란서는 일본의 보조금 감축제안등 협상대상국들의 입장에대해 실망을 표시하였음

5. 동 이사회 개최후, RUGGIERO 의장(이태리 대외통상장관)은 미국, 케언즈 그룹의 대다수및 주요 개도국들이 그들의 OFFER 를 아직 제출하지 않고 있음을 지적하면서, EC 가 농산물 OFFER 제출기한을 지키지 못한데 대하여 우려할 필요가 없으며, 농업분야와 관련하여 현재 EC 의 문제는 실질적이고, EC 설치목적과 관련한 문제이며,EC 조약에 명기된 농가의 적정소득보장및 농업구조의 보호라는 목적과 농산물 시장개방 필요성을 조화시켜 나가는 것이 필요할 것이라고 말함. 또한 동인은 UR 협상의 어떤 분야에서는 일본, 미국등 선진국들보다 적극적이고 앞선 입장을 보이고 있으므로, 농산물협상 OFFER 제출지연에 대해 EC 가 초조함이나 열등감을 느낄 필요는 없으며, 씨비스협 상에서 EC 는 FRAMEWORK 합의를 계속 주장하여야 할 것이라 함.끝

(대사 권동만-국장)

외 무 부

종 별 :

번 호 : ECW-0687   일 시 : 90 1012 1620

수 신 : 장 관 (봉기, 경기원, 재무, 농수산, 상공부) 사본:주제네바직송필

발 신 : 주 EC 대사

제 목 : 갓트/UR/농산물 협상

1. 10.10. 유럽 농민단체 협의회 (COORDINATIONPAY SANNE EUROPEENNE- EC 회원국, 서서, 오지리) 는 표제협상에서 농산물 교역자유화에 대한 관심과 각국의 농산물 생산자인 농민의 관심이 구분취급되어서는 않된다는 입장을 밝힘. 동 협의체는 또한 세계농산물 생산량에서 교역량이 차지하는 비중은 극히 일부분에 불과 하므로 갓트가 세계각국의 농업정책을 좌우하는 것은 불합리 하다고 말하고, 갓트는 UN과 같이 국제적이며 민주적인 의사결정을 하는 기구가 아니라하고, 그러한 기구에서 본연의 목적인 관세협정이외의 역활을 하는것은 그 목적범위를 초과하고 있는 것이며, 특히 갓트내에서의 토의방식의 비공개와 경제적 강대국들의 영향력에 의해 의사가 결정되는 현상은 바람직하지 못한 것임을 지적함. 또한 동 협의회는 미국과 EC 의 표제협상에서의 제안들은 선진국이나 개도국 모두의 농촌주민들 입장에서는 받아드릴수 없는것이라 하고 농산물 가격의 급격한 인하는 대부분의 농민들과 농촌을 파산시킬 것이며, 미국, EC 제안은 일부 선진국들에게만 농업생산을 집중시키는 결과를 가져와 공해와 생산력 집중을 초래할 것이라 주장함

2. 한편 동 협의회는 EC 의 CAP 는 한농가의 한정된 생산량에 대해서만 가격보조를 지급하고, 비료사용과 축산의 집중화를 억제하는 방향으로 개편되어야 할것이라 주장하면서, 이러한 새로운 CAP 는 농민들이 생존하기 위해 생산을 집중화 시키는 것을 더이상 강요하지않게 될것이며, 또한 세계시장을 심각하게 왜곡시키는 수출보조금 지급을 중단할수 있도록할것이라 하고 덤핑수출은 유럽 남부국가들의 농업생산력을 파괴할뿐 아니라 일부 농민들과 수출업자들에게만 혜택을 주고 있다고 주장함.끝

(대사 권동만-국장)

통상국   2차보   경기원   재무부   농수부   상공부

PAGE 1   90.10.13   09:22 WG

외신 1과 통제관

0004

외 무 부

종   별 :

번   호 : ECW-0693   일   시 : 90 1017 1730

수   신 : 장 관 (봉기, 경기원, 재무, 농수산, 상공부) 사본:주제네바직송필

발   신 : 주 EC 대사

제   목 : 갓트/UR/농산물 협상

연: ECW-0683

1. 10.15-16 개최된 EC 농업이사회는 표제협상 EC OFFER 등에 대한 토의를
가졌으나, MAC SHARRY 제안에 대해 완전 합의를 이루지 못하고, 동이사회 의장과 MAC
SHARRY 위원간에 합의한 아래와 같은 타협 성명서를 받아드리는 조건으로 MAC SHARRY
OFFER 안을 수락함

1) MAC SHARRY OFFER 안의 기초를 이루고 있는 총체적 접근방법 (GLOBAL
APPROACH) 만이 CAP의 근본원칙을 준수하면서, 동 OFFER 이행을 확보할수 있는 유일한
방법이며, 국내보조, 시장접근및 수출경쟁에 관한 조치들은 상호연계된 기능을 하므로
수출 보조에 대한 별도의 공약내지 조치는 이와 조화될수 없음

2) EC OFFER 중 보조감축 공약이행이란 아래와 같은 뜻을 내포함

- 협상대상국들도 상응한 공약을 해야함

- 이러한 공약이행 결과로 발생 (EC 내에)되는 희생은 어떤 생산자 계층과 지역에
특별한 어려움이 있다는 것을 충분히 감안하여 공평하게 부담하도록 해야 함

3) 이사회는 EC 농민들의 장래를 보장하기 위해 CAP 의 새로운 방향을 설정하겠다
는 EC집행위의 공약을 TAKE NOTE 하며, 동방향 설정시에는 아래사항이 감안되어야 함

- 유럽농업의 경쟁력 확보

- 유럽농업및 생산구조의 다양성을 고려하되, 시장지향적인 보조체계를
재설정하며, 농가소득의 적정수준을 보장토록 해야함

- 새로운 상황에 적응하기 어려운 생산자 및 지역등이 존재한다는 것과 환경보전의
중요성이 대두되고 있음을 충분히 고려하여 생산중립적인 소득보조 방법을 포함한
구조조정을 위한 보조를강화

2. 이러한 타협 성명서 채택에도 불구하고, 동이사회가 OFFER 내용에 대해 합의를

통상국 2차보   경기원   재무부   농수부   상공부

PAGE 1   90.10.18   11:13 WG

외신 1과 통제관

0005

이룰수있는지에 대해서는 아직 불부명하며, 동이사회에서는 각회원국들이 아직도 자국입장을 고수하였으며, 불란서, 독일은 축산물에 대한도 축보상금등을 AMS 산정대상에서 제외할것을 주장하였음. 특히 동 이사회의 일반적인 분위기는 수출보조금의 별도 감축계획을 채택하는 것에 반대입장을 표명하고, 30프로 보조금 감축에 대하여도 각 회원국들은 수락하기를 주저함. 그러나 영국, 화란은 각회원국들은 EC차원이 아닌 자국의 입장만을 고려하고 있어 보조감축 공약마저 저버리고 있다고 비난하면서 MAC SHARRY OFFER 안을 지지함

3. 한편, MAC SHARRY 위원은 국내보조 75프로 및 수출보조 90프로 감축을 제안한 미국 OFFER 에 대해 비현실적이며 타협할수 없는 제안이라 평하면서, 미국의 별개의 AMS 의 기준연도와 산정방법을 사용하므로써 전혀 다른 방향으로 협상을 유도하고 있다고 비난함

4. 상기와같이 농업이사회에서 MAC SHARRY안에 대해 합의를 이루지 못함에따라 10.17. 각회원국 대표들은 자국정부 최고책임자와 협의하기 위해 동 OFFER 안은 EC집행위에서 재검토토록 하고, 10.22. 개최되는 EC 일반이사회에 농업각료들이 참석하여 토의에 참여할 것으로 알려짐. 또한 10.27-28 로마에서 갖는 EC 정상회담에서이에대해 토의 결정될것이라는 예측도 있음. 본건관련, 추후 일정은 확정되는 대로추보예정임. 끝

(대사 권동만-국장)

외   무   부

종   별 :

번   호 : DEW-0434   일   시 : 90 1018 1200

수   신 : 장 관(봉기) 사본: 주 제네바 대사(중계필)

발   신 : 주 덴마크 대사

제   목 : 주재국의 UR 대응

대: 봉기 20644-30643

1. 주재국 농업장관 L.TOERNAES 는 금 10.16. UR협상에 있어 농업에 대한 수출및 국내보조금을 대폭 삭감해야 한다는 미국측 제안에 대해 완전히 비현실적인 것으로논평하고, 협상이 어려워지고 있는 이상 더이상 논의를 계속한다는 자체가 무분별한것이라고 비난함.

2. 한편 농민 이익단체인 덴마크 농업위원회는 농업수출보조금을 90 퍼센트까지대폭 삭감하자는 미측안을 수락한다면 수천농가의 경제적 기반을 파괴하게 될 것이라고 경고하고 있음. 끝.

(대사 장선섭-국장) FC

통상국   2과별

PAGE 1

외 무 부

종 별 :

번 호 : ECW-0695   일 시 : 90 1018 1630

수 신 : 장 관 (봉기, 경기원, 재무, 농수산, 상공부) 사본: 주제네바-직송필

발 신 : 주 EC 대사

제 목 : 갓트/UR/농산물 협상

연: ECW-0693

1. 10.17. MAC SHARRY 위원과 농업이사회 의장은 연호 보고와 같이 10.15-16 농업이사회에서 표제협상 EC OFFER 합의에 도달하지 못하고, MAC SHARRY위원과 동이사회의장이 발표한 타협성명서(즉, 별도 수출보조금 감축계획 제외및 소득보조계획 수립등) 내용에 REBALANCING품목에 대한 관세인상과 함께 당초 OFFER안에 포함되어 있던CEREAL 대체품목, 즉 매니옥, CORN GLUTEN 등의 수입량 증량제의를 삭제키로 결정하였으며, 또한 10.19. 오후 농업이사회를 개최키로 함

2. 이에대해 이제까지 가장 강경한 입장을 보여오던 불란서와 독일은 환영을 표시하면서 이렇게 된다면 8-10 백만본의 CEREAL 대체품 수입이 감소되어 공급과잉상태에 있는 EC곡물의 소비를 촉진할수 있을것이라 말함. 그러나 이러한 결정에도 불구하고 불란서와 독일이동 OFFER 안을 수락할수 있다고 단정하기는 어려울 것으로 예상되며, BENELUX 3 국및 이태리는 수락할 것으로 보이나 영, 화란, 덴마크는 HX성명서 내용은 EC 의 협상입장을 너무 제약하는 내용이라고 불만을 표시함

3. 한편 10.22. 개최될 예정인 일반이사회는 10.19. 농업이사회 결과에 따라 개최여부가 결정될 것임. 끝

(대사 권동만-국장)

통상국   경기원   재무부   농수부   상공부   그쳐변

PAGE 1   90.10.19   06:04 FC

외신 1과 통제관

0008

외 무 부

종 별 :

번 호 : ECW-0709   일 시 : 90 1023 1800

수 신 : 장 관 (구일,동구일,통이,통기)

발 신 : 주 EC 대사

제 목 : EC 외무장관회의 (자료응신 제 83호)

　10.27-28 간 로마개최 EC 특별 정상회담에 대비하여 작 10.22. 룩셈부르그에서 열린 EC외무장관 회의는 정치동맹, 경제통화동맹, 대쏘 경제지원, 제 3국과의 관계개선, 우루과이라운드 농산물 협상등에 관하여 협의하였는바 동회의 주요결과를 아래 보고함

　1. 정치동맹

　O EC 외무장관 개인대표 (주 EC 대사) 들이 작성한 정치동맹 추진보고서에 대한 의견교환

　- 대부분의 회원국들은 국제무대에서 EC행동의 통일성과 일관성 확보를 위해 공동외교안보정책 필요성 인정

　- 다만 공동외교정책 추진을 위한 제도적 개혁과의사결정 방법 (CONSENSUS, 가중다수결제등) 에있어 이견상존

　- 영국, 덴마크, 폴투갈등은 정치동맹의권한에 방위 (DEFENCE) 문제를 포함하는데 대해서 유보적 태도, 아일랜드는 반대의사 표시

　- EC 의 대외 경제정책과 EPC 의 외교정책간의 괴리 방지를 위해 단일정책 결정기구설립 필요성에 대체적 의견일치

　- 정치동맹 조약에 포함시킬 SUBSIDIARITY 원칙 (가능한 최저 행정단위에서 정책결정) 의 구체적인 구술필요 (특히 영국 주장)

　- EC 기구의 민주적 정통성 확보를 위해 구주의회의 권한을 강화키로 하되 각기구간의 균형을 유지하는 방향에서 추진 (EC집행위측은 자신의 독점적 권한인 법규제안권을 제한적으로나마 구주의회에 부여하는데 강력반대)

　O EC 외무장관들은 상기 보고서를 일부 수정후 10.27. EC 특별 정상회담에 상정키로 함

―――――――――――――――――――――――――――――――――――――――
구주국　　2차보　　구주국　　통상국　　통상국　　안기부

PAGE 1

90.10.24　　09:49 WG

외신 1과　통제관

0009

2. 경제통화 동맹

0 EC 경제재무장관 회의 의장인 CARLI이태리 재무장관으로 부터 EMU 정부간 회의 준비현황 보고청취

- 영국을 제외한 대부분의 회원국들은 EMU의 기본내용과 최종목표 (유럽 중앙은행에 의한 단일통화 정책추진, 단일통화 창출)에합의

- 90.12. 정부간 회의 이전까지 EC 경제재무장관 회의에서 EMU 제 2단계 실시시기 (93.1. 또는 94.1) 합의도달 전망

3. 제 3국과의 정치협력

0 89.6. 천안문사태 관련, EC 측이 취한 대중국 제재조치 해제

- 최근 걸프사태 관련, 중국의 서방측지원이 금번 결정의 주요요인

- 동 결정에따라 EC- 중국간 고위급 접촉재개, 문화.과학.기술협력, 중국의 세계 은행융자수혜 가능

- 단, 대중국 무기판매및 군사협력 금지조치는 계속 유효

0 영국과 이란간 RUSHDIE 사건 타결에 따라 EC의 대이란 제재조치 철회

0 베트남과의 외교관계 정상화 합의

0 대시리아 제재조치 철회문제는 영국의 반대로미타결

- EC 측은 1986년 히드로 공항 이스라엘 항공기 폭파사건 관련 대시리아 제재조치

4. 대쏘 경제지원 문제

0 쏘련 국내정세 불안정과 신뢰성있는 통계자료 부족으로 현단계에서 쏘련에 대한 대규모 경제원조 방안강구는 어렵다는데 의견일치

0 EC 외무장관들은 쏘련의 INFRASTRUCTURE 및 에너지자원 개발등 구체적 프로젝트 지원방안협의

0 10.27-28 EC 특별 정상회담에서 EC 측의대쏘 경제지원 규모및 방안등이 결정될 가능성불투명

5. 우루과이 라운드 협상

0 농산물 협상에대한 EC 측 최종입장 확정을 위해 10.26(금) EC 외무장관, 통상장관, 농무장관간 합동회의 개최합의.끝

(대사 권동만-국장)

외 무 부

종 별 :

번 호 : ECW-0714   일 시 : 90 1023 1800

수 신 : 장관(통기,경기원,재무,농수산,상공부) 사본:주제네바-직송필

발 신 : 주 EC 대사

제 목 : 갓트/UR/ 협상

　　10.22. 개최된 EC 일반및 농업 연석이사회는 표제협상 OFFER 의 구체적인 내용에대한 토의없이 현안 어려움에 대하여 의견을 교환하고 동 OFFER 는 조속한 시일내에제출키로 함. 또한 동 이사회는 10.27-28 개최되는 EC정상회담에 동 사안이 회부되는것은 가급적 피하기로 하고 10.26. 동 연석이사회를 다시 개최키로함. 끝

　　(대사 권동만-국장)

외 무 부

종 별 :

번 호 : ECW-0707   일 시 : 90 1023 1800

수 신 : 장관(봉기,경기원,재무,농수산,상공부) 사본:주제네바 직송필

발 신 : 주 EC 대사

제 목 : 갓트/UR/ 농산물 협상

연: ECW-0695

1. 10.19. 개최된 EC 농업이사회에서 표제협상 OFFER 합의도출에 실패하고 10.22. 개최된 EC 일반이사회에서 토의키로 함. 동 이사회는 연호와같은 EC OFFER 안에 대해 합의도출을 시도하였으나, 영국, 화란, 이태리, 덴마크만이 수락의사를 표명하고, 불란서, 독일은 수락할수 없다는 강경입장을 고수하였으며 지중해국, 에이레, 벨기에및 룩셈부르그는 동 OFFER 안의부분 변경할것을 제의하는등 조정을 시도하였으나, MAC SHARRY 위원이 거부함으로서 농업각료들간의 합의에 실패함

2. 동 이사회에서 MAC SHARRY 위원은 농업각료들의 어려움은 충분히 이해하고 있으나 EC 도 86 PUNTA DEL ESTE 각료선언에 참여하였음을 감안하여야 할것이라 하고, 동 OFFER안은 현실적이며 사회적 측면에서도 수락 가능한안이라 말하고, 농업이사회는 동안을 수락할수 없는 분명한 이유를 제시하여야 할것이라 함

3. 한편, COPA 및 COGECA 는 10.19. 발표한 성명서에서 현재 토의되고 있는 EC OFFER안으로서는 CAP 의 새로운 방향모색을 위한 FRAMEWORK 설정에는 부적절한 내용이라고 지적함. 또한 양단체는 EC 집행위 OFFER안은 결과적으로 CAP 붕괴와 농산물 가격및 시장의 불안을 초래할 것이라 하고 동 OFFER안에 반대한다고 함. 또한 EC 곡물무역업자단체인 COCERAL 은 동 OFFER 안에 포함되어있는 곡물대체품에 대한 관세 또는 수입쿼타도입은 UR 협상 기본목표에 반하므로 반대한다고함

4. 한편 당지관측으로는 농업이사회에서 거부된동 OFFER 안을 10.22. 일반이사회에서 합의할수 있을지에 대하여는 대다수가 의문을 표시하고있으며, 일반이사회에서 합의를 이루지 못할 경우 10.27-28 로마 EC 정상회담에서 결정될 것으로 전망하고있음. 끝

(대사 권동만-국장)

통상국   2차보   경기원   재무부   농수부   상공부

발 신 전 보

분류번호	보존기간

번   호 :   WEC-0584   901029 1914 FK   종별 :

수   신 : 주 EC   대사. *총영사*

발   신 : 장 관   (통기)

제   목 : EC의   UR농산물 협상 감축안

1.   EC의 농산물 협상 Offer 안에 대해서는 로마 정상회담에서도

해결되지 못하여 10.30. 개최예정인 농무장관, 무역장관 합동회의에서

재 논의키로 되었다는 바, 동 논의 동향 ~~서~~ 즉시 보고 바람.

우 그때야라 파악,

2.   로마 정상회담 공동선언중 상기 관련 부분 TEXT 타전 바람.   끝.

(통상국장 김삼훈)

보 안 통 제	凸

앙고재	90년 10월 4일	통상기구과	기안자 성명 남봉현	과 장 凸	국 장 (결)	차 관	장 관		외신과통제

0013

외 무 부

종 별 : 지 급

번 호 : ECW-0738

일 시 : 90 1029 1730

수 신 : 장관 (구일,동구일,통이(통기),경일,재무부)

발 신 : 주 EC 대사

제 목 : EC 특별 정상회담 결과 (자료응신 제 88호)

연: ECW-0733

연호, 10.27-28 로마개최 EC 특별 정상회담 결과를 아래 보고함

1. 구라파 동맹(EUROPEAN UNION) 추진

가. 정치동맹

0 EC 정상들은 EC 의 정치적 측면(POLITICAL DIMENSION) 발전과 권한확대를 통해 EC 를 점진적으로 굴나파 동맹으로 발전 시키고자 하는 의지 천명

0 구라파 동맹은 회원국간 합의에의한 점진적 EC 통합과정의 최종단계로서 이는각회원국의 IDENTITY 와 SUBSIDIARITY 원칙에 따라 추진되어야 한다는데 의견일치

0 구라파동맹의 민주적 정통성 강화를 위한 기본방향

- EC 입법과정에서 구주의회의 역할확대

- 구주의회와 각 회원국 의회의 EC 활동감독권 강화

- 구라파 시민권제도의 도입

- EC 활동에있어 각 지역의 특수이익 반영

0 국제무대에서 EC 조치의 통일성과 일관성 확보방안

- EC 정상들은 국제무대에서 EC 의 IDENTITY와 EC 조치의 일관성 강화를 위한 공동 외교안보정책 추진목표에 대해 콘센서스 도달

- EC 의 국제적 조치의 일관성과 신속성및 효율성 제고를 위해 외교정책에 관한 결정준비, 채택, 이행을 위한 절차와 기구검토 필요성 인정

- 또한 EC 정상들은 구라파동맹의 대외관계 모든 측면이 공동 외교정책에서 원칙적으로 제외 되어서는 안된다는 입장을 표명하고, 특히 안보분야에서 현재의 제약을 극복 하는데 의견일치

나. 경제.통화동맹

구주국	1차보	2차보	구주국	경제국	통상국	통상국	정문국	재무부

PAGE 1

90.10.30   05:03 DA

외신 1과 통제관

0014

0 영국을 제외한 11개국 정상들은 EMU 추진을 위한 로마조약 개정작업이 하기방향으로 진행되어야 한다는데 의견일치

  1) 경제동맹- 물가안정과 성장, 고용, 환경보호에 역점을둔 개방적 시장체제 확립

  - 이를위해 각 회원국 재정예산 정책의 건전화와 경제적 사회적 결속 도모

  2) 통화동맹- 각 회원국 중앙은행으로 구성되는 독립적인 신규통화기구 설립

  - 유럽 중앙은행의 최대과제는 물가안정 유지

  - EMU 제 3단계에서 각 회원국 환율 완전고정및 단일통화로서 ECU 창출

  0 하기조건 충족시 94.1.1. 부터 EMU 제 2단계 착수

  - 1992년 단일시장 계획 달성

  - 각 회원국 중앙은행의 독립성 확보

  - 통화발행을 통한 각 회원국 예산적자 보전금지

  (1개 회원국 채무에대한 EC 또는 여타 회원국의 여하한 책임배제)

  - 가능한 다수 회원국의 EMS 환율통제기구가입 (현재 희랍및 폴투갈 미가입)

  0 제 2단계 착수후 3년이내 제 3단계 이행에 관한 결정준비

  - 이를위해 EC 집행위와 유럽 중앙은행은 EC 외무장관 회의와 경제재무장관 회의에 제 2단계 운영상황및 특히 각 회원국 경제상태 조화(ECONOMIC CONVERGENCE)에 관한 보고서 제출

  0 영국은 EMU 추진에 관한 상기 11개국의APPROACH 에 반대를 표시하고, EMU 제2-3 단계의 구체적 내용 결정이 시기선택보다도 선행되어야 한다는 입장천명- 단, 영국은 물가안정목표, 과도한 예산적자 방지, 화폐발행에 의한 예산적자 보전 금지등에 대해서는 동의를 표시

  다. 정부간 회의 조직

  0 정치동맹과 EMU 추진을 위한 정부간 회의는 90.12.14. 로마에서 개막

  0 EC 외무장관들이 상기 양 회의의 일관성 확보를 위해 노력

  0 정부간회의 기간중 EC 3 개기구 (EC각료이사회, EC 집행위, 구주의회) 간의회의 개최및 정기적 접촉

  0 EC 각료이사회 사무총장이 상기 양회의에 대한필요한 행정적 지원제공

  2. 대쏘 관계

  0 EC 정상들은 90.6. 더블린 정상회담 결정에따라 EC 집행위가 쏘련정부와의 협의후 작성한 쏘련 경제상황 예비보고서를 검토하고, 차기 EC 정상회담 이전까지

대쏘경제 지원 방안을 제출토록 지시

    0 EC 정상들은 쏘련정부가 추진중인 개혁작업의 성공에 커다란 중요성을 부여하고, 이를위해 EC 가 실질적이고 구체적인 기여를해야 한다는 정치적 의지표명

    3. 중.동구 국가와의 관계

    0 G-24 및 PHARE (폴랜드, 항가리 경제개혁지원) 계획의 테두리내에서 EC 와 중동구 국가간의 협력관계 발전에 만족표명

    0 제휴협정 (ASSOCIATION AGREEMENT) 체결을 통해 EC 와 이들 국가간 제반분야 (경제, 금융, 문화, 정치) 협력강화 도모

    0 EC 측은 최근 항가리의 에너지 부족사태 해결을위해 G-24 를 통한 항가리 지원약속

    4. 걸프사태및 중동문제 (별도성명 발표)

    가. 걸프사태

    0 이라크군의 쿠웨이트 무조건 철수, 쿠웨이트 합법정부 복귀, 모든 외국인 인질석방 촉구

    0 외국인질의 즉각적인 석방을위해 유엔사무 총장에게 특별대표를 이락에 파견토록 요청 (외국인질 석방 교섭을위한 각 회원국 정부대표단의 이락파견 금지 결의)

    0 EC 정상들은 유엔헌장에 부합되는 추가적 대이락 제재조치 검토용의 표명

    나. 중동문제

    0 레바논 사태 해결을위한 TAIF 협정 이행촉구

    0 아랍-이스라엘 분쟁해결을 위한 국제평화회의 개최원칙 지지 재천명

    0 EC- 이란간 관계 정상화 환영

    5. CSCE(별도성명 발표)

    0 파리 CSCE 정상회담은 민주적이고 평화적이며 통일된 구라파 건설을위한 역사적 기회

    0 EC 측은 파리 CSCE 정상회담의 성공을위해 최대한 기여 의사표명

    6. 미.카나다와의 관계

    0 EC 정상들은 미.카나다와의 관계강화를 위한 TRANS- ATLANTIC DECLARATION 작성과 관련, 미.카나다 측과의 협의과정을 보고받고, 90.11.12. EC 외무장관 회의에서 동 문제를 재차 검토토록 지시

    7. 우루과이 라운드

PAGE 3

0016

O 90.12. 우루과이 라운드 협상의 성공적 타결을 위한 EC 측의 적극적인 기여의사 천명

O EC 정상들은 각료 이사회에 농업보조금 감축 OFFER 안을 조속 채택토록 요청. 끝

(대사 권동만-국장)

PAGE 4

0017

외 무 부

종 별 : 지 급

번 호 : FRW-2031   일 시 : 90 1029 1750

수 신 : 장관(구일,봉이,경일,통기,재무부,상공부)

발 신 : 주 불 대사

제 목 : EC 특별정상회담(경제통화 통합)

대:WECM-0028

10.28-28 간 로마개최 표제회담에서는 영국을 제외한 EC 11 개국이 94.1 부터 제 2 단계 EMU 이행에 합의하였는바, 주요내용 아래 보고함.

1. 주요 합의사항

가. 경제통합

0 물가안정, 경제성장, 고용, 환경보호및 건전재정을 기초로 한 개방 시장경제 추진및 이를 위한 EC 기구 활동강화

나. 통화통합

0 아래 조건 충족시 94.1 부터 제 2 단계(유럽 중앙은행 설립) 추진

-주요조건:93.1 SEM 달성, EMU 조약의 의회비준, 각국의 유럽 중앙은행대표에대한 독립성부여, 통화발행을 통한 재정적자 보전 금지, 최대다수 회원국의 ERM 제도 가입

0 97.1 이전까지 제 2 단계 진전사항과 각국의 통화재정 정책의 CONVERGENCY평가및 합리적 기간내 제 3 단계(단일통화) 진입 결정

다. 정부간 회의 개최

0 90.12.14. 로마에서 유럽정치 통합및 경제통화 통합을 위한 2 개의 정부간회의 개최

2. 평가

가. 영국의 강력한 반대에도 불구하고 제 2 단계 진입일정을 확정하고 3 단계 일정에 대하여도 구체적으로 협의함으로써 2000 년이전 EMU 완결을 위한 기본골격 준비에 합의함.

0 3 단계 진입의 구체적 일정합의는 없었으나, 불란서는 2 단계가 4-6 년 정도만 지속할 것을 희망한 반면, DELOR EC 집행위원장은 2000 년 이전 단일화폐달성 견해를

구주국	장관	1차보	2차보	경제국	통상국	통상국	재무부	상공부

PAGE 1

피력함.

나. 특히, EC 정상간 단일화폐(A STRONG AND STABLE ECU) 창설을 위한 제 3 단계 일정을 협의한 것은 최초의 사례로서, 영국을 제외하고라도 EMU 를 달성키 위한 각국 정상간의 사실상 내부적 결속으로 주목됨.

다. 또한 EMU 2 단계 일정에 대한 전면적 합의가 이루어짐에 따라 12 월 정부간 회의에서 EMU 조약 협상 타결가능성이 높아졌으며, 93.1 SEM 완성및 94.1 EMU 2 단계 실현으로 EC 의 경제통합이 분야별로 보다 가시화될 전망임.

라. 비록 영국이 유일하게 상기 합의사항에 반대하므로써 EC 내 고립이 표면화되었으나, 2 단계의 전반적 정책내용에 대하여는 동의하고 있으며, 또한 85 년 밀라노 정상회담시 SINGLE EUROPEAN ACT 에도 영국이 유보후 참여한 전례가 있으므로, 향후 영국의 EMU 참여를 위한 논쟁은 계속될 것이나 불란서등 주요 EC국가는 EMU 를 향한 TWO DIFFERENT SPEEDS 를 인정하면서도 경제통화 통합을 예정대로 가속화할 것으로 예사됨.

마. 한편, EMU 의 조속한 추진에 가장 적극적인 주재국 정부는 금번 회담성과에 극히 만족하고 있으며, 미테랑 대통령은 동 합의가 12 월 정부간 회의에 IMPULSE 를 주기 위한 정상적 절차였으며 매우 유익한 결과였다고 자평함.

3. UR 협상관련 농업보조금 감축문제

0 금번 회담에서 영국과 화란은 표제건의 우선 협의를 강력히 요청하였으나, 이태리, 프랑스, 독일의 반대로 성사되지 못하였는바, EC 는 97 년 이후까지의중장기적 내부결속 방안에는 열의를 보이면서도 불과 한달남짓 남은 UR 협상 타결을 위한 국제적 책임은 이행치 않는다는 국제적 비난을 모면키 어렵게 되었음.

0 동건 관련, 불란서 정부는 EC 보조금 30% 삭감 수락시 EC 시장내 저가의 외국 농산물 수입방지 보장을 추가로 요구하고 있으며(독일과 스페인이 이에 동조) 10.25 LOUIS MERMAZ 불 농업장관은 조급한 타결보다는 UR 협상기한의 명년 연기가 바람직하다는 의사를 표명함. 끝.

(대사 노영찬-국장)

예고:90.12.31. 까지

외 무 부

종 별 :

번 호 : ECW-0740   일 시 : 90 1029 1730

수 신 : 장 관 (통기, 경기원, 재무, 농수산, 상공부) 사본:주제네바 직송필

발 신 : 주 EC 대사

제 목 : 갓트/UR/농산물 협상

　　연: ECW-0714

　　1. 10.26. 개최된 EC 농업및 대외통상장관 합동이사회는 표제협상 EC OFFER 에 대해 합의를 이루지 못하고 10.30. 동건 토의를위해 다시모이기로 했음. 동 이사회에서는 영국, 덴마크, 화란이 당초 OFFER 안을 수락할 의사를 표명하고, ANDRIESSEN EC 외무담당 집행위원과 각회원국의 대외통상장관들이 EC OFFER 를 조속히 제출하여 UR 협상이 순조로이 추진될 필요성을 역설하였음에도 불구하고, 독일, 불란서의 강한 반발에 부딪쳐 동 이사회에서도 합의를 이룰수 없었음. 특히 DELORS EC집행위원장이 표제협상 이후 EC 농민들이 겪을 어려움을 보상하겠다는 언급에따라 독일은 다소 완화된 입장을 보였으나, 불란서가 REBALANCING 과 관련 더이상 양보하여서는 안된다는 입장을 강하게 요구하고 나섬으로서 결렬된것임

　　2. 한편 10.27-28 개최된 EC 정상회담에서는 동 안건이 정식으로 채택되어 논의된 것은 아니나 동회담후 발표된 성명서에서 UR 협상의 긍정적인 결말을 위해 EC도 적극적으로 기여할것을 공약하였으며, ANDREOTTI 이태리 수상은 표제협상 OFFER 내용을 합의하기 위해서는 3-4일 동안의 기간이 필요할 것이라 말함. 끝

　　(대사 권동만-국장)

통상국　　2차보　　경기원　　재무부　　농수부　　상공부

PAGE 1   90.10.30　　09:16 WG

외신 1과 통제관

0020

외 무 부

종 별 :

번 호 : ECW-0741   일 시 : 90 1030 1800

수 신 : 장 관 (통기), 경기원, 재무, 농수산, 상공부) 사본: 주 제네바-직송필

발 신 : 주 EC 대사

제 목 : 갓트/ UR/ 농산물 협상

연: ECW-0740

10.27-28 개최된 EC 정상회담후 발표된 성명서를 봉하여 EC 가 소정기한내에
UR협상을 긍정적인 방향으로 결말을 도출하는데 적극 기여하고, 이를 위해 표제협상
EC OFFER 를 관련이사회에서 조속히 채택할 것을 요청함에 따라, 10.29. RUGGIERO EC
일반이사회 의장은 DELORS EC 집행위원장, ANDRIESSEN, MAC SHARRY 집행위원들과
접촉하고, 동 OFFER 합의도출을 위해 아래와 같은 일정을 추진키로함

O RUGGIERO 의장은 SACCOMANDI 농업이사회의장및 EC 집행위원들과 동 OFFER
채택이 가장 영향을 미치는 국가들을 방문함

O 11.3. 15:00 EC 일반및 농업 합동이사회를 개최함. 끝

(대사 권동만-국장)

통상국   경기원   재무부   농수부   상공부   2차보

PAGE 1   90.10.31   02:53 FC

외신 1과 통제관

0021

UR/농산물 협상관련 EC 입장 관계기사 (10.24, Financial Times)요지

90.11.5.
통상기구과

1. CAP의 역사적 배경

   ○ 전후 독일의 안전 보장에 대한 열망과 불란서의 농업확대 열망과의 산물
   ("Agra Europe" magazine 논지)

2. CAP에 대한 불·독의 이해 관계

   ○ 불란서의 이해 관계

      - 수출 보조금 지급을 통한 역외 경쟁력 확보

   ○ 독일의 이해관계

      - 막대한 CAP 재정 지원 댓가로 공업국으로서의 지위 공고화

      - 취약한 농업 구조 개선을 통한 농업의 정치, 사회적 기능 수행

3. CAP의 이상과 실제

   ○ CAP의 이상

      - 역내 경쟁력이 가장 강한 국가(불란서)의 가격 지향을 통한 식량안보 구축

   ○ CAP의 실제

      - 역내 경쟁력이 가장 취약한 국가(독일)의 가격 지향을 통한 농업보호로
        생산과잉을 초래(독일 lobby의 결과)

4. 생산 과잉 농산물 처리 방안에 대한 불·독의 입장

   ○ 독일의 입장

      - 생산통제를 통한 과잉생산 해소 및 이를 통한 높은 가격 유지

   ○ 불란서의 입장

      - 독일 입장지지를 통해 Kohl 수상의 유럽경제 통합에 대한 신속조치
        (fast track) 반대 급부 기대

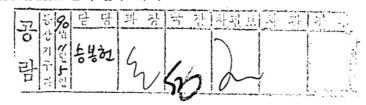

0022

5. UR/농산물 협상과 EC의 입장

 ○ 급격한 개혁에 반대하는 사유

  - 육류에서의 소비 감소 추세, 중동시장의 상실, 과잉생산등으로 인한
    농산물 가격 하락에 따른 농민 소득 감소 위기에 직면

  - EC예산중 농산물 분야 예산 점유비(60%)가 과다한데 따른 압력에도 불구,
    90,91년 농산물 분야 예산 대폭 삭감 가능성 희박에 따른 개혁후 절박감
    부재

 ○ 직접소득 지원 체계로의 전환을 반대하는 농민의 논거

  - "park keepers" 또는 연금 수혜자로의 전락에 불과

  - 국내보조 감축은 EC 예산 감축보다는 농민소득의 더 많은 감축을
    통해 실현 가능

 ○ 결 론

  - EC 경제통합, EFTA 및 동구에 대한 관세등 양허 확대 여부등에 따라
    CAP가 영향을 받을 것이나, 현재로서는 CAP개혁은 장기적으로나 가능하며
    UR은 개혁과정을 단지 촉진시키는데 불과(no more than nudge the process
    of reform forward). 끝.

- 2 -

0023

발 신 전 보

번 호 : WEC-0609   901107 1106 CG   종별 :

수 신 : 주 EC   대사.동향자   (김광동 참사관)

발 신 : 장 관   (통기 이 성주)

제 목 : 업연

연 : WEC - 584

1. 작 11.5 (월) 개최된 EC 농무·무역장관 합동회의 결과보고 상금 미접인 바, UR/농산물 협상관련 EC 동향은 동 협상관련 본부 최대 관심사 인점을 감안, 신속히 보고하여 주시면 감사하겠음.

2. 브랏셀 회의는 예정대로 개최 여부가 불확실 하나, 개최될 경우 적극 협조 요청 예정임.

3. 건승 기원합니다.   끝.

앙 고 재	년 월 일 과	기안자 성명	과 장	국 장	차 관	장 관	보 안 통 제
						이동호	
							외신과통제

0024

외 무 부

종 별 :

번 호 : ECW-0748   일 시 : 90 1106 1800

수 신 : 장관 (봉거, 경기원, 재무, 농수산, 상공부) 사본:주제네바대사(직송필)

발 신 : 주 이씨 대사

제 목 : 갓트/UR/농산물 협상

연: ECW-0741

1. 11.5. 개최된 EC 농업및 대외 무역장관 합동이사회는 표제협상 EC OFFER 안에
대해 합의를 이루지못하고 각회원국 정부가 동문제에 대해 방침을 결정하여 11.6. 다시
모이기로 함

2. 동 이사회에는

1) 당초 EC 집행위 OFFER 안

2) 10.26. 이사회 상정안 (보조금 감축 GLOBAL APPROACH 방식, REBALANCING 제안에
따른 관련품목의 수입쿼타 증량조치 철회, 갓트 16조 보완등) 및

3) EC 집행위가 EC OFFER 에 따른 후속조치로서 제시한 EC 농산물 우선취급 원칙의
고수, SET-ASIDE PROGRAMME 및 곡물의 비식용사용 강화와 최열악지에 대하여는 보조금
감축을 회피한다는 내용등 3개안에 대해 토의를가졌음. 그러나 EC 집행위 보완조치에
대해 영국, 덴마크, 화란은 명백히 반대를 표명하지는 아니했으나 EC 협상입장을
후퇴시킬 우려가있다 하였으며, 독일은 환영을 표시했으며, 불란서는 EC
농산물우선취급 원칙고수를 위한 구체적인 방안, 즉 저렴한 외국 농산물의유입으로
부터 EC 농산물을 보호하는 방안을 제시하여 줄것을 요구함

3. EC OFFER 제출과 관련, 현안문제는 OFFER 내용에 수출보조금 감축 제의 방식을
구체화할것이냐에 대한 농업분야와 비농업 분야와의 갈등이외에 보조금 감축 시행후
EC 농업보호방안등 UR 협상이후의 CAP 체제유지와 농업구조 조정방안에 대한 각
회원국간의 견해 대립을 해소하는 문제임. 11.6. 개최될 동이사회 결과는
추보하겠음. 끝

(대사 권동만-국장)

통상국   2차보   경기원   재무부   농수부   상공부

PAGE 1   90.11.07   07:00 DP
                                                       외신 1과 통제관

                                                                0025

외　무　부

종　별 : 지　급

번　호 : ECW-0753　　　　　　　　　　일　시 : 90 1107 1700

수　신 : 장관 (봉기 농수산부)

발　신 : 주 EC 대사

제　목 : EC 농무장관및 무역장관 회의

연: ECW-0748

1. EC 측은 연호 11.5. 밤늦게까지 열린 표제회의에서 농산물 보조금 30프로 감축안에 대한 타협안에 가까스로 합의 하였는바, 동 타협안은 <u>보조금 감축에 따른 소규모 생산자들에 대한 보호장치를</u> 마련하고, <u>저가의 농산물 수입급증을 제한하는 조건을</u> 추가하는 안임

2. 상기안은 기존의 EC 공동 농업정책 (CAP)에 기본원칙을 고수한다는 전제하에 불란서및 독일측을 무마할수 있었으나, <u>당초 EC 집행위 안보다 후퇴한 내용으로서</u> 미국및 CAIRNS 그룹의 기대에는 훨씬 못미침으로서 11.7. 당지에서 CAIRNS 그룹 대표들의 ANDRIESSEN 집행위원 면담시의 반응이 주목되고 있음.

3. 본건 추보함. 끝

(대사 권동만-국장)

통상국　　농수부

PAGE 1　　　　　　　　　　　　　　　　　　　90.11.08　　06:21 DA

　　　　　　　　　　　　　　　　　　　　　　외신 1과 통제관

　　　　　　　　　　　　　　　　　　　　　　0026

NNNN
!
ZS YK0325

612354 :BC-COMMUNITY-TRADE (SCHEDULED)
. EC MINISTERS ALL CLAIM VICTORY AFTER WRANGLE OVER GATT
    BY EVA KALUZYNSKA
    BRUSSELS. NOV 7. REUTER - EUROPEAN COMMUNITY MINISTERS ALL
CLAIMED VICTORY AFTER A MARATHON NEGOTIATING SESSION ON TUESDAY
AGREED FARM SUBSIDY CUTS WHICH SHOULD GET GATT WORLD TRADE TALKS
BACK ON COURSE.
    ON THE SECOND DAY OF THEIR SEVENTH MEETING. MINISTERS
DECIDED UNANIMOUSLY TO MAKE AN OFFER TO GATT BASED ON EC FARM
COMMISSIONER RAY MACSHARRY'S PLAN FOR 30 PER CENT CUTS FROM THE
1986 LEVELS BY 1996.
    . . THEIR FAILURE TO AGREE EARLIER HAD RAISED SERIOUS DOUBTS
WHETHER FOUR YEARS OF TALKS UNDER THE AUSPICES OF THE GENERAL
AGREEMENT ON TARIFFS AND TRADE (GATT) COULD FINISH ON SCHEDULE
IN BRUSSELS NEXT MONTH.
    +WE'VE FINALLY GOT INTO THE GATT ROUND. NOW THE NEGOTIATIONS
CAN START.+ SAID ITALIAN TRADE MINISTER RENATO RUGGIERO.
CO-CHAIRMAN OF THE MEETING OF FARM AND TRADE MINISTERS.
    GATT TALKS COVER EVERYTHING FROM SELLING FARM PRODUCE TO
CATCHING FORGERS OF LUXURY CONSUMER GOODS. NEGOTIATIONS INTENDED
TO SET TRADE PATTERNS WELL INTO NEXT CENTURY HAVE CONSTANTLY
STUMBLED OVER AGRICULTURE.
    RICH NATIONS USE FARM SUBSIDIES TO PRODUCE AND SELL THEIR
SURPLUSES. COUNTRIES THAT CANNOT AFFORD THEM SAY THE PRACTICE
ROBS THEM OF MARKETS THAT WOULD GIVE THEM THE FOREIGN CURRENCY
THEY NEED TO CLIMB UP THE DEVELOPMENT LADDER.
    FRANCE. THE COMMUNITY'S BIGGEST FARM PRODUCER. WAS THE CHIEF
OPPONENT OF THE EC PLAN TO CUT SUBSIDIES. SAYING IT WOULD MAKE
LIFE UNBEARABLE FOR ITS FARMERS. ALREADY REELING FROM THE EFFECT
OF DROUGHT AND A SLUMP IN PRICES THIS SUMMER.
MORE

NNNN
!
ZS YK0326

612357 :BC-COMMUNITY-TRADE (SCHEDULE=1.1 BRUSSELS:
    IT WON THE ASSURANCES IT WANTED THAT CHEAPER FOOD FROM
OUTSIDE THE EC WOULD NOT UNDERCUT ITS FARMERS. +WE GOT A GOOD
ACCORD.+ SAID FRENCH FARM MINISTER LOUIS MERMAZ.
    BRITAIN WAS ALSO PLEASED. SAYING ALL THE ESSENTIALS IN THE
ORIGINAL PLAN WERE STILL THERE. BRITISH FARM MINISTER JOHN
GUMMER HAD GROWN INCREASINGLY EXASPERATED WITH WHAT HE SAW AS
FRENCH PROCRASTINATION.
    HE SAID HE THOUGHT THE CONCESSIONS MADE WERE NOT WORTH THE
DELAY AND CALLED THE WORDING THE FRENCH WERE SO PLEASED WITH +A
VERY PRETTY FIGLEAF+.
    GERMANY. ANOTHER OPPONENT UNTIL LATE IN THE TALKS. WAS ALSO
PLEASED ITS PLANS FOR BUFFERING THE IMPACT OF GATT CUTS WITH EC
AND NATIONAL AID WERE LIKELY TO GET ENDORSEMENT.
    MACSHARRY PROMISED THE COMMISSION WOULD START WORK
IMMEDIATELY ON MEASURES THAT WOULD MAKE LIFE AFTER GATT BEARABLE
FOR EC RURAL COMMUNITIES. AND DENIED THAT ANY FARMER WOULD BE
DRIVEN OUT OF BUSINESS BY THE IMPACT OF CUTS.
    +GERMANY EXPECTS THE EC TO CONTRIBUTE A SUBSTANTIAL PART OF
THE FINANCING NECESSARY FOR COMPENSATORY MEASURES.+ SAID GERMAN
FARM MINISTER IGNAZ KIECHLE.
    EC TRADE COMMISSIONER FRANS ANDRIESSEN ADMITTED THAT SOME
AMENDMENTS MADE IN THE COURSE OF SEVEN MEETINGS WOULD NOT MAKE
HIS TASK AS THE COMMUNITY'S CHIEF NEGOTIATOR ANY EASIER.

0027

외 무 부

종 별 :

번 호 : ECW-0760   일 시 : 90 1108 1830

수 신 : 장관(봉기),경기원,재무,농수산,상공부) 사본:주제네바-직송필

발 신 : 주 EC 대사

제 목 : 갓트/UR/농산물협상

연: ECW-0753

1. 11.6. 개최된 EC 농업및 대외무역 합동이사회는 아래와 같은 내용의 표제협상ECOFFER 를 전원 합의로 확정하고, 11.7. 갓트에 제출했음

0 86년 기준하여 96년까지 농업보조금 30프로 삭감하며, 협상대상국들은 이에 상응하는 공약을 하여야하고 86년이래 시행된 보조금 감축실적을 인정함

0 CEREAL 대체품 (CORN GLUTEN, 매니옥, SOYA 및 그 CAKE 등)의 국경조치 강화를 내용으로하는 REBALANCING 허용, 즉 이제까지 무관세로 수입되던 동 품목들은 품목별로 6-12프로의 관세를 부과함

0 별도의 수출보조금의 감축제의를 포함시키지 아니함. 즉 GLOBAL APPROACH 방식에 의거 농업보조금의 30프로 감축을 시행하며, 따라서 수출보조금 감축율은 30 프로 이내가 될 것임을 의미함. 11.6. 합의된 OFFER 는 EC 집행위 OFFER 초안및 수차의농업및 대외무역이사회에서 검토되던 OFFER 안과 비교, 변경된 내용은 CEREAL 대체품의 수입 쿼타를 8프로 증량하는 것을 내용으로 하는 제의를 삭제하였다는 점과, OLIVE 유와 같은 지중해연안산품의 보조감축율을 축소하였다는 점임

2. 동 이사회에서는 EC OFFER 내용이나 그 조건 등 보다는 EC 의 공동 농업정책의 향후개편방안, EC 생산 농산물 우선취급원칙을 고수하는 문제및 EC 의 영세농들을보호하는 방안에 대하여 중점을 두어 장시간 토의를 가졌음. 동 이사회 이후 모든 각료 들은 만족을표시한바, MERMAZ 불란서 농무장관은 자국의 요구사항에 대한 명백한답이 되었다 하고, 이제 EC 는 UR 협상에서의 확고한 협상기반을 갖게 되었으며, EC에서 생산되는 농산물을 미국으로 부터 더이상 수입하지 아니하여도 될 것이라언급함. KOHL 독일수상도 동 EC OFFER 지지를 표명하였으며, 그리스 및 스페인은 지중해연안산품에 대한 특별고려에 대해 만족을 표시하고, GUMMER 영국

통상국   2차보   경기원   재무부   농수부   상공부

농무장관은 당초 OFFER 안을 극히 일부 수정하여 합의할수 있었던것은 THATCHER 수상의 강력한 의지표명을 불란서와 독일이 받아드린 결과라 논평함

3. 또한 SACCOMANDI 농업이사회 의장은

1) 동 EC OFFER 로 인해 UR 협상이 새로운 전기를 맞이하게 되었으며, 국제교역의 위기는 극복될수 있다는 점과

2) EC 농민들에게 적절한 GUIDELINE 을 제시하였다는 측면에서 의의가 있다고 평가하였으며, RUGGIERO 대외무역 이사회 의장은 이제 UR 협상은 농업분야에 있어서의 난관을 극복하였다고 언급하고, EC 는 UR 협상에서 의욕적이고 적극적인 위치를 확보하였으며, 협상대상국들은 이러한 EC 의 입장을 충분히 고려하여야 할것이라 함. ANDRIESSEN 집행위원도 EC OFFER 합의에 만족을 표시하면서, UR협상은 농산물 분야 이외에도 씨비스, 지적소유권 같은 중요분야가 포함되어 있음을 상기시키고, EC 의 농산물 협상안중 일부내용은 이러한 분야 협상에서 장애요소가 될수도있을 것이라 지적함. 한편 11.7. ANSRJJQUKHTFKDF HILLS 미 무역대표부 대표와 만나, EC의 농산물협상 입장을 설명하고, EC 가 상기입장을 정립함에 따라 씨비스등 타분야에 남아있는 현안문제들을 해결하기위해 적극적인 자세를 취할 것임을 표명함

4. 11.8. ANDRIESSEN 위원은 호주, 카나다, 아르헨티나 및 콜롬비아의 관계각료등 케인즈그룹 대표와 면담한바 동 결과 추보하겠음

5. EC 관련 담당자의 사무폭주로 인하여 집행위의 OFFER 채택 배경에 관한 STATEMENT 를 상금 입수치 못하였는바 동 문서를 입수하는대로 그 내용을 추보하겠음. 끝

(대사 권동만-국장)

외 무 부

종 별 :

번 호 : GVW-2450 　　　　　　　　　일　시 : 90 1109 170

수 신 : 장관(봉기, 경기원, 농림수산부, 경제수석, 기정동문)

발 신 : 주 제네바대사

제 목 : UR 농산물 협상(스위스 농민데모)

　　　금 11.9(금) 스위스 수도 베른에서 있었던 농민데모 상황에 관하여 보도된 내용을 아래 참고로 보고함.

　　　가. 일시: 11.9 오전

　　　나. 장소: 스위스 연방정부 청사앞

　　　다. 참가인원 1 만명(주최측 주장), 5,000-7,000 명(경찰 추산)

　　　베른주 출신 하원의원 PAUL LUDER 등도 농민자격으로 참석함

　　　라. 주최기관: 스위스 농민협회 및 여타 군소 농민단체

　　　마. 요구사항 및 주장:

　　　O 보상조치없는 정부보조 삭감안은 수락할 수없음

　　　O 상기 LUDER 의원은 필요시 국민투표로서 농업정책 수정 여부를 결정하자고 제안

　　　O 시위 참가자들은 만장일치로 스위스 농업정책 자결주의를 지지하는 결의안을 채택함

　　　바. 참고사항: 금일 시위 참가자들은 11.13(화) GATT 앞에서 개최될 예정인 유럽농민 시위에 가담하겠다 함. 끝

　　　(대사 이상옥-국장)

통상국　　차관　　'1차보　　2차보　　청와대　　안기부　　경기원　　농수부

외 무 부

관리 번호 : 90-932

종 별 :

번 호 : GVW-2443   일 시 : 90 1109 1200

수 신 : 장관(통기,경기원,재무부,농림수산부,상공부,경제수석,기정)

발 신 : 주 제네바 대사

제 목 : UR/농산물 협상(스위스등 농민데모)

　　1. 갓트 사무처 당국에의하면, 스위스, 독일, 불란서등 3 개국이 농민단체 회원들이 11.13(화) 오후 갓트 본부주변에서 UR/ 농산물 협상과 관련된 대규모의 데모를 할 예정으로 있으며, 참석 예상인원을 15,000-20,000 명으로 보고 있다고 함.

　　2. 갓트 당국은 대규모 데모 예상에 따라 동일 오후 회의 일정을 조정하는 한편, 갓트 건물 주변에 주차하지 않도록 요망하고 있음

　　3. 한편 금 11.9(금) 베른에서는 스위스 연방청사앞에서 스위스의 농산물 OFFER 안에 반대하는 데모를 하고 있다함.

　　4. 11.13. 데모 결과는 추보 하겠음. 끝.

　　(대사 이상옥-국장)

일반문서로 재분류(예고):90.12.31. 까지
직위　　　성명

통상국　　차관　　2차보　　청와대　　안기부　　경기원　　재무부　　농수부　　상공부

PAGE 1

90.11.10　　07:20
외신 2과 통제관 CF

0031

외 무 부

종 별 :

번 호 : ECW-0783   일   시 : 90 1116 1530

수 신 : 장관(통기), 경기원, 재무, 농수산, 상공부, 사본:주제네바-직송필)

발 신 : 주 EC 대사

제 목 : 갓트/UR 협상

　　1. 11.15. 개최된 EC 특별이사회는 표제협상 전반에 대한 토의가 있었는 바 동 이사회 결과발표문 요지는 하기와 같음

　　　0 12월 브랏셀 TNC 회의까지 UR 협상을 성공적으로 종결시킬 필요성을 재확인 함

　　　0 마지막 단계에 있는 UR 협상은 타협하여야 할 어려운 문제가 남아 있으며, 이러한 문제들은 동협상이 경제적, 정치적으로 중요함을 보여주는 증거로 인식함

　　　0 동 협상은 현실적이고 다자간 무역체제의 강화등 모든 분야에 있어 만족스러운 결과를 도출하여야 한다는 EC 의 입장을 재확인 함

　　2. 동 이사회후 RUGGIERO 의장은 기자회견에서 표제협상을 성공적으로 끝내기 위해서는 더이상 언쟁을 하거나, 상대방을 비난만 하기에는 시간이 없으며, 15개 협상분야중 농산물협상이 가장 어려운 분야인것은 사실이나, 동 협상에서의 어려움이 타분야 협상진전에 장애요인이 되어서는 아니될 것이라 말함

　　특히 동인은 YEUTTER 미 농무장관과 HILLS대표의 BONN 에서의 발언 (연호참조) 과 ANTI-EC CAMPAIGN 에 대하여 현재의 미국요구및 행동은 EC 협상자들을 놀라게 하는것 은 사실이며, 다자간 협상에서 그러한 행동은 바람직하지 못한것이므로 미국의 ANTI-EC CAMPAIGN은 중지되어야 할것이라 하고, 농산물 협상과 관련하여 동인은 EC 의 OFFER 를 협상 가능한 것이나, 협상 막바지 단계에가서 15개 협상분야간의 타협은 있을수 있는것이나, 그렇게 되려면 각 분야별로 각국이 내세운 논리가 충족될수 있어야할것이라고 말함으로서 농산물과 타분야간의 타협 가능성에 대해 부정적인 견해를보임

　　3. 각 협상분야별 EC 평가는 별첨 FAX송부함. 끝

　　(대사 권동만-국장)

통상국　　2차보　　~~청와대~~　　경기원　　재무부　　농수부　　상공부

외 무 부

종 별 :

번 호 : ECW-0804

일 시 : 90 1123 1100

수 신 : 장관(봉기,경기원,재무,농수산,상공부) 사본:주제네바-직송필

발 신 : 주 EC 대사

제 목 : 갓트/UR/농산물 협상

1. 11.21. 가진 기자회견에서 YVERNEAU COPA 회장은 UR 협상의 최종단계에서 미국이나 케언즈그룹의 압력때문에 서비스나 기타 다른분야에서 미국등의 양보를 얻는 대신에 표제협상 EC OFFER 내용을 완화하는 타협안을 EC 가 수락할 가능성에 대해 크게 우려하고 있다고 말함. 특히 동인은 현재 UR 협상성패의 관건이 농산물 협상에 달려있기때문에 ANDRIESSEN 위원 (EC UR 협상 대표)이 그러한 결정을 할 가능성이 있으며, COPA 는 EC 집행위내에서도 농산물 분야보다 공산품 또는 서비스분야에 더욱 관심을 갖고 있는 집행위원들이 있다는 것을 잘알고 있으며 그렇기때문에 이러한 가능성을 우려하고있는 것이라고 말함. 타협 가능성에 대한 구체적인 내용과 COPA 입장에서 고수되어야 할 내용이 무엇이냐는 질문에 대해 동인은 EC농산물 우선처리 원칙과수출보조금 유지등 CAP 원칙은 존속되어야 하며, REBALANCING 을 반영시키는 것이중요하다 말하고, 별도의 수출보조금감축 약속과 REBALANCING 을 조건으로 관련품목 쿼타를 증량(8 프로) 하는 방법, 즉 EC 의 당초 OFFER 안으로 되돌아가는 타협은 수락할 수 없으며 이러한 가능성을 우려하고 있다고 말함.

2. 한편, COPA 는 EC OFFER 에따라 86-96 기간중 농업보조금을 30프로 감축할 경우, EC 는 동기간중 22백만 ECU 의 농업지출을 축소하는 결과가 될 것이라고 추정하고, 이미 86년 이래 5백만 ECU 를 축소하였으므로 91-96 기간중에 17백만 ECU 의 농업지출이 삭감될 것이라고 함.

3. 한편, COPA 는 12.3. 세계각국 농민대표등 2만여명이 브랏셀에 모일 것으로 기대하고 있으며, 농민들의 생계에 크게 영향을 초래할 표제협상에 그들의 목소리를 반영하기 위해 노력할 계획이라 함. COPA 에 의하면 동 모임은 COPA 주관하에 이루어지며 COPA 는 EC 각회원국, 북구, 서서, 오지리, 일본, 카나다, 미국등의 농민단체 대표들을 초청하였다 함. 끝

통상국   2차보   경기원   재무부   농수부   상공부

PAGE 1

90.11.23   20:51 CG

외신 1과 통제관

0033

외 무 부

종 별 :

번 호 : ECW-0815   일 시 : 90 1130 1620

수 신 : 장 관 (봉기,경기원,재무부,농림수산부,상공부)사본:주제네바 대사(직송필

발 신 : 주 EC 대사

제 목 : 갓트/ UR/ 농산물 협상

1. 11.28 ANDRIESSEN EC 집행위원은 UR협상을 성공적으로 종결시키기 위해서 협상 참여국들은 현실적인 입장을 취해야 할것이라고 말하고, 특히 대부분의 주요 협상국들은 표제협상에서 무엇이 실현 가능한 것인지에 대한 감각을 상실하고 있으며, 또한 이들은 PUNTA DELESTE 선언을 잘못 해석함으로써 비현실적인 기대에 집착하고 있어, 여타 협상분야마저 어렵게 만들고있는 사실에 대해 크게 유감이라고 말하고, 이들도 EC 와 같이 표제 협상에서 현실적이고 구체적인 제안을 제출해야할 것이라고 말함.

동인은 또한 EC 가 농업분야에서 초래될 희생을 감수할수 있도록 하기 위해서는이에 상응하는 보상이 있어야 하며, 그러한 보상이란 농산물 수출국들의 이해뿐만 아니라 개도국들의 정당한 이해가 반영될수 있는 균형있는 PACKAGE 를 의미한다고 말하면서, 개도국들의 이해가 제대로 반영되기 위해서는 RULES OF GAME이 존중되어야 할 것이라고 말함.

2. 동인은 TNC 회의에 임하는 EC 의 기본입장은 다른 분야에서 상당한 양보를 얻을 경우, EC 가 주저하고 있는 분야에서 양보를 할 용의를 보일 것이며, 협상대상국들도 같은 입장을 가져주기를 희망하고 있다고 말하고, 농산물협상이 실패할 경우에 모든 농업보조금을 5년또는 10년 내에 철폐하는것은 불가능하다는 것을 알고있는 책임있는 협상국들에게 결국은 UR 협상 실패의 책임이 있는 것이라고 함.

또한 동인은 40여년동안 공산품 분야에 대해 협상을 가졌음에도 아직도 상당한 무역장벽이 상존하고 있고, 일부국가들은 그러한 무역장벽의 철폐를 거부하고있는 현실을 감안할때, 농업분야와 같이 민감한 분야의 무역장벽을 불과 수년내에 철폐할수 있는지에 대해 반문하면서 현재 상황에서 중요한것은 무역장벽의 점진적 철폐를 지향하는 옳은 방향으로 협상을 이끌어 나가는 시발점을 만드는 것이라 말하고,

---

통상국   경기원   재무부   농수부   상공부

PAGE 1   90.12.01   08:10 FC

이러한 분위기를 만드는 것이 보조금 감축수준에 대해 합의하는 것보다 중요한 일일 것이라함.

3. 동인은 또한 TNC 회의에 제출될 DUNKEL 문서를 보면, 중요한 분야의 문서에 너무 많은 BRACKETS 와 VARIATIONS 이 포함되어 있어 농산물 분야뿐 아니라 ANTI-DUMPING 과 TRIMS 에서도 결론을 도출하기 어려울 것임을 강조하면서, 농산물 협상에서 EC 가 보일수 있는 융통성은 매우 적으나 협상할 용의는 갖고 있다고 하고, 보조금 감축기준 시점을 89년도로 하고있는 DUNKEL 문서는 비현실적이며 EC 입장과는 상이한것임을 지적하였으며, 또한 EC 는 서비스 협상에서의 미국입장은 전혀 수락할수 없는 것이라고 말함.

4. 한편 MAC SHARRY 위원은 표제 협상 관련 DUNKEL 총장이 제안한 9개 POINT 에대해 EC 입장에서는 매우 실망하며, 89기준년도의 제의를 거부한다고 말하고, 89기준년도 사용제의는 EC 의 정책과 제안에 상반되며 그렇게 되면 EC 요구사항인 CREDIT을 모두 상실하게 될뿐아니라 MID-TERM REVIEW 시 합의한 바에도 상치된다고 말함.동인은 또한 DUNKEL문서에는 REVALENCING 보정계수, TARIFFICATION 및 갓트 제 11조에 대한 협상문제가 빠져있는 것은 매우 유감스럽다고 말하고, 협상 상대국들의 기대치를 줄여 줄것과 PUNTA DEL ESTE 선언정신을 존중해 줄것을 요구함. 동인은 국내보조 감축문제에 관한한 EC 의 제안은 미국제안과 유사한 것임을 강조하면서 동인은 11.27 가진 12개 EC 농업 장관들과 모임에서 그의 입장을 지지한다는 것을 재천명하고, EC 입장을 강화하기 위한 모든 지원을 제공할것을 약속한 바 있다고 말함.끝.

(대사 권동만-국장)

발 신 전 보

분류번호	보존기간

번 호 : WGV-1698　901224 1038 FC 종별 : 암호방신

수 신 : 주 제네바, EC 대사, 총영사 (사본 : 주미명 대사) WTG 0710 WUS -4229

발 신 : 장 관 (통기)

제 목 : UR / 농산물 (미. EC 동향)

1.　12.17자 미 언론보도에 의하면 Pirzio-Biroli 주미 EC대표부 부대표는
　　농산물 협상에 대한 EC ~~Offer 개선~~ 입장 변화 가능성을 언급함.

2.　한편, 최근 주미대사관 관계관이 미 농무성에 비공식 확인한 바로는 주미.
　　EC 대표부는 EC측이 국경조치, 국내보조, 수출보조에 대해 각각 분리하여
　　협상할 용의가 있음을 미측에 통보한 바 있으나 구체적 수치등 내용 제시에
　　대하여는 미 농무성도 미확인 상태라는 반응을 보였으며, 주미 EC 대표부측은
　　EC의 새로운 제안이 91.1월초 까지 작성될 것이라고 언급함.

3.　상기 관련 EC의 ~~새로운 Offer 제출~~ 입장 변경 동향을 면밀 파악, 수시 보고 바람. 끝.

(통상국장 김삼훈)

앙고재	기안자성명	과장	심의관	국장	차관	장관	보안통제
90년 12월 24일 통상기획과 홍병기							외신과통제

0036

Fax to : 503-7249

수신: 농업 협력 통상관   신물께니는것아닌가?

발신: 주미 농무관   1990.12.21

제목: EC의 UR 농산물 협상과 관련한 새로운 제안

1. 주미 EC 대사가 공식회의에서 언급한 바에 의하면 12월 18일
   EC 측에서 UR 농산물과 관련하여 미측에 새로운 제안을 하였다고 함.

2. 미 농무성에 상기사항을 점검해본 결과, 공식문서로서 제의한 바는 없고
   EC 주미대사관으로 부터의 구두 보고내용에 의하면 EC 측은
   국내보조 단지, 국경보호조치, Market Access 및 수출 보조금에 대해
   각각 분리하여 협의할 용의가 있다고 언급함으로서 보다 융통성있는
   대안제시를 할 가능성이 있을 것으로 보이나 구체적인 수치제시는
   미확인상태라고 말하고 있음.

3. 동건 관련 주미 EC 대표부에 문의 결과 EC의 새로운 제의안을
   91. 1월초까지 작성 계획이라고만 언급하고 있음.

4. UR 농산물 협상 재개와 관련하여 던켈 사무총장이 기히 12.19.
   아이터 농무장관과 외상원에서 협의한 바 있음.

5. 동사항에 대하여 제네바와 브루셀에 구체적인 사항을 점검할
   필요가 있다고 봄. 끝.

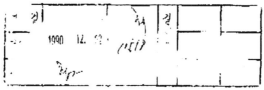

0037

USW (F) - 3511
수신: 장관 (통기, 통일)
발신: 주미대사
제목: EC, 농산물협상 입장변화 시사 (1매)

EC Official Hints at Flexibility On Farm Reform in GATT Talks

By MARY FOLEY
Knight-Ridder Financial

WASHINGTON — After months of deadlock, there may be room for some flexibility in the European Community's stance toward farm reform in the Uruguay Round trade talks.

In perhaps the most upbeat remarks by an EC official about the Uruguay Round's status since the talks collapsed two weeks ago in Brussels, Corrado Pirzio-Biroli, deputy head of the EC's delegation here, acknowledged Friday that the EC's limited proposal for agriculture reform is "not considered enough" by its trading partners.

Mr. Pirzio-Biroli said the EC "has some new ideas coming next week," and, "I personally don't see why we can't reach agreement in agriculture" as part of the trade talks.

Because of its reluctance to make concessions in the farm talks, the EC has been widely blamed for sending Uruguay Round's final ministerial in Brussels last week's into a tailspin. Although the sweeping negotiations are not officially over, the status of the four-year negotiating effort to expand the General Agreement on Tariffs and Trade remains uncertain following the breakdown.

Mr. Pirzio-Biroli told a news conference that as part of the EC's annual price-setting exercise, Agriculture Commissioner Ray MacSharry would formally unveil next week a proposal that would shift 20% of farm supports to smaller farmers and away from Europe's wealthiest farmers, which would have the effect of scaling back existing subsidy levels. The proposal would earmark some of the funding for farmers involved in environmental conservation, EC sources said.

Earlier last week in Brussels, Mr. MacSharry termed the proposal "revolutionary." While Mr. MacSharry forecast that it would meet with tough criticism from EC member-countries, he said it was necessary if the GATT talks are to be successful.

But Mr. Pirzio-Biroli went a step further. Noting that the proposal is largely a budgetary one, he offered his personal view that the plan "will not be the last proposal the EC offers" as part of the Uruguay Round farm talks.

With regard to timing, the EC official also showed a willingness to get the talks back on track quickly. "Your problem is our problem," said Mr. Pirzio-Biroli of the U.S. "fast track" deadline. "It's good to have deadlines."

Under U.S. law, the administration must advance an Uruguay Round agreement to Congress by March 1 if it is to be reviewed under "fast track" rules that force accelerated consideration with no amendments. Many observers have said that efforts to extend the fast track past that date stand a good chance of being defeated.

However, Mr. Pirzio-Biroli quickly added that internal differences between EC member-states make it difficult to say whether the EC could ensure an Uruguay Round agreement in time for the U.S. deadline. Only last week, French Agriculture Minister Louis Mermaz rejected the deadline as irrelevant to anyone other than the United States.

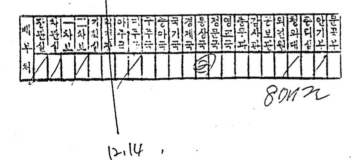

80172

JOC
12/17/90

12.14

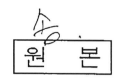

외 무 부

종 별 : 지 급

번 호 : ECW-0015

일 시 : 91 0107 1700

수 신 : 장관 (봉기, 경기원, 재무, 농수산, 상공부)사본:주제네바대사-직송필

발 신 : 주 EC 대사

제 목 : UR/농산물 협상

대: WEC-0004

1. 1.4. 개최된 EC 집행위원 회의에서 MACSHARRY 위원은 EC/공동농업정책의 개혁기본방향에 대해 구두 설명하고, 의견교환을 가진후, 1.19. 까지 동건관련 구체적인 제안을 집행위원회및 이사회에 제출키로 하였는바 주요요지는 아래와 같음

0 CAP 의 기본체제인 수출보조금, 가변부과금을 포함한 2중 가격제는 최소한으로 유지하고, 미국의 DEFICIENCY PAYMENTS SYSTEM 에 대응하고 현행 EC의 가격보조제도의 불합리, 즉 20프로 농민들이 총보조액의 80프로 정도의 수혜를 받고있는 점등을 개선하며, 시장가격을 인위적으로 높게 유지함으로서 소비자들의 불만이 제기되고 있는 점등을 감안하여 소득 직접 보조제도를 강화

- 경지면적 단위당 또는 가축사육 규모에 따른 직접보조 지급의 강화

0 품목별 가격및 생산보조 제도를 지역단위별 보조로 전환하고 낙후지역등에 대한 지역개발사업과 환경보전을 강화

0 휴경보상제 (SET-ASIDE PROGRAMMES) 의 개선, 즉휴경면적을 기준하여 직접 보상하던 방식에서 농가가 보상방법을 선택토록 하거나 세제상 혜택을 주는 방법으로 전환

0 과잉생산품목의 생산량 감축

- 우유생산 쿼타를 3-5 프로 축소

- 쇠고기, 양고기의 과잉생산을 감축하기 위해 수매제도의 개선, 즉 일정가격 수준으로 수매하던 방식을 경매방식으로 전환

- CEREALS 의 경우, EC 집행위가 매년 설정하는 최대보장량 (MAXIMUM GUARANTEE QUANTITY)을 초과하는 생산량에 대하여는 수매가격 차등적용등 제재를 강화

2. MAC SHARRY 위원은 동 집행위원회의에 위와같은 CAP 의 개혁 기본방향을

통상국   2차보   경기원   재무부   농수부   상공부

PAGE 1

91.01.08   02:22 DP

외신 1과 통제관

0039

제시하면서,비록 동 방향은 매우 초기적인 구상에 불과하나 이는 유럽 농민들에게는 혁명적인 조치가될것이라 말하고, 90년도의 경우 EC 농가소득은 2.8프로 감소하였을 뿐아니라, UR 협상에서 보조감축 수준에 합의를 볼 경우 농민들의 어려움을 더 할것이라고 함

　　3. 한편 동 집행위원회의는 CAP 개혁문제는 91/92 EC 농산물 가격제안및 환경보전 문제와 연계하여 검토되어야 하고, UR 농산물 협상이 진행되고 있을뿐 아니라 EC 농민 단체들과 충분히 의견교환을 갖기위해 향후 15일 이내에 구체적인 제안을 제출키로 결정하였음. 끝

　　(대사 권동만-국장)

외 무 부

종 별 :

번 호 : ECW-0023   일 시 : 91 0110 1700

수 신 : 장관 (봉기, 경기원, 재무, 농수산, 상공부) 사본:주제네바대사-직송필

발 신 : 주 EC 대사

제 목 : EC/공동 농업정책 개혁방향 토의결과

    연: ECW-0015

  1. 1.9. EC 집행위의 관련 집행위원회의를 개최하고, 공동 농업정책(CAP) 개혁방향에대한 토의를 가졌음. 금 회의에서도 구체적인 문서제안은 없이 CAP 개혁기본방향을 MAC SHARRY 위원이 설명하였으며, 특히 동 위원은 CAP 개혁이 불가피하며 이를 계기로 EC 농업정책을 보강하려는 EC 의지를 확고히 함으로써 국제적으로 신뢰성을 확보하여야 할 것이라고 말하고, EC 는 농업보조 관련하여 일부국가가 보여주고 있는바와 같은 비현실적인 접근방식에 동참할수 없음을 분명히 해야할 것이라고 말함

  2. MAC SHARRY 위원이 설명한 동 개혁방향 요지는 아래와 같음

  0 동위원은 EC 가 기히 취하고 있는 농민보호조치, 즉 유럽농업 경쟁력 확보, 무역중립적이며 환경 보전 지향적인 생산보조 체제의 확립 및 농산물 품질개선등은 고수되어야 할 것이며, 따라서 이와 관련하여 구체적으로 검토되어야 할 사항은 생산쿼타의 감축, 대규모 생산농민들에게만 혜택을 주는가격 보조체계의 개선과 소농에대한 직접 소득보조 방안강구, 농산물의 비식용 사용을 강화하는 방안 및 환경보전 대책을 강구하는 것이 기본방향이 되어야 할 것이라 설명함

  0 동위원은 대규모 농가에대한 가격보조 감축과 관련하여, CEREAL 분야의 경우 6프로의 농민이 총생산량의 60프로를, 쇠고기의 경우 10 프로 농민이 50 프로를 생산하고 있는 현황을 감안할때, 이의 변경절차는 진통을 겪을 것으로 본다고 말하고, 농민 조기 은퇴 지원과, 휴경보상제는 강화하되 휴경지는 비농업용으로사용되도록 유도하여야 할 것이라고 말함

  0 또한 동위원은 이러한 CAP 개혁방향은 농민스스로가 장기 영농계획을 구상하는데 도움이 됩수있는 내용이 되어야 할 것임을 강조하였으나 직접소득 보조문제는 기타

───

통상국   2차보   경기원   재무부   농수부   상공부

조치가 농민소득을 보장하는데 실패할 경우에만 고려되어야 할 것이라고 말함

　ｏ 동 회의에 참석한 각 집행위원들은 환경보전 대책 필요성에 대해서는 전원 의견을 같이 하였고, 대부분의 사안에대해 동조하였으나, CAP 개혁시기, 즉 개혁 시급성에대해서는 상당수의 이견이 제기되었음. 또한 MAC SHARRY 위원은 동 CAP 개혁을 논의하는 것은 UR 협상에서의 압력으로인한 것이 아님을 강조하였으며, 동 문제는 EC농업이사회 차원에서 결정될 문제가 아니며, EC 회원국 정부수뇌들이 결정하게 될 것이라고 말함. 한편, 영국, 네델란드, 덴막은 동 문제는 순수한 농업문제가 아니라 사회적, 생태보호적인 측면까지도 고려되어야 할것이라 언급하였음

　4. DELORS 집행위원장은 동회의 결론으로서 관련부서가 동 CAP 개혁 방향에대한일반정책적인 측면에서의 문서를 갓트협상재개 (1.15) 시점쯤 마련하고, 1.19. 개최예정인 세미나에서 동문서를 토의하게 되기를 희망한다고 말함. 끝

　　(대사 권동만-국장)

외 무 부

종 별 : 지급

번 호 : ECW-0034   일 시 : 91 0111 1500

수 신 : 장관 (봉기, 경기원, 재무, 농수산, 상공부, 주제네바직송필)

발 신 : 주 EC 대사   ㄲ m

제 목 : EC/CAP 개혁

연: ECW-0023

1. 주 EC 불란서 대표부의 담당관은 표제개혁과 관련, EC 집행위는 이미 각품목별 개혁방향 정립을위한 구체화 작업을 착수하였다고 말함. 동 담당관은 그 예로서 CEREALS 의 경우, 개입가격 (INTERVENTION PRICE)은 미국이 시행하고 있는 LOAN RATE 등을 감안한 세계시장 가격수준을 기준으로 할것을 고려하고 있으며, 이와 관련하여 농민들에 대한 보상이 필요할 경우 직접 소득보조 또는 경작면적을 기준하여 보조를 지급하고, CEREALS에 대한 수출환불 (EXPORT REBATES) 을 철폐하는 방안이 검토되고 있다고 말함. 또한 우유생산 쿼타는 3-5프로 감축하고, 사료가격인하에 따라 우유가격도 인하할 것이나, 쇠고기 수출환불제는 유지, 발전시켜 나가는 방안을 강구하고 있다고 말함.

2. 또한 표제와 관련한 집행위원 세미나는 1.20.개최키로 다시 결정하고, 동 세미나에는 농업담당부서뿐 아니라 기타 관련부서 (예: 환경보전 담당)들도 정책자료를수립하여 제출할 것이며, 1.20.세미나 결과를 토대로 제 2차 CAP 개혁안을 정리하여 동 세미나 직후 농업이사회에 상정할 예정임. 한편 EC/91/92 농산물 가격제안의 부수서류로서 CAP 개혁 기본방향이 첨부되어야 함으로 집행위가 동 가격제안을 이사회에 제출하는 시기는 2월 이후로 연기될것으로 보임.끝

(대사 권동만-국장)

통상국   2차보   경기원   재무부   농수부   상공부

PAGE 1   91.01.12   02:27 DN
                                                    외신 1과 통제관
                                                                0043

외 무 부

종 별 :

번 호 : GVW-0065   일 시 : 91 0111 1200

수 신 : 장관(통기, 경기원, 재무부, 농림수산부, 상공부)

발 신 : 주제네바대사대리

제 목 : UR 협상관계기사

    금 1.11(금) 자 FINANCIAL TIMES 지 보도에 의하면, 1.10(목) DUNKEL 갓트 사무총장과 MACSHARRY 이씨농업담당 집행위원 및 ANDRIESSEN 대외담당 집행위원간의 협의시, 이씨측은 농업 보조금감축에 관한 새로운 오퍼 제출 요구는 수락할 수 없으며 일부내용을 재조정, 브랏셀 회의시 제시한 내용을 기초로 협상을 재개해야 할것이라는 입장을 표명하였다 하는바, 동 기사 별첨송부함.

    첨부: 상기 기사 1부.

    (GVW(F)-0014). 끝

    (대사대리 박영우-국장)

통상국   2차보   경기원   재무부   농수부   상공부

PAGE 1   91.01.12   06:46 DN

                                    외신 1과 통제관

GVW(가)-0014   1991 11/01 1600

"GVW-0065 첨부"

FINANCIAL TIMES (91. 1. 11. 토)

Commission refuses to budge on offer to Gatt negotiators

By David Gardner in Brussels

THE European Commission yesterday refused to make a fresh offer to cut farm subsidies as a means of restarting the stalled Uruguay Round of trade talks.

The Commission said it had no mandate to move outside the framework of the offer agreed by member states in October to cut subsidies by 30 per cent.

However, the EC's international trading partners were urged to reconsider the Community's offer, which had been refined at last month's trade ministers' meeting in Brussels.

Mr Ray MacSharry, EC farm commissioner, and Mr Frans Andriessen, external relations commissioner, told Mr Arthur Dunkel, director general of the General Agreement on Tariffs and Trade, that they still believed the refined offer represented a real shift in the EC's traditional position on farm trade from which serious negotiations could restart.

But if the US – which rejected the offer last month, along with the 14-nation Cairns group of agricultural exporters – continued to insist on further movement as a prior condition to resuming the Round, the Commission would be unable to comply.

Mr Dunkel, who was visiting Brussels in an attempt to find ways to revive the Uruguay Round, is due to report next Tuesday to Gatt members on prospects of restarting the talks.

The refined offer has not been precisely detailed by the Commission or submitted in writing. However, it is understood to include:

● Internal subsidy cuts of 30 per cent over 10 years starting in 1989, not 1986 as originally proposed. This compares with a US demand for cuts of 75 per cent over the next 10 years;

● The EC would commit itself to allowing farm imports of "at least 3 per cent" of total consumption as well as moving gradually from variable levies to a system of fixed tariffs;

● Specific commitments to limit export subsidies either by cutting the volume of trade affected or the cash spent. The EC would not, however, cut export subsidies by 90 per cent as demanded by the US;

● The EC would apply its "rebalancing" concept, whereby farm trade protection could be increased on certain products, such as feedgrain substitutes like corn gluten, but not to oilseeds and soya-beans.

The refined offer already represents a significant policy concession in the Commission's view, and is not a final, but a negotiating, position. US and Cairns group officials have implicitly recognised this by casting doubt on whether the Commission could get such a package approved by EC member states.

Commission officials said the refined offer has not been formally endorsed by member states but they believed it would be approved in the context of a global package of trade reforms. The EC has been anxious to shift the emphasis of the talks away from just agriculture.

외 무 부

종 별 :

번 호 : ECW-0055   일 시 : 91 0118 1700

수 신 : 장 관 (통기, 경기원, 재무, 농수산, 상공부) 사본:제네바 대사-직송필

발 신 : 주 EC 대사

제 목 : 갓트/UR 협상

1. 1.15-16 BRITTAN EC 집행위 부위원장은워싱턴 방문연설및 대서양
이사회에서행한 연설을 통해, EC 는 자유무역 이념을 실천하기 위해 경제통합을
추진하고 있으며, 그결과 금융분야등 일부분야는 40여년 이상 무역자유화를 추진해온
미국보다 시장개방에서 앞서고 있다고말함. 동인은 미국과 EC 는 표제협상에서의
이해를 같이하고 있을뿐 아니라 공히 세계무역자유화에 대한 희망을 갖고 있으며,
양측은 NICS가 갓트규범을 보다 수용할것을 기대하며 미국이 교통, 통신, 섬유등
분야의 시장개방에 미진한것에 대해 유감을 표시하고, UR 협상에서 미국이 EC의 CAP
를 붕괴시키기 위한 전략을 추진해온것은 표제협상 타결에 악영향을 주었으며 이제는
그러한 비현실적인 전략을 추진하는 것보다는 현실적인 자세를 취해야할 시기임을
강조함. 또한 동인은 UR협상은 농산물뿐아니라 교통, 통신, 금융써비스 분야, TRIPS,
TRIMS및 반덤핑등 모든분야에서 성공적으로 합의가 도출되어야 할것임을 지적함

2. 동인은 EC/CAP 는 EC 발족 이전부터 각국이 시행하고 있던 농업정책을 EC 가
수용한것에 불과하며 그럼에도 불구하고 EC 로서는 미국과 같이 농업분야에 매년
수백억불씩 소득보조제도 (동인은 동 소득보조가 결국 수출가격 하락에 영향을 준다고
주장함) 를 고안한바도 없으며, 일본의 농업보조와 같은 정책을 수립하여 시행하고
있지 않다고 주장하고, 중요한것은 불완전한 제도가 존재할수 있다는 것이며 이론적인
유토피아가 아니라 정치적, 경제적인 측면에서의 현실을 인식하고 상호균형적으로
보조금 감축을 이행해야 할것임을 강조함.

3. 동인은 또한 브랏셀 각료회의시 EC 는 10년간 국내보조 30프로 감축이외에
농산물 수출상한설정, 시장 미개방 농산물에 대하여 국내소비량의 3프로 수준까지
시장접근을 허용하며 대두와 OIL SEEDS 는 REBALANCING 대상품목에서 제외할 것을
추자제의하는등 미국의 요구를 충족시키고, CAP 주요원칙의 변경을 내용으로 하는

통상국   2차보   경기원   재무부   농수부   상공부

PAGE 1   91.01.19   09:28 WG

외신 1과   통제관

0046

타협안을 제시한바 있으나 이러한 양보가 받아들여 지지 않았다고 말함. 동인은
수출상한제 도입과 30프로 국내 보조감축제안은 협상타협을 이룩하기 위한 기초로서
충분하며 협상에서 타협은 CAP 개편작업을 촉진할것이라고 강조하면서 UR 협상 실패는
CAP개편작업 중단을 초래하게 될것이며, 이는 EC나 미국 모두에게 유해한 결과가
될것이라고말함. 끝

　　(대사 권동만-국장)

원 본

외 무 부

종 별 :

번 호 : ECW-0058   일 시 : 91 0121 1800

수 신 : 장 관 (통가, 경기원, 재무, 농수산, 상공부) 사본:주제네바-직송필

발 신 : 주 EC 대사

제 목 : EC/CAP 개혁

1. 1.20. 개최된 EC 집행위원 세미나에서 MACSHARRY 위원은 CAP 개혁 필요성은 농가소득구조를 개편하는데 주안점이 있다고 설명하면서 장기적인 관점에서 CEREALS 분야중 소맥의개입가격 수준을 50 프로 삭감하여 나가고, 기타 CEREALS 의 가격은 30-40프로, 버터 개입가격은 15프로, 우유 개입가격은 10프로를 감축하며, 우유생산쿼타도 10프로를 축소하는 것을 목표로 SET-ASIDE PROGRAMME, 농산물의 비식용 사용을 강화, 농민 조기연금제 실시를 보강하면서 이에따라 가격및 생산 보조제등을 개편해 나갈것을 제안하였음. 그러나 동 제안에대해 영국및 ANDRIESSEN 집행위원은 농업의경 쟁력 제고 필요성과 농업 직접 소득보조는 사회정책 추진과 중복됨을 지적하므로서 집행위원간에 합의를 이루지 못함.

2. 동건 관련 상세내용은 추보하겠으며, 1.21-22개최되는 EC/농업이사회에서는 UR 협상 및 표제건 논의될 예정임. 끝

(대사 권동만-국장)

통상국   2차보   경기원   재무부   농수부   상공부

PAGE 1   91.01.22   16:27 WG

                                                외신 1과 통제관

                                                0048

외   무   부

종   별 :

번   호 : ECW-0062   일   시 : 91 0122 1700
수   신 : 장 관 (봉기, 경기원, 재무, 농수산, 상공부) 사본:주 제네바 -직송필
발   신 : 주 EC 대사
제   목 : EC/CAP 개혁

        연: ECW-0058

1. 20. 표제에대한 EC 집행위원 세미나결과 및 관련단체의 반응등을 하기 추보함.

    1. 동 세미나에서는 MAC SHARRY 위원의 CAP개혁 기본구상안에 대하여 합의를
이루지는 못하였으나 대다수가 원칙적으로 동의하고, 동기본 구상안을 골자로하여
기본계획을 작성, 농업이사회및 차기 집행위원회에 제출키로하였음. MAC SHARRY
위원의 기본구상안 내역은 아래와 같음.

    0 CEREALS
    - 개입가격 결정과 관련한 BUDGET-STABILISERSSY STEM, 초과생산분에 대한 공동책
임 분담제, 최대보장량제 (MGQ) 는 폐지함.
    - 보장가격 수준은 30-40 프로 또는 M/T 당 90-100ECU 씩 감축함.
    - 직접 소득보조 (HA 별) 지급: 30 HA 까지는 소득상실액 전액, 30-80HA 까지는
75프로, 80HA이상은 65프로 지급
    - 휴경보상제에 따른 휴경지에 대해서는 생태보전목적의 생산만 허용

    0 OILSEEDS (유채, 해바라기, 대두등)
    - CEREALS 분야와같이 가격수준인하, 현행제도의 폐지 및 경작면적의 축소조치를
취하되, 환경보전과 관련한 신규계획을 수립시행

    0 낙농제품
    - 생산쿼타감축 (5프로 또는 100백만본) 하여 나가되, 동 감축조치는 연간 우유
생산량이 20만본이상 농가를 대상으로 시행
    - 버터 개입가격은 15프로, 분유가격은 5프로씩 감축
    - 초과생산량에 대한 공동책임 분담제는 폐지하되, 낙농진흥을 위한 EC 신규계획을
수립함.

통상국   2차보   경기원   재무부   농수부   상공부

PAGE 1   91.01.23   10:16 WG

                                                    외신 1과 통제관

                                                        0049

UR(우루과이라운드) 농산물 협상 관련 EC(구주공동체) 입장, 1990-92 293

O 쇠고기

- 개입가격을 15프로 인하하되, 90두 이하 사육농가를 대상으로 매 3년마다 40 ECU 씩 보상금을 지급하고, 진흥계획을 수립시행

O 양고기

- 보상금제 실시: 열악지의 경우는 750두 이하, 기타지역은 350두 이하 사육농가를 대상

- 조방화 (EXTENSIFICATION) 보상금 지급: 산악지의경우 HA 당 3두이하, 열악지의 경우 5두 이하, 기타지역은 7두 이하 사육농가를 대상

O 기타 부수조치

- 환경보전 시책에 부응하는 농가에 대하여는 5년동안 연간 또는 HA 당 정액보조를 지급

- 조방화및 휴경화에 따른 HA 당 정액 보조지급

- 장기휴경 보상제, 농경지의 산림복구시책 추진

- 조기 농민은퇴자에 대한 최대소득보조 지급

2. 한편 EC 농업생산자 단체인 COPA 는 STEICHEN 농업이사회 의장 (룩셈부르그농무 장관) 에게 최근 EC 농가소득 수준이저하되고 있음을 지적하면서, CAP 개혁, 91/92가격결정및 UR 협상에 이러한점이 감안되어야 한다고 주장함.

3. 또한 EC 소비자단체인 BEUC 와 IOCU 는UR 협상의 실패는 EC 에 기인되고 있다고 비난하면서 동 협상의 조속한 재개와 CAP개혁작업의 촉진을 요구함. 양 단체는 EC 가 CAP 를 시행하고 있어 1) 89 경우 EC소비자들은 <u>596억 파운드의 추가부담</u>이 발생되었으며, 2) CAP 는 대규모 농가들에게만 혜택을 주고 있고, 3) CAP 지출의 절반정도만 농가에 지급되는등 비능율적이며, 4) CAP시행으로 인해 EC 경제도 고갈되고 있다고하고, UR 협상의 성공은 세계 농산물 가격을 제고하여 EC 농업의 경쟁력을 확보할수있을 것이라고 주장함. 끝

(대사 권동만-국장)

외 무 부

종 별 :

번 호 : ECW-0064　　　　　　　　일 시 : 91 0123 1600

수 신 : 장관 (봉기,경기원,농수산부) 사본:주제네바대사-직송필

발 신 : 주 EC 대사

제 목 : EC/CAP 개혁

　　연: ECW-0058

　　1.21-22 개최된 EC/농업이사회는 표제및 UR농산물 협상에 대한 토의를 가진바, 주요결과 하기보고함.

　　1. CAP 개혁

　　0 MAC SHARRY 위원은 구체적인 개혁내용을 제시하지 않고, 개혁 필요성과 그 기본 원칙만을 설명함.

　　0 동 위원은 90하반기 이후 EC 농산물시장및 예산사정이 악화되고 있으며, 91 이후에도 호전될 전망은 없으며, EC 농산물 개입가격 인상을 제한할 목적으로 88 채택시행하고 있는 BUDGET STABILIZERS SYSTEM 을 근본적으로 개혁할 필요성이 있다고 말하고 CAP 운용상 문제점을 아래와같이 제시함.

　　- 쇠고기 (750천톤), 버터 (260천톤), 탈지분유(350천톤) 재고의 증가

　　- 양고기, 담배분야에서의 생산증가와 예산수요증가

　　- CEREALS 의 생산증가와 수요감소, 특히 사료용 사용감소로 인한 재고증가 (90년 말 18.5 백만톤)

　　- 농산물 가격지지 예산증대 (91- 20억 ECU, 92-40억 ECU 소요)

　　- 기타 생산억제를 위한 휴경 보상제, 농지이용의 조방화, 소득보조및 농민 조기은퇴등 부수조치 시행저조

　　0 동 위원이 제시한 CAP 개혁 기본방향은 아래와같음

　　- 환경및 농촌사회보전, 가족단위 영농유지를 위해 농업인구는 최대한 유지

　　- 농업의 식량생산과 환경보전 기능은 인정

　　- 농촌개발을 위한 기타 산업을 농촌에 유치하는 방안강구

　　- 농산물 재고와 농업예산 증가 억제대책

통상국　　2차보　　구주국　　경기원　　농수부

PAGE 1　　　　　　　　　　　　　　　　　91.01.24　　21:19 DP

　　　　　　　　　　　　　　　　　　　　　외신 1과　통제관

　　　　　　　　　　　　　　　　　　　　　　　　　　0051

- 가격정책과 생산봉제 시책은 지속하되,생산성 향상, 휴경제및 직접소득 보조를 통한 소득증대
- 생산의 조방화 권장
- 세계농산물 교역에서 EC 의 능동적 역할지속
- CAP 의 기본원칙 (단일시장, EC 농산물 우선처리및 공동재정) 유지
- 예산지원 체계개선, 즉 가격보조 보다는 직접소득 보조를 통한 소규모 농가의지원강화

O 동 이사회에서 1) 영국, 화란, 덴마크, 에이레는 동 위원이 제시한 기본방향에 대해 거부의사를 표명하였으나, 2) 스페인, 폴투갈, 그리스등은 환영의사를 보였으며, 3) 불란서는 동 개혁이 실시될 경우 자국 농산물 수출에 큰 영향이 있을것으로보나, 동 개혁은 정부수뇌급에서 결정될 사안이라는 입장을 밝힘.

O 한편 COPA 는 동 개혁에 는 가격및 소득보조정책의 지속은 필요하며, 농산물의비식용 사용을 유도하기 위한 지원이 필요하다는 의견을제시함.

O 동 이사회는 집행위가 구체적인 개혁내용과 이에따른 분석적 봉계를 조속히 제출하여 줄것을 요청하였으며, 2.4. 이사회를 개최키로 함.

2. 한편, 동 이사회는 UR 협상 진전상황을 평가하고, CAP 개혁추진과 동 협상과는 무관하다는 점을 확인하였으며, 또한 기존 EC입장을 재확인 하였으나, MERMEZ 불란서 농무장관은 MAC SHARRY 위원이 동 협상에서 국내 총소비량의 3프로 까지 시장 접근을 허용토록하는 제안을 한것은 이사회가 부여한 MANDATE 를 초월한 것이라고 비난한바, 영국은 협상은 FLEXIBILITY 가 필요하다는 측면에서 동 사안은 MANDATE 를 초과한 것으로 볼수는 없다는 입장을 보였음. 끝

(대사 권동만-국장)

EC 공동 농업 정책 개혁 방향에 대한 세미나(1.20) 결과

91.1.24.
통상기구과

1. MacSharry 농업담당 집행위원의 개혁안 요지

가. 기본 방향

　　○ 가격지지(개입 가격) 감축

　　○ 소농에 대한 소득지지 강화

　　○ 대농에 대한 차등 보상

　　○ 환경 보전 측면 제고

나. 구체 방안

　　○ 가격지지 감축

　　　- 곡물(cereals)에 대한 개입가격을 40% 감축

　　　- 쇠고기의 경우 15%, 우유의 경우 10%, 버터의 경우 15%의 개입
　　　 가격을 각각 감축

　　○ 직접 소득 지지 강화

　　　- 상기 가격지지 감축으로 인한 소득 상실을 직접 보상하되 소농
　　　 우대 원칙 적용
　　　　. 30ha 까지는 완전 보상
　　　　. 30-80ha : 75% 보상
　　　　. 80ha 이상 : 65% 보상

　　○ 우유에 대한 생산쿼타 감축

　　　- 생산 쿼타의 5% 또는 1억톤을 감축하되 감축조치는 생산량이 년간
　　　 20만Kg 이상인 농가를 대상으로 시행

공람	통상기구과	91년 1월 접수인	담당 농병헌	과장	심의관	국장	차관보	차관	장관

0053

UR(우루과이라운드) 농산물 협상 관련 EC(구주공동체) 입장, 1990-92　297

ㅇ 기   타
  - 상기 개입가격 결정과 관련된 현행 기술적 Mechanism 폐지
  - 휴경 보상에 따른 휴경지에 대해서는 생태 보전 목적의 생산만 허용
  - 소, 양 사육 농가중 환경 보전 측면(조방화등)고려, 소농에 대한
    보상제도 실시

2. 논의 결과 및 향후 절차

ㅇ 논의 결과
  - 집행위원 대다수가 원칙적으로 동의 하였으나 합의에는 실패
    . 영국, 덴마크, 네덜란드는 대농 희생에 불만

ㅇ 향후 절차
  - 동 개혁안에 입각한 기본계획을 작성, 농업이사회(1.21-22) 및 차기
    집행위원회에 제출, 논의를 계속할 예정이나 결론 도출은 2월 이후에나
    가능시   끝.

2

0054

발 신 전 보

분류번호	보존기간

번   호 : WEC-0051   910125 1345 CG종별 :

수   신 : 주 EC 대사. 총영사

발   신 : 장 관 (통기)

제   목 : EC/CAP 개혁

대 : ECW-62

1. 대호 MacSharry 위원의 CAP 개혁안중 개입가격 감축등을 일정기간(예 : 5년)
에 걸쳐 시행하는지 또는 특정년도(예 : 92년)에 일시에 시행하는지 파악
보고 바라며, 1.20 EC 집행위 세미나시 논의된 자료를 가능한 입수, 최선
파편 송부 바람.

2. EC의 90/91 농업분야 예산규모를 가능한 용도별(예 : 가격지지, 직접소득
보조, 수출보조등)로 파악, 보고 바람.   끝.

(통상국장 김삼훈)

			보 안 통 제	

앙고재	91년 1월 4일	동유 기국과	기안자 성명 농병헌	과 장	국 장 전견	차 관	장 관	외신과통제

0055

발 신 전 보

분류번호	보존기간

번 호 : WUS-0298   910125 1345 CG 종별 :

수 신 : 주   미국   대사. 총영사

발 신 : 장 관 (통 기)

제 목 : EC/CAP 개혁

대 : USW(F)-259, 203, 미국(농) 762-128(91.1.18)

1. EC에서 논의되고 있는 CAP 개혁 방안에 관해 현재까지 본부가 파악하고 있는
    내용은 대호 기사 내용과 같은바, 귀주재국 관련 부서를 접촉, 주재국이
    파악하고 있는 내용을 상세 파악, 주재국의 평가와 함께 보고 바람.

2. 금년도 귀주재국 정부의 농업분야에 대한 예산규모를 가능한 용도별
    (예 : 가격지지, 직접소득보조, 수출보조등)로 파악, 보고 바람.   끝.

                                        (통상국장 김삼훈)

앙고재		기안자 성명	과 장	국 장	차 관	장 관	보안통제
	통상기구과	홍병현					외신과통제

0056

외 무 부

종 별 : 지 급

번 호 : USW-0440

일 시 : 91 0125 1857

수 신 : 장관(봉기),봉일,농림수산부)

발 신 : 주 미 대 사

제 목 : EC/CAP 개혁

대:WUS-0298

1. 대호 지시에 따라 당관 서용현 서기관이 USTR 의 BARBARA CHATIN 농업 담당관과 접촉, 협의한바를 아래 보고함.(토의도중 SUSAN EARLY 대표보도 참여)

가.MACSHARRY EC 농업장관이 제의한 EC 의 별첨 농업개혁안과 관련, CHATIN담당관은 동제안의 핵심은 가격지지를 대폭 숙소하고 이를 소득 보전조치로 대체한다는 것으로써 사실상 종래 미측에서 주장해온 DECOUPLING 개념을 수용하는것이므로 EC 농업개혁을 위한 긍정적인 시발점으로 환영한다고 말함.

0 다만 동 제안에는 VARIABLE LEVIES 의 처리문제에 관한 대책이 마련되어 있지 않으며, 영세농가 및 아일랜드, 남구국가등 EC 내의 빈국들은 동제안을 지지할수도 있겠으나 기타 국가들의 지지를 얻을수 있을것인지는 회의적임.

0 동제안은 내면적으로 UR 농산물협상 을 의중에 두고 있음은 부인할수 없겠으나, 그보다는 CAP 를 유지하는데 소요되는 막대한 예산부담을 경감시키는데 기본적인 목적을 두고 있다고봄.

나. 농산물 문제에 관한 미-EC 간 협상의 진전상황에 관하여 CHATIN 담당관은 미측은 아직 EC 로부터 새로운 제안을 받은바 없으며, 금주말 ADRIESSEN EC 대외 관계 장관의 워싱턴 방문 (1.27. HILLS 대표와 만찬후 1.28. 미정부 주요 인사 면담예정이라 함)후 EC 측 입장을 보다 명확히 알수 있을것이라고 말함.

다. 또한 CHATIN 담당관은 일본도 최근 쌀문제와 관련하여 FLEXIBLE 한 태도를 보이고 있다고 하면서, 미국은 대 EC 관계가 계속 걸림돌이 된다면 우선 우회적 대안으로 UR 서비스 협상의 경우와같이 주요 국가들과의 농산물 분야 양자협의를 통해 FRAMEWORK 을 마련하고 이를 기초로 EC 와 최종 타협하는 방안도 검토중임을 암시하였음.

통상국	차관	1차보	2차보	통상국	정와대	안기부	농수부

2. 대호 2 항 농업분야 용도별 예산은 파악되는대로 추보 예정임.

첨부:USW(F)-0326(11 매)

(공사 손명현-국장)

예고:91. 6. 30 까지

PAGE 2

MACSHARRY PRESENTS OUTLINE FOR CONTROVERSIAL FARM REFORMS TO EC MEMBERS

European Community Agriculture Commissioner Ray MacSharry this week offered dire predictions for the future of the Common Agriculture Policy (CAP) unless there is a fundamental review of its mechanisms, which he said have led to increasing surpluses and agricultural expenditures. In a Jan. 27 speech to a closed meeting of member states, MacSharry outlined the objectives of a farm policy review, which appears to focus heavily on social policy instead of seeking an economic solution to the EC's agricultural problems.

MacSharry proposed to keep the maximum number of farmers on the land by giving them additional environmental functions, and also outlined a proposed support scheme that would favor small farmers. Larger producers would be forced to participate in set-aside programs in order to be compensated for losses resulting from lower support prices. But even then, they would get lower reimbursements for intervention price cuts than smaller farmers, according to the objectives outlined by MacSharry and reprinted below. He emphasized that the review is being conducted for internal reasons, not because of international pressure. Nevertheless, he makes it clear that the EC must "accept its responsibilities as the leading world importer and second leading exporter." In addition, he points out that trade conflicts on world markets are becoming more frequent.

This seemingly social policy focus of the recommendations has led to opposition from other commissioners, including external affairs commissioner Frans Andriessen, who questioned whether MacSharry's proposal drew the right conclusion from the current economic problems. Andriessen expressed concerns that the proposed reshaping of EC agriculture was too radical and that it could actually backfire by hurting the most efficient producers, sources said. However, one informed source pointed out that MacSharry's outline on the objectives of the farm reform are almost identical to a speech given by EC President Jacques Delors to the umbrella organizations of EC farm groups in November 1990. This is a strong indication that Delors supports MacSharry's thrust, but it does not necessarily mean other commissioners will fall in line, he said.

Criticism of the plan was also raised by member states, particularly the United Kingdom and the Netherlands, who would have to absorb 50% of the proposed milk production cuts that were proposed in a Dec. 6 paper developed by the agriculture directorate for MacSharry. Debate in the Jan. 27 council meeting was cut short when MacSharry was called out because of the sudden death of his brother. That paper, which is reprinted below, includes actual numbers for the proposed cuts in production levels and intervention prices. These were removed in a Jan. 19 version, which MacSharry presented to the Commission at its closed weekend meeting. But that paper essentially conveys the same thoughts as the Dec. 6 proposals, informed EC sources said. In the Jan. 27 session with member states' agriculture ministers, MacSharry emphasized that at this stage "there is no decision or commitment by the Commission on any of the details" contained in the Dec. 6 paper.

In light of the criticism raised against his proposals by other commissioners, the Commission will develop a new paper after a Jan. 30 meeting outlining its "reflections" on the development and future of CAP policy. That general document will be presented to member states for a Feb. 4 council meeting, sources said. It will be followed with specific proposals "at a second stage" possibly in the context of this year's price package, MacSharry told the member states.

MacSharry emphasized that the CAP cannot continue as it is now, citing increased budgetary problems and mounting surplus stocks. He evaluated the success of the 1988 reform efforts taken by the EC in the so-called stabilizer package, pointing out that they did not constitute fundamental reform. The Dec. 6 paper proposes to repeal the stabilizer reforms for cereals, according to the copy reprinted below. Production of beef, sheepmeat and tobacco are rising as are stocks of butter and skimmed milk powder, he said. The situation in the cereals market is especially worrisome as total production has remained at about 160-million tons while consumption is declining constantly because of the use of feed substitutes. As a result, the budgetary costs for the EC farm programs will increase by 2-billion European Currency Units in 1991, and an additional 4-billion in 1992, MacSharry said. The stabilizer policy did not attack the underlying problem which is that support in the CAP remains tied to the quantity produced, he said. This gives a permanent incentive for higher production.

The Dec. 6 paper makes some references to the international effects of the CAP, saying increasing EC exports on the static world market are the reason for the "tense relations" between the EC and its trading partners. The paper also points out that its proposals for oilseeds would bring the EC in compliance with the findings of a dispute settlement panel of the General Agreement on Tariffs & Trade, according to the copy reprinted below.

12

0326 -1

Excerpts from MacSharry's Speech to Member States

Without going into a history of the CAP I propose to begin with a brief evaluation of the stabilizers and accompanying measures.

1) The market measures taken have indeed had some impact in so far as the rapid expansion in production has been halted.

This trend, accompanied by a relatively favorable world market situation in 1988 and 1989, has allowed us to go through two marketing years without any great problem. This progress has not been maintained. Several markets are well out of balance again or threaten to become so rapidly:

— production of beef is increasing: intervention stocks amounts to some 700,000 tonnes. That is approaching the record level of end-1987.

— stocks of butter and of skimmed milk powder are increasing also and have attained a level of 260,000 tonnes and 335,000 tonnes respectively.

— in other sectors, such as sheepmeat and tobacco, production and budgetary costs, have also increased dramatically.

— the trend on the cereals market is especially worrying. Total production has remained at around 160 million tonnes but major problems remain. Because of substitutes, consumption of cereals in animal feed is declining constantly by between 1.5 and 2M tonnes annually.

— Wheat production has increased by 10 million tonnes over the last 3 years; the world market has been largely stagnant over the last 10 years.

— Intervention stocks of cereals are 18 million tonnes compared to 11.5M tonnes at the beginning of the marketing year. We think stocks could increase by a further 10 million tonnes by the end of the next marketing year.

— These developments are reflected in budgetary costs. We are likely to require 2 billion ECUs more in '91 to support the market. In 1992 FEOGA spending is likely to increase by 4 billion ECUs or 12.5% compared to the budget of '91, itself an increase of 20% compared to spending in 1990.

— some of this increase is due to external factors (fall of dollar and of world market prices) but the fundamental problem internal to the community arises from the growth of production and reduction of consumption, leading to surpluses.

2) The accompanying measures envisaged by the European Council of February 1988 have not been applied as intended:

— only 800,000 hectares, or 2% of the cereals area, have been set-aside; the land with lowest yield is set-aside most often.

— the extensification scheme operates mainly on an experimental basis;

— the income aid arrangements have not been applied extensively; only three member states are involved so far.

— the pre-pension scheme applies in one member state only. How then can this unsatisfactory situation be explained?

— the first explanation is that the stabilizers policy was not a fundamental reform of the cap. That was not its objective. It was rather a policy to stabilize production and spending.

— this policy did not attack the underlying problems, namely that support through the cap remains proportionate to the quantity produced; this gives a permanent incentive to higher production and intensification.

— this has adverse effects both for the market and for the environment through excessive use of polluting inputs and destruction of the countryside.

— the accompanying measures have played only a marginal role since they have been added to a system whose mechanisms have not changed.

It is not surprising then that the cap finds itself once again confronted with a serious crisis; first of all a crisis of confidence internally-farmers are confused and worried; they find that their situation is worsening, that the markets are again out of balance, and that new restrictions threaten; this leaves them in a hopeless situation without any new perspectives.

There is a crisis also externally where markets are more difficult and criticisms and conflicts are becoming more frequent.

In my view the community's agricultural policy cannot avoid a succession of increasingly serious crises unless its mechanisms are fundamentally reviewed and adapted to the new situation.

IV WHAT OUR OBJECTIVES SHOULD BE

1. I believe that we must try to keep the maximum number of farmers on the land. There is no other way to preserve the natural environment, traditional landscapes and a model of agriculture based on the family farm.

2. The policy must now recognize that the farmer fulfills a double function of producing food and of protecting the environment and the countryside.

3. Rural development is not just about agriculture. Other forms of economic activity which help to maintain rural populations and strengthen the economy of rural areas have to be promoted.

4. But we have to avoid a buildup of public stocks and excessive growth in spending on agriculture. This means controlling production as far as necessary to bring the markets back into balance.

5. Price policy and quantitative controls will continue to have a central role in achieving market balance. In particular a major effort must be made to improve the competitive position of cereals, not only because of the problem of substitutes but also because of the pivotal role of cereals in the policy's price structure. I believe that this can be done subject to a number of conditions. Firstly, that the income position of the vast majority of cereals producers is fully protected following the price adjustment. Secondly that the arrangements apply such as to guarantee effective removal of production capacity through temporary set aside and thirdly that by means of direct payments on the basis of area rather than output. There is a built-in disincentive to intensification.

6. The market organizations should also encourage extensification with the object of reducing surplus production, and contributing to an environmentally sustainable form of agricultural production and food quality.

7. The community must recognize the existence of international interdependence and accept its responsibilities as the leading world importer and second leading exporter. The community must remain active on the world market both as regards imports and exports.

8. The cap must continue to be based on its fundamental

principles: a single market[_-_]munity preference, and common financing but their principles must be applied as originally intended. In particular financial solidarity implies the need also for a better redistribution of support.

9. The agricultural budget should then become an instrument for real financial solidarity in favor of those in greatest need. That implies that the support provided by the market organizations should be redirected so as not to relate almost exclusively to price guarantees.

Direct aid measures, based generally on the livestock numbers or area of farms and modulated in function of their size, should be further integrated into the market organizations so as to guarantee the producers income.

10. In the same manner where quantitative arrangements apply or may be brought into effect (quotas, temporary fallow etc) the resulting constraints should increase progressively with the size of farm.

In this way it should be possible to pursue a price policy which guarantees the competitiveness of community agriculture, growth in consumption including development on a sound economic basis of agricultural production for non-food uses.

It is clear also that more effective arrangements need to be made to protect the environment and to preserve the countryside. These arrangements must apply horizontally in the sense of affecting all farms and all member states. On the other hand more flexible instruments are needed to cope with particular problems in individual member states.

The age structure of the agricultural population is both a cause of concern and an opportunity. Concern in the sense that many areas are vulnerable to abandonment following the departure of the present generation and an opportunity in the sense that these people may be encouraged to take early retirement and so help to improve structures. Significant improvements in existing arrangements are required to make the pre-pension scheme a success.

CONCLUSION

These are some of the main elements that will influence the commission in the course of the current review.

One thing is clear; We cannot continue as we are.

The latest expenditure estimates suggest that unless corrective action is taken, the agriculture guideline will be seriously threatened in 1991; while there are exceptional factors this year, it is going to be difficult to defend increased spending of some seven billion ecus in 1991 compared to last year. Even when allowance is made for German unification, expenditure this year will still increase by almost one-quarter on 1990.

So ministers should be in no doubt but that whatever approach we take severe corrective action cannot be delayed much longer.

My approach, both as regards price cuts and reductions in quotas which I regret to say are unavoidable, would be to protect fully the position of the greatest numbers of our farmers. At the same time the top 10% or so, or even less in some cases, of larger more developed farmers would be asked to fend a little more for themselves. This is not a question of discriminating against the productive sector which will still be very well catered for under the community's policy but rather of reorientating the support so as to spread the burden more fairly.

It is worthwhile remembering that 6% of cereals producers account for 50% of the surface area for cereals and 60% of the production; 15% of dairy farms produce 50% of the community's milk and 10% of beef farms produce 50% of beef cattle.

Finally the approach which I have outlined offers an excellent prospect of effective implementation of the measures foreseen in the context of the stabilizers. Especially on set aside and extensification. The council will be aware that apart from the consequences for the market. The failure to implement these arrangements effectively and in a balanced manner has been a source of friction among member states and farmers alike.

Draft EC Farm Reform Plan

Editor's Note: Following is the text of a Dec. 6 proposal prepared by the agriculture directorate for Commissioner MacSharry. MacSharry's staff in turn prepared a Jan. 19 paper for the Commission based on the December text, but eliminated its numbers on proposed support cuts.

Background

The common agricultural policy was created at a time when there was a dearth of most products in Europe. Its mechanisms were devised to meet this situation. In essence, they guarantee internal prices and incomes, either through intervention or frontier protection or, when no frontier protection exists, by deficiency payments to processors using agricultural products from the Community for which a price higher than the world price is paid.

This system, which corresponded perfectly to a non-surplus production situation gave rise to a number of serious problems as the Community moved into surplus for most of its agricultural products. The following problems can be isolated:

The prices and guarantees provided by the intervention mechanisms stimulate production at a price which increasingly outstrips the market's capacity to absorb -- between 1975 and 1988 the volume of agricultural production in the EEC increased by 2% per year, whereas internal consumption only grew by 0.5% per year.

This development has led to a costly build up of stocks (3.7% billion ECU in the 1991 draft budget). It has also meant the EEC having to export more and more on a static world market. Herein lies the reason for the tense relations between the EEC and its trading partners.

The system which, by nature, stimulates production growth favours intensification of production methods. This leads to two equally unacceptable results -- where production takes place nature is abused, water is polluted and the land impoverished; where production no longer takes place and under intensive systems, the land is slowly but surely abandoned, there is desertification and wilderness.

A support mechanism which depends almost exclusively on price guarantees and which rises as production rises favours larger farmers. This is why around 20% of farms produce some 80% of total production and receive a similar proportion of support from the EAGGF.

14

0326-3

INSIDE U.S. TRADE - January 25, 1991
JAN.25 '91 19:16 KOREAN EMBASSY WASHINGTON DC

P.003

0061

UR(우루과이라운드) 농산물 협상 관련 EC(구주공동체) 입장, 1990-92   305

A mechanism based on ▬▬nteed prices is not efficient in terms of income protection for small and middle sized family farms in the EEC. So it is that farmers' purchasing power has hardly increased since 1975.

This is particularly difficult to accept in the context of ever increasing expenditure. In 1980 the EAGGF (Guarantee) budget was of 11.3 billion ECU. In 1991 it will be around 32 billion ECU (not counting expenditure arising from German unification.)

The comparison between such a rapidly growing budget and agricultural income which is hardly growing at all, clearly demonstrates the degree of perversity which exists within the current mechanisms.

II. Developments

1. Unfortunately the above analysis has nothing new about it. It has already been made on various occasions, notably in 1985 when the Commission's "Green Paper" launched a world debate on the future of agriculture in Europe and of the common agricultural policy. From this debate the commission retained a number of objectives (memorandum of 18 December 1985) which can be summed up as follows:

— greater control over production based on a price policy which reflects market demand.

— formulation of a policy to take account of the income problems of small family farms.

— greater awareness of and response to the role of agriculture in protecting the environment and rural development.

2. A number of reforms were adopted on the basis of these objectives:

— on the market side, stabilizers were set up to control production and spending.

— a number of accompanying measures were taken. These included: set aside, extensification premia, aids for re-afforestation of agricultural land, income aid, and aids for the use of environment friendly agricultural methods.

3. The results of the action taken have been mixed:

— the rapid expansion of production has been halted. This development together with the rise in world prices in 1988 and 1989 allowed the community to get through two marketing years without major problems and reduce stocks and spending.

Stabilizers have provided a breathing space but they have not solved --indeed it was never intended that they should -- the basic problem outlined above.

So it is hardly surprising that 1990 has seen a reversal. Production is up and stocks are on the increase in certain sectors (beef, butter, cereals) and spending will be 20% higher in 1991 than in 1990. Without doubt, part of the increase in budgetary spending is due to the fall in the dollar and world exchange rates. Medium term forecasts show a continuing rising production trend whereas internal and world consumption are declining.

— The reforms adopted so far have provided what can only be seen as a very partial response to the underlying problems outlined above. Modulation measures in favour of small producers contribute only marginally to solving the problems of unfair distribution of support between producers. Income aid also plays an extremely minor role. The same can be said for initiatives in favour of the environment and extensification. This is hardly surprising as these measures have been grafted onto a system the essence of which is to encourage intensification of production.

It is not s▬▬ing, under these condition, that the CAP is again faced with a grave crisis

Within the Community, there is a lack of confidence in the future--farmers are confused and anxious. They can see their situation worsening-markets are once again unbalanced, and new restrictions threaten them. There is nothing new on offer, no hope for a better future on which to base a viable longterm economic activity.

Outside the Community critics and conflicts abound. Our trading partners are becoming decreasingly tolerant of a CAP whose surplus products weigh ever more heavily on world markets.

It should, by now, be abundantly clear to all and sundry that the EEC agricultural policy cannot proceed along these lines without putting its own existence at risk. The mechanisms must be significantly reformed in order to adapt them to a situation which is totally different from that of the 1960's. The alternative would be a progressive erosion of the C.A.P. accompanied by an ever-increasing tendency towards re-nationalization with all the unacceptable distortions between member states and regions this implies.

III. Objective and principles

Before defining the measures to be taken it is essential to spell out clearly the objectives pursued and the principles which are the basis of the reforms proposed to the Council.

1. It is necessary to keep a large number of farmers on the land. There is no other way to preserve the environment and our model of society. This model cannot exist without an active rural development policy and cannot be accomplished without farmers. The commission, therefore, abides by the choice made in the "green paper" and confirmed in the communication on the future of rural society.

2. This choice has consequences which must be assessed and assumed. It implies:

— the recognition that farmers fulfil two functions simultaneously: to produce and, at the same time, to protect the environment and develop the rural fabric.

— that incentives to intensify should be reduced and that extensive farming should be strongly encouraged.

3. Support paid through market organizations should be redirected so that it no longer depends exclusively on guaranteed prices and so that the agricultural budget becomes an instrument of real financial solidarity towards those who most need it.

By basing support more heavily on farm area and less on production volume -- the stimulus for expansion of production would be removed and agricultural spending would be distributed more fairly.

Furthermore price policy must favour the expansion of consumption and the development of competitive conditions for the non-food use of agricultural products.

4. The Community must recognize the existence of international interdependence and accept its responsibilities as first world importer and second world exporter. The Community must remain active on the world market both in the fields of imports and exports.

5. The CAP must continue to be based on its fundamental principles: a single market, community preference, and common financing -- but these principles must be applied as was originally intended. This means correcting the excesses which

INSIDE U.S. TRADE - January 25, 1991

0326-4

15

have developed over the years.

IV. Market Organizations
1. Cereals, oilseeds and protein crops.

Although these three crops are highly interdependent in terms of land use as well as in terms of their use in animal feed, the common market organizations (CMO) which are in force have little in common with each other. Now, the Community is bound, following the conclusions of the GATT "Soya Panel" to reform the oilseeds CMO. As the cereals sector is also affected by serious problems (surplus production and growing imports of substitutes), the Commission proposes to take this opportunity to reform all the CMO's concerned and to make significant progress towards a more coherent policy for the major crops sectors. To achieve this is all the more desirable as the three crop sectors targeted (and in particular cereals), are major inputs (intermediate consumption) for milk and meat production.

a) Cereals

Cereals production is supported mainly by high prices on the internal market. The price level is maintained by an intervention system and strong border protection against cereals imports. On the other hand, cereals substitutes can be imported at low prices with low or zero customs duties which are consolidated in GATT. The high price levels concentrate the bulk of support on farms which produce the highest quantities of cereals: that is to say those large and very large farms which produce very intensively and obtain the highest yields (up to 10 tonnes per hectare and more). Just 6% of cereal farms occupy over half the land used for cereals production and account for 30% of total output.

On a more general note, the high level of guaranteed prices incites producers to increase yield, and consequently production, by using intensive production techniques and preferring types and varieties of cereal which give a high yield but which are not always of the best quality. At the same time, high cereals prices on the Community market means that the animal feed industry is moving towards an ever greater use of cereals substitutes which are, in the main, imported. As a result, there is a decreasing use of cereals in animal feed.

Cereals are grown on some 34 million hectares in the Community and average yields are around 5 tonnes per hectare. Depending on the general economic conditions and the structure of each farm -- yield can vary between 1 and 10 tonnes per hectare. There are around 4.3 million farms producing cereals in the community.

General proposals

1) The common market organization is maintained, institutional prices are reduced significantly (target price-100 ECU/tonne-intervention price-90 ECU/tonne).

2) A system of per hectare direct aids is introduced to compensate (totally or partially depending on the circumstances), the loss of income caused by the cut in institutional prices. The new target price becomes a reference for the calculation of the loss.

At Community level, the per hectare aid is calculated in such a way as to compensate (on average) the total loss of income for farms with up to 30 hectares of cereals. This amount (reference amount) will serve as a basis for the various modulations.

3) The base amount which is calculated at a community level is applied in member states in the form of a national reference amount which takes account of average yield in the member states during the last 3 marketing years. Further to this, the member states would be able to draw up, with the Commission, a scheme for modulating the aid at national level to take account of differences in yield between regions or other structural criteria (soil fertility)

4) The amount of the per hectare aid is modulated by a system of reductions, expressed in percentage form and calculated on the basis of all the areas where cereals, oilseeds and protein crops are grown.

The reductions are as follows:
—0% of the cereals aid for the first 30 hectares of cultivated land
— 25% of the cereals aid for the next 60 [50?] hectares of cultivated land
—35% of the cereals aid for cultivated land over the first 80 hectares.

The reference amount for the complete aid is calculated at Community level. It is then applied at national level on the basis of average yield in the given member state. Further to this, the member states would be able to draw up, with the Commission, a scheme for modulating the aid at national level to take account of differences in yield between regions or other structural criteria (soil fertility)

5) Participation in the aid scheme is not compulsory. All farms can take part on condition that a [word illegible] percentage of their total area under cereals, oilseeds and protein crops is set aside as temporary fallow. These percentages are as follows:
— 0% for up to 30 hectares
— 25% for the next 50 hectares
— 35% for areas over the first 80 hectares.

On the basis of these percentages a farmer with 30 hectares (cereals + oilseeds + protein crops) would not be obliged to set land aside as temporary fallow. A farmer with 50 hectares would have to set aside 10% of his land as temporary fallow and a farmer with 100 hectares 19.5%. The temporary fallow rate would be re-examined on a yearly basis to take account of production. For scientific reasons the temporary fallow would be organized as a rotation of surfaces in order to rest the soil.

The areas set aside as temporary fallow can be used for annual biomass crops which do not receive C.A.P. support and which are grown for industrial or energy purposes (for example, new raw materials for fibres, paper, cellulose etc.). On condition that our forthcoming proposal to abolish the dried fodder regime (processing aid) is adopted and put into effect, the land set aside as temporary fallow can be used for growing fodder crops (clover, lucern etc.)

5) The cereals co-responsibility tax, the maximum guaranteed quantity and the stabilizer mechanism are abolished.

b) Oilseeds

At present around 12 million tonnes of oilseeds are produced in the community by some 500,000 farmers on around half a million hectares. Nearly all these farmers also produce cereals and, generally, they have a greater land area under cereals than under oilseeds. More complex and precise methods are requested to grow oilseeds than cereals. This is why they are normally grown on middle-sized and large farms with cereals yields which are above the Community average.

16

0326-5

General proposals

1) Institutional prices are reduced to the same level as cereals prices.

2) A system of direct per hectare aid is introduced. At the community level, the aid is calculated in a way which insures (on average) the same payments per hectare as for cereals. To calculate the cereals payment the target price is used as a reference. To calculate the oilseeds payment a reference price is defined for the world market.

3) The aid is the same for all oilseeds. As in the case of cereals, the aid is modulated nationally and regionally, level, using the same criteria and procedures as for cereals, taking care to maintain the coherence with cereals at regional level.

4) As for cereals, the aid is modulated by reductions on the basis of the total area where cereals, oilseeds and protein crops are cultivated. The reductions are, in absolute terms, the same as for cereals.

5) The per hectare aid is divided into two parts. The first part is paid in advance on the basis of area cultivated and on condition that the crop is under contract to a buyer. The second part is payed as a complement at the end of the year and takes account (to a degree which has to be defined) of the evolution of real prices on the world market as compared to the reference price.

Where the crop is not under contract, the whole aid (basic amount plus variable supplement) is paid at the end of the year.

6) As for cereals, participation in the aid scheme is not obligatory but is subjected to the same conditions concerning set-aside.

7) The maximum guaranteed quantity and the stabilizer mechanism are abolished.

c) Protein Crops

One million hectares of peas and 0.2 million hectares of field beans are cultivated in the Community with Community support under the C.M.O. Apart from income obtained, the crop is one which is very beneficial in terms of crop rotation.

General Proposals

Same as for oilseeds but with the same level of aid applicable to cereals.

General rule

1) The aid is to be paid only once per year on a given hectare, whatever the crop.

2) All producers can participate in the action program and protect the environment (see page...) and obtain an income supplement in this way. The aids for cereals, oilseeds and protein crops and the aid regime foreseen in the framework of the new agri-environmental instrument are complementary.

3) The financed voluntary set aside scheme is maintained and is open to all main crops farmers whatever the size of their farm: provided that they participate in the per hectare aid scheme, the existing voluntary scheme is open to farmers on the areas eligible for the aid. In this case, the set aside premium replaces the per hectare aid for that land. This is also true for the special regimes tied to voluntary set-aside "green set-aside", "yellow set-aside", "non-food"...

4) A specific scheme for long term voluntary set aside will be open to main crop farmers and with particular objectives of protecting the natural environment and ecologically friendly reafforestation of agricultural land.

5) The million or so farms which produce cereals, oilseeds and protein crops in the less favoured areas (about 48% of total farms) continue to benefit from the compensatory allowances granted.

Comment

1) The proposed regime for cereals provides a real diversification of support: the support which exists through the market is rounded up by a direct and visible support to the farmer. Support is therefore not exclusively based on volume produced. The significant drop in support prices will have repercussions on production prices and will bring about considerable change in the relation between input prices (fertilizers and pesticides) and the price of the product. All these changes should lead progressively to a lessening of intensification and, so, to a lowering of production.

2) Production will also be reduced by set aside. The use of cereals in animal feed should increase significantly. The cut in cereals prices should benefit milk and beef producers. Providing the drop in farm gate prices is passed onto the consumer, the latter will also benefit (something of particular interest to poorer households).

3) The targeted modulation of the aid scheme will provide an effective response to the enormous social gap between the 4 million small farms with less than 30 hectares of cereals and the 84,000 64,000[?] farms with more than 80 hectares (1.3% of farms) who occupy 22% of the surface and account for around one third of production.

4) The fact of knowing that a significant part of their annual income is guaranteed by a per hectare aid which is known in advance, means that farmers have an element of certainty, stability and considerable security, particularly in the case of bad harvests.

5) In the case of oilseeds, the support proposed not only conforms to the conclusions of the "soya panel" but also represents a simplification and increase in transparence which is quite considerable. Furthermore the coherence between the different CMO's increases.

6) Nevertheless the measure proposed does give rise to a quite important problem. Given that part of the cost of supporting cereals will be transferred from the consumer to the Community budget, agricultural spending for the sector should increase. This increase will be offset by:

— the expected production decrease as well as increased demand in the cereals sector

— the modulation of support

— by savings in the oilseeds and protein sectors (due mainly to modulation)

— by potential savings in other sectors (meats and milk products not in annex II containing cereals) where input prices (cereals) drop and where consequently the support price could be adapted.

2. Milk

Milk production is rising despite the existence of individual quotas. This is partly due to the distribution of new quotas following the Court of Justice decision in the SLOM affair, partly to the re-distributing in 1990 of part of the quotas frozen in 1988, and partly due to the slight exceeding of current quotas. To this increase in production can be added a drop in consumption, particularly of butter due to high prices in recent years. As

0084

a result stocks today stand at 38 ▭ tonnes or skimmed milk powder and 240,000 tonnes of butter. Furthermore, the new quotas distributed recently, taken together with consumption forecasts, could lead to greater surpluses in the future.

In order to avoid a further rapid increase in stocks, a supplementary reduction in global quota of at least 4.8% is necessary. [1]

Today some 1.1 million (farms produce around [text illegible] million tonnes of milk per year. Around [text illegible] farms (or 16%) produce more than 200,000 kg of milk per year and account for nearly half of total production. Since quotas were introduced there has been a high concentration of production; this has been to the detriment of small farms producing less than 60,000 kg of milk.

General proposals

1) The quota regime which has first been extended by the Council is maintained.

2) The global quota is reduced by some 4.8% to some 96 million tonnes. [2]

3) However, this reduction is not to be applied in a uniform way. So it is proposed not to reduce the quotas for the 940,000 small and medium-sized farms with an annual production of less than 200,000 kg. These farms have often encountered major difficulties in terms of their economic development following the introduction of quotas. These farms account for over 90% of farms in the hilly and mountainous regions and in the less favoured areas.

On the other hand, some 150,000 large and very large farms with an annual production of 200,000 kg or more would have their quota reduced by around 10%. Average production for this group is around 310,000 kg; most of this reduction falls on the 63,700 very large farms with an annual production of 300,000 kg or more. (Average production for these farms is actually over 400,000 kg per year).

4) The intervention price for milk is reduced globally by 10%. This is made up of a 15% price cut for butter and 5% for SMP. However, this cut should be largely if not totally compensated by the beneficial effect of the significant fall in cereals prices on milk production costs. As this benefit depends as much on production intensiveness (use of compound feed) as on volume, large and very large producers will probably draw particular advantage from this fall.

A compensatory allowance of 40 ECU/cow is introduced for the first 15 cows on each farm. The aid is to be paid for a maximum of 1 livestock unit (L.U.)/forage hectare. The L.U. includes milk cows, suckler cows, adult male bovines and ewes. For example, a farm with 40 forage hectares and 20 milk cows, 20 suckler cows and 40 adult male bovines would have around 80 L.U. per 40 forage hectares or 2 L.U. per hectare. The aid would be paid for ten cows, or, in other words, the 20 milk cows would each receive 50% of the aid.

5) The milk co-responsibility tax is abolished.

6) A Community regime for promotion of milk products is set up.

Comments

In view of the surplus problem and the large budgetary costs involved, some action has to be taken. This is particularly urgent as disposal on the internal or world markets at defendable prices is becoming more difficult. In the short term, the measure

should lead to a ▭ budgetary saving. However, a new explosion of spending in the long term must be avoided. This is the main contribution of the measure.

Milk production is often the main agricultural activity in hill areas and other less favoured areas. Here it is often small and medium sized farms which manage the land. Therein lies the advantage of not making further reductions in costs for these farms (past reductions have already caused problems) and of compensating them -- at least in part -- for the price cut.

3. Beef

1. After a period between 1985 and 1989 when the Community herd fell between 1% and 2% a year, largely due to the slaughter of milk cows in the wake of quotas, the beef herd has increased once more in 1990. This increase is concentrated mainly on suckler cows. This trend underlies the development of the market and the new reduction in milk quota in 1991 will aggravate the situation.

2. In 1987 beef production increased to 8.1 million tonnes as a result of massive slaughtering of milk cows. It fell to 7.5 million tonnes in 1989 and increases again in 1990. In fact both the number of animals slaughtered and the average weight have increased. The increase in slaughtering has been provoked in part by a considerable increase in imports -- in particular calves from Eastern European countries.

3. While production is increasing, consumption is on the wane and the latest information indicates that the problem is structural and not just connected with current events. All this is reflected in stocks which are over 800,000 tonnes and which weigh heavily on the agricultural budget.

General proposal

1) The intervention price is lowered (by 15%).

2) Instead of being paid once in the life of the animal, the existing premium of 40 ECU per animal for male bovines is paid annually for a period of 3 years maximum. This means, over a 3 year period, a threefold increase of the premium to compensate, at least in part, the losses due to the price cut.

The premium is limited to the first 90 animals. Furthermore, it is only paid for 1 L.U. per forage hectare. The L.U. is calculated as for milk cows.

3) The suckler cow premium of 40 ECU per cow plus the national supplement of 25 ECUs is limited to cows of a beef race or dual purpose cows (beef/milk). It is paid for a maximum of 1 cow per hectare of forage area, as for milk cows and male bovines.

4) The intervention regime is simplified. Only one intervention price is applied and it refers to the lowest quality admitted into intervention. The intervention price is reduced as a result of this simplification by around 5%.

Intervention purchase is by tender. Once the "safety net" has been reached, the Community will accept all offers made to intervention which are at least X . . . ECU below the market price. The . . . ECU supplement can be revised if the delay of payment at intervention or the slaughterhouse's scope for making money out of offal change.

5) The fall in cereals prices should have a very beneficial effect on bean production costs. This benefit is left in its entirety to producers.

6) The promotion programme for quality beef is launched. At the same time a programme is set up to control the applica-

18   0326-7   INSIDE U.S. TRADE · January 25, 1991

tion of Community law concerning [illegible] use of hormones. On site inspections are instituted.

Comments

1) The ideas put forward favour a less intensive type of production, both by the lowering of prices and limitation of the premia to one L.U./hectare.

However, given the income problems at present encountered by beef producers, it is proposed to leave them the entire benefit of the serious fall in cereals prices. This will set off the negative incentive to disintensification causes by the price cut. Much will depend, therefore, on the effect which the threefold increase of the premium will have.

2) These price cuts, together with a complete and correct programme of consumer information as well as a promotion campaign for quality beef, should make for a remarkable relaunch of beef consumption. Experience in various Member states shows that the consumer still reacts strongly to beef price variations.

3) The 1987 structural survey indicates that the limitation of the premium to the first 90 animals effects around 10% of the 2.6 million farms in which beef cattle are raised. Around half the total of [number illegible] million animals live on these 10% of farms. All other farms are completely covered by the premium provided that their production is not over intensive.

4) On the question of the suckler cow premium, its limitations to cows of a beef race or dual purpose cows should reduce slightly the number of eligible cows. In fact, the great increase in the number of suckler cows during the current year (1990) seems to have taken place mainly in those dairy farms which were, until the beginning of 1980, excluded from the premium but which are now partially admitted (up to 10 suckler cows for small milk producers).

The limitation of the premium to 1 L.U. per hectare should lead to some extensification of production. This fits in with the approach adopted to male bovines and milk cows.

5) The simplification of the intervention regime will make market management much easier. Too often, good quality meat goes to intervention store while lower qualities remain on the market. This is neither in producers' nor consumers' interest. The modifications proposed in the tender mechanism once the safety net has been reached are designed to stop middle men in a strong position taking the intervention price and giving farmers very low prices, a phenomenon which is observed all too often in some countries.

4. Sheepmeat

1. The Community is the world's largest producer of sheepmeat. The 1987 structural survey indicates that there are around 1 million farms on which sheep are raised. They account for a total of some [number illegible] million animals.

2. Support for the farmer in this sector is based essentially on the ewe premium which is awarded on the basis of certain criteria of eligibility to a maximum of 1,000 animals in less favoured areas and 500 animals elsewhere.

The regime includes a discretionary [word illegible] scheme as well as public intervention to stabilise the market.

3. The number of sheep declared has increased greatly in recent years from 53.7 million in 1981 to 72.7 million in 1989 or +35% in the Community of 12. In the 3 year period from 1982 to 1985 there has been a 3.6% increase and in the 3 year period

from 1986 to 1989 [illegible] 19.4%. The number of eligible ewes has increased even more rapidly -- 30.5% on a three year period from 1986 to 1989. This has led to a strong increase in spending on this sector.

General proposals

1) A ceiling is put on the premium for each producer based on his reference flock, when the ceiling is introduced the reference flock is defined as the average of his eligible ewes in the years 1987, 1988 and 1989. The reference flock cannot be more than 780 animals in less favoured areas and 350 areas elsewhere. All the animals in the reference flock receive the aid.

2) However, the producer can only obtain an extensification premium if he respects the maximum densities of sheep hectare. These maximum densities are determined as follow:
  – 3 ewes per hectare of forage area in the mountain areas
  – 5 ewes per hectare of forage area in other less favoured areas
  – 7 ewes per hectare of forage area outside the less favoured and mountain areas.

3) The supplement to the ewe premium for the less favoured areas is maintained.

Comments

1) The double ceiling to the premium which would be based on a reference flock which will, itself, be subject to certain maximum limits, should slow down the expansion of flocks. It should even lead to an increase in slaughtering in the short term. Meat production would, therefore, increase in the short term. It would decrease afterwards and stabilize at a level whereby the sector is in balance. Expenditure should be stabilized quite rapidly.

2) The medium term fall in production should stabilize the market in one of the rare sectors where demand trends show an increase. This development should mean better farm gate prices and would benefit all producers.

However, one cannot exclude that, stimulated by higher prices, meat production will increase again in the longer term. This could result from ewes giving birth to a greater number of lambs and an increase in the average slaughter weight.

3) The compensatory allowance is devised and must therefore be calculated to favour extensive production. Its contribution to the protection of the environment is paramount at a time where there is increasing preoccupation about the effects of over density of farm animals on the rural environment. At the same time the compensatory allowance will ensure a significant income supplement particularly for the producers in less favoured areas.

5. Accompanying measures

The ideas set out above on market policy in key sectors go well beyond simple adjustments to combat surpluses. They announce the beginning of a new understanding of the CAP and through this of a new era for European agriculture. Agriculture will be more extensive and more aware of its key role at the basis of rural development in protecting the environment and conserving and enriching Europe's natural heritage. This agriculture need not necessarily be less competitive in economic terms. On the contrary, in many cases agriculture's position could well be reinforced on the markets through the high quality of its products.

a) Better management of rural areas -- towards a new agri-environmental instrument

Today, European society has two expectations of agriculture:

— The first is traditional: the production of quality foods. To this is added an ever pressing requirement to produce without polluting air, earth and water.

— The second has long been taken for granted. The management of rural areas which provides a vital service for all of society. It is a collective benefit which the farmer and the rural community are the best placed to fulfill.

The function food of production should, in principle, generate income through the market. On the other hand, market mechanisms have never been suited to renumerating a common benefit such as the management of the rural areas. For this reason, this necessary second function of the farmer must be paid by all of society. Otherwise it will slowly but surely disappear.

The per hectare side and other stimuli towards extensification proposed in the framework of the reform of the CMOs partly fulfill this need. But they, alone, are not enough. For this reason, the Commission is taking back the agri-environmental proposal which was presented a few months ago, in order to strengthen its potential impact, extend its scope and make its application more flexible. This will take better account of the growing needs to protect and restore the natural heritage and of the diversity of problems in various parts of the Community's territory.

General proposals

1) A system of aids is introduced to encourage farmers to use environment friendly methods, for example to make significant cuts in the use of polluting inputs (fertilizers, pesticides and herbicides).

The aid is paid annually and per hectare during a transitional period of at least 5 years permitting the farmer to adapt his production methods. All farmers can participate in the regime. They undertake in farm contracts to request a number of constraints in their farming and livestock rearing methods. These are to be determined on the basis of the differing environmental situations in the Community's regions.

2) A system of aids is set up to promote environment friendly management of farmed land in order to conserve or re-introduce the diversity and quality of the natural environment (scenery, fauna and flora).

The farmer receives an aid if he undertakes, in the framework of a farm contract to renounce methods of intensification (drainage, irrigation, ploughing up meadows . . .) and if he undertakes to farm extensively on those areas of low value in agricultural terms.

3) Finally, an aid system is set up to guarantee the environmental upkeep of land abandoned by farmers or other persons living in the rural communes. This will be a flat-rate per hectare aid paid annually.

4) The programme of agri-environmental action which covers these three measures is completed by a specific long-term set-aside programme which has as its objective to protect the natural environment (biotopes and small natural parks) and to promote ecologically sound re-afforestation on agricultural land.

5) The new instrument will be managed in the framework of the perennial programmes negotiated between member states and Commission. These programmes define, amongst other things, the areas concerned, the amount and modulation of the premia and the concrete conditions which the beneficiary has to meet. They also deal with matters of control. The level of the various aids will be fixed within the programmes so as to be attractive in the regions or zones concerned.

Comment

The idea put forward seeks principally to protect the rural area and the environment. However, on the basis of the qualitative extensification which it promotes it should also contribute to a slowing down of production. It constitutes a valid supplement to farm income which will gain in significance in a context in which, following an agreement in GATT, support measures tied to production must be reduced.

b) Towards a new dynamism: rejuvenation of agriculture and improvement of structures

Contrary to common opinion, efficient management of the rural environment does not mean taking a step back into history. It implies that those dealing with today's problems and new technologies should have a deep understanding of the cause and effect of the rural disease and of the remedies which need to be applied. It implies a sense of responsibility, which is as great as the dynamism of the action.

Furthermore, as the Commission has already outlined in its communication on the future of rural society, it is not only the management of the rural environment function which must be reconsidered but also the function of producing quality foods using methods which are non-polluting. More than ever, today, it is a question of giving the greatest value possible to agricultural and rural products at farm level and the level of the rural community.

Now it is clear that the agricultural sector faces considerable difficulties in meeting this new challenge. The age structure of farmers in activity is more heavily weighted towards age than is to be found in other sectors of the economy. Nearly 55% of farmers are over 56 years of age (according to the 1987 structural survey) and nearly half of those do not appear to have a successor prepared to take over the farm. Furthermore there exists a division of agricultural land into many small farms particularly in those regions where the age structure is the worst. When the size of a farm is very small, the scope for extensifying production and for other environment [illegible] methods is very small.

For these reasons the Commission proposes to introduce an efficient out-goers' scheme which will allow the farming Community to be rejuvenated and production structures to be improved in order to stimulate rural development through agriculture. The ideas set out below take into account the bad experiences the Community has had with such schemes in the past, and of certain weaknesses in the present regime.

General proposals

1) The existing outgoers' scheme is re-enforced and widened. All farmers aged 55 or more can benefit on condition that the land made available:

-- is used by their successors

-- for non agricultural purposes or

-- to increase the area farmed with a view to improving production structure

20   0326-9

— is made available to other farmers, either rented, sold or by other approved and appropriate formulas so that the new farmer can improve his production structure.

2) The sum paid to the outgoer is made up of two parts:

— a fixed element which guarantees a minimum income and a variable element paid on a hectare basis up to a maximum of 30 hectares of usable agricultural land. The amount is calculated on an annual basis and paid in 12 equal monthly payments.

3) The scheme is managed in the context of the pluriannual programmes negotiated between the Commission and each member state so as to guarantee maximum flexibility with regard to national and even regional situations which vary greatly. The scheme is co-financed by the Community with an appropriate modulation of the co-financing rates. Community co-financing is provided within the multiannual support frameworks.

Comment

1) The scheme proposed should accelerate the adaptation of agricultural structures to a significant degree. This will be achieved, in particular, by a restructuring which should lead to a degree of extensification of production.

2) A major problem in the past in some Member states for farmers who have taken early retirement has been the sudden fall in income at the moment of transition from a favourable Community regime to a national regime which is financially less attractive. This has led to a certain reluctance to participate in the Community scheme. By integrating the management of the outgoers scheme to the multiannual programmes a solution to this kind of problem should be easier. The amount for each beneficiary will be calculated up to the age of [number illegible] but it may be possible to reduce annual amounts to take account of comparable regional income. Equally, the duration of the payments could be extended to over [number illegible] years of age.

3) There remains the problem of national co-financing which has often been a severe handicap in the past. There, also, the necessary flexibility should exist.

c) Income aids -- reinforced safety net

At present, member states can install national, regional and sectorial income aid regimes, in a community framework, to compensate poorer farmers, at least in part, for their income losses due to CAP reform. This is a safety net to help farmers adapt to a three year transition period. Member states present aid programmes which are discussed with and approved by the Commission.

The framework and the Community co-financing have been in place for a year and a half. Several Member states have already presented agricultural income aid programmes. Other have shown interest.

First experiences show that current measures are very selective as far as the beneficiaries are concerned and very restrictive on the amounts and duration of the aid as well as on the global budgetary envelope. Furthermore, the income loss calculation can be very complex and easily gives rise to differences of opinion. These can further delay the application of the scheme.

For these reasons, and taking into account the importance of the reforms foreseen, the Commission proposes to reinforce

and extend the safety net offered by income aids. The selective approach will be built in that the aid will be limited to family farms.

General proposals

1) Increase of the maximum aid per farmer from [number illegible] to 4,000 ECU. The whole amount is eligible for the community aid with an 85% co-financing rate for objective 1 regions, 50% in objective 5b regions and 35% elsewhere.

2) Increase of the maximum payment period for the aid from 5 to 10 years decreasing after the 6th year.

3) Adapting of the indicative amount (budgetary envelope) foreseen by the European Council in February 1988 according to the impact of reforms on incomes.

4) Estimation by the Commission of the loss due to the reform measures for each year in advance (if necessary by management committee procedure) with a view to simplifying the calculation and accelerating the payment of the aid.

Comments

The reinforcing and simplifying measures proposed seek to make the setting up of schemes by Member states more easy as well as making the amounts more attractive and shortening the delay in granting the aid. Furthermore the prolongation of the scheme takes account of the importance of necessary adaptations for certain cases.

The Commission believes that the regime must be selective as far as potential beneficiaries are concerned. It must retain its safety net function given that, as a general rule, the ideas put forward in this communication place emphasis on the difficult situation of the high number poorer family farms.

General context

This communication lays out the main lines for a fundamental reform of certain key sectors. As regards other key sectors, the Commission has already made proposals in the recent past or will make them in the near future. The Council has recently decided, on the basis of a Commission proposal, to adapt the olive oil c.m.o. in the context of the second phase of Spanish and Portuguese membership of the Community. The Commission has proposed to extend the current sugar regime for 2 years, with a few minor modifications; the regime will be re-examined in the light of the conclusions of the Uruguay Round. In the coming days, the Commission will put forward its proposals for the reform of the tobacco c.m.o. and the adaptation of the wine c.m.o.

The Commission will also propose the progressive abolition of the dried fodder aid regime. This regime which consists of permanent aids for the operation of drying plants gives rise to rapidly increasing budgetary expenditure (+ 500% in the last seven years).

The impact of the proposed reform on rural development should be positive. It should consolidate the position of the family farm and add dynamism to agriculture. It should improve the standard of land use and conservation, restoring the natural heritage. This does not mean that, in the future, there will not be a continuing need for diversification of the on-farm economy as well as at the rural community level. These needs will be considered and responded to in the second generation of rural development programmes under objectives 1 and 5b.

0088

Financial Aspect

It is extremely difficult to evaluate the financial impact of the ideas proposed in the communication. This is because, for the first time, farmers will have a real choice as to their participation in the various aid regimes and the obligations deriving therefrom.

It is not always easy to predict their choices. Furthermore the absence of reliable statistical information does nothing to help. Our first estimations rely very heavily, therefore, on working hypotheses.

However, if all the measures proposed are put into effect rigorously and the reform of the tobacco c.m.o. as well as the phasing out of the dried fodder regime take place, first estimates indicate budgetary neutrality, perhaps even a small saving.

One major problem remains: the financing of the new agri-environmental instrument and of the re-enforcing of the outgo-ers' scheme. In order to give results, the two regimes will require a high level of financing. They can no longer be included in the current EAGGF (Guidance) envelope. For these measures to have a major impact a new solution will have to be found for financing them. This could be to introduce a new title in the financial perspectives which would include the current set aside scheme, the current quantitative extensification scheme, the new agri-environmental instrument, the re-enforced outgoers' scheme and the income aids scheme: that is all the measures directly related to the reform of the C.A.P., to the stabilization of the markets and the remuneration of the farmers' role in managing the rural environment and nature conservancy.

---

[1] 6 % taking account of ex-GDR territory
[2] 5% and some 100 mio tons taking account of the ex-GDR territory

MacSharry 집행위원의 CAP 개혁안 요지

1991.1.28.
통상기구과

1. CAP 개혁안 요지

가. 기본 방향

   ㅇ 가격지지 (개입 가격) 감축

   ㅇ 소농우대의 소득지지 강화

   ㅇ 환경보전 측면 제고

나. 주요 품목별 개혁 방안

> 곡물, 유지작물, Protein Crops

ㅇ 기본 방향

   - 지지 가격 감축 및 경작면적 기준 직접소득 지지를 통한 과잉생산 해소, 대.소농간 불합리한 소득분배 시정 및 환경보전에 유익한 조방화 (extensification) 제고

ㅇ 세부 방안

   - target price를 톤당 100 ECU, intervention price를 톤당 90 ECU 각각 삭감

   - 동 가격 삭감으로 인한 손실을 경작면적을 기준으로 한 직접소득 지원으로 보상하되 소농우대

     . 30 hectare 까지 : 완전보상

     . 30-80 hectare : 75% 보상

     . 80 hectare 이상 : 65% 보상

0070

- 동 소득 보조 수혜를 위해서는 일정한 휴경 조치 의무화

  . 30 hectare 까지 : 휴경 조치 의무 없음

  . 30-80 hectare : 25% 휴경 조치

  . 80 hectare 이상 : 35% 휴경 조치

- 단, 동 휴경지에 대한 biomass crop (섬유, 종이용 원료등) 또는 건초 (clover등) 재배는 가능하나 정부 지원은 배제

우 유

o intervention price 감축

  - 우유 : 10% 감축

  - 버터 : 15% 감축

  - skimmed milk powder : 5% 감축

o 우유의 global quota (EC 내 생산량) 감축

  - 현 생산 quota 를 4.8% (동독 포함시 5%) 감축하여 9,600만톤 (동독 포함시 1억톤)으로 유지

  - 단, 생산 quota 감축의무는 년 20만kg 이상을 생산하는 대농에 대해서만 적용

o 상기 지지 가격 감축으로 인한 손실 보상

  - forage hectare 당 1두를 기준으로 최고 15두까지 두당 40ECU 보상

쇠 고 기

o intervention price 15% 감축

o 상기 지지 가격 감축으로 인한 손실 보상

  - forage hectare당 1두를 기준으로 최고 90두까지 매년 두당 40ECU 씩 3년동안 보상

2

0071

양 고 기
---

o 현행 premium 제도 적용 두수 상한선을 하기와 같이 축소

   - less favored areas : 780두 (현행 : 1,000두)

   - 여타 지역 : 350두 (현행 : 500두)

o 조방화 (extensification)에 따른 premium 수혜 대상 두수 상한선 설정

   - 산악지대 : hectare 당 3두

   - less favored area : hectare 당 5두

   - 여타 지역 : hectare당 7두

다. 기 타

o 환경보전 측면제고

   - 비료, 살충제등 환경유해 투입 요소 감축시 조방화등 계약조건
     이행을 전제로 5년동안 hectare 당 매년 일정한 보조 시행

o 조기 농민 은퇴자 보상제도 (efficient out - goers' scheme) 강화

   - 55세이상 농민을 대상으로 한 기존 제도 강화, 확대

     . 최소소득 수준보장 및 최대 30 hectare 상한의 hectare 기준
       보상 병행

o 영세민에 대한 직접소득 보조 강화

   - 영세농에 대한 직접 소득 보조 수준을 1인당 4,000 ECU 수준까지
     상향 조정

2. 미측 (USTR 관계관) 반응

ㅇ 긍정적인 시발점으로 환영

- 농산물 협상도 감안한 것으로 보나 기본적으로 CAP 유지에 수반된 막대한 예산부담 경감이 1차 목적

ㅇ 다만, EC 회원국간 합의 도출가능 여부에는 회의적이며 가변 부과금 처리 문제는 대책 부재

- 영세농 및 아일랜드, 남부국가등 빈국들은 지지 가능하나 기타 국가들의 지지 여부 불투명. 끝.

4

외 무 부

종 별 :

번 호 : ECW-0086   일 시 : 91 0128 1800

수 신 : 장관 (통기)

발 신 : 주 EC 대사

제 목 : EC/CAP 개혁

대: WEC-0051

대호관련, 1.28. 당관 이관용 농무관은 EC 농업총국의 MADISON 국제관계 담당과장을 접촉한바, 하기 보고함.

1. 동인은 CAP 개혁작업은 초기 구상단계임을 전제하고, 동 개혁작업은 EC 농업내부의 문제점, 즉 일부품목의 과잉생산으로 말미암은 가격하락, 재고비용등 재정부담과 중, 농가소득의 저하등 구조적인 문제들을 개혁하는데 주안점을 두고 있으나, 현재로서는 정치적인 차원 즉 MACSHARRY 집행위원 또는 LE GRAS 총국장 수준에서 기본원칙 (PHILOSOPHY) 을 검토하고 있으므로, 1.20. 집행위원 세미나에서 MAC SHARRY위원이 제시한 각 품목별 개입가격 감축목표들은 집행위 공식제안은 아니며, 동 세미나를 통해 집행위원및 각 회원국 대표들의 의견을 수렴하기 위한 MAC SHARRY위원의 견해라고 보는 것이 타당할 것이라고 말함. 또한 동인은 CAP 개혁작업은 GATT/UR 협상과는 무관함을 강조하고, 다만 동개혁결과가 UR 협상에 반영될수는 있을것이나, 동 개혁작업이 UR 협상종료 이전에 완료될수 있을것인지에 대해 개인적으로 의문을 갖고 있다고 말함.

2. 동인은 현재로서는 CAP 개혁작업 추진을위한 총괄담당관 (COORDINATER) 도 지정되어 있지 아니한 상태이며, 더욱이 개입가격 감축기간및 방법, 직접소득 보조시행방안에 대한 문의에대해 EC 집행위의 공식적인 의견을 제시할수 있는 사람은 없을것이라고 말하고, 1.20. 집행위 세미나 논의자료는 배포될 문서가 아니며, 동인도 갖고 있지 아니하다고 말함 (이농무관은 동 문서를 입수키 위해 동세미나 개최직후 MAC SHARRY OFFICE 에 접촉한바, 3주후에 입수 가능할 것이라는 답변이었음)

3. 한편 91 EC 예산은 전년대비 19프로 증액된 58,419 백만 ECU 이며, 그중 EAGGF GUARANTEE 분야, 즉 농산물 가격지지및 수출환불금등 예산은 전년대비 18.83프로 증가

통상국 2차반

PAGE 1   91.01.29   06:50 DA

외신 1과 통제관

0074

한 3,156 백만 ECU이며, 91 농업분야의 세부 예산내역은 파악 되는대로 추보하겠음.

끝

(대사 권동만-국장)

외   무   부

종   별 :

번   호 : ECW-0095   일   시 : 91 0130 1610

수   신 : 장관 (봉기,농수산부)

발   신 : 주 EC 대사

제   목 : EC/CAP 개혁

표제 관련한 EC 회원국 농민단체들의 동향을 하기 보고함.

1. 불란서 농민단체 연합회인 FNSEA 는 EC에서 논의중인 표제개혁 구상은 EC 농업이처한 경제적, 사회적인 현실을 잘못 판단한 결과를 토대로 구상된 것이며, 동 개혁 안은 유럽농업의 근본이념을 파괴할 뿐 아니라,국제관계와 불란서 농촌사회에 심각한 영향을 줄것임을 강조하면서 불란서 정부가 동 개혁안을 거부해 줄것을 요구함.

2. 영국 농민연맹도 동 개혁구상은 영국농업의 완전한 황폐화를 초래할 것이므로 수락할수 없음을 전제하고, 소농보호를 위한 측면에서 동개혁이 불가피하다는 것은인정하나, 개입가격 감축은 과잉생산 통제를 위한 수단으로서만 활용되어야 하며, 동 감축시행이 영국농업에 영향을 주어서는 안될것이라고 함. 동 연맹은 비록 불란서,독일의 농업상황이 영국과 크게 다를지라도 불란서, 독일 농민단체들과 연합하여 MAC SHARRY 구상안에 대한 대안을 마련할것이라고 말함.

3. 한편 벨지움의 UPA 도 반대입장을 표명하고,생산과잉 문제를 개선하기 위해 CAP 개혁의 필요성을 인정하나, 동 개혁은 국경보호와 과잉생산물의 비식용 사용방안을 강화하는 측면에 주안점이 두어져야 할것이라고 말함. 끝

(대사 권동만-국장)

외 무 부

종 별 :

번 호 : ECW-0114   일 시 : 91 0204 1600

수 신 : 장 관 (봉기,경기원,농림수산부) 사본:주 제네바 -직송필

발 신 : 주 EC 대사

제 목 : EC /CAP 개혁

연: ECW-0062, 0064

1. (2.1. EC 집행위는 표제 개혁작업의 기본방향을 확정하여 EC 이사회에 제출하였음 (동 TEXT 는 별도 FAX 송부). 동 제안은 CAP개혁 기본원칙과 개혁목표 달성을 위한 기본제도에 관한 사항만 포함되어 있으며, 개혁목표등 관련한 세부자료는 이사회의 논의결과등을 감안하여 추후 제시할것임. 한편, 2.1. 개최한 집행위원 회의에서 RIPA DI MEANA환경담당 집행위원은 동개혁 방향에는 SET-ASIDE, 조방농업및 화학비료 사용억제등 환경문제와 관련된 개혁내용이 미흡하고, 환경보전을 감안하여 영농하는 자에 대한 보상제도가 강화되어야 한다는점을 지적하면서 이의를 제기함.

2. 2.4-5 개최되는 농업이사회는 동 CAP 개혁 기본방향과 갓트/UR 농산물협상에 대한 EC입장에 대해 놓였있음. 끝

(대사 권동만-국장)

통상국   2차보   경기원   농수부

PAGE 1   91.02.05   10:14 WG

주 E C 대 표 부

종   별 :

번   호 : ECW(F)- 0014

일   시 :   0204 1600

수   신 : 장관(봉기, 경기원, 농림수산부)

발   신 : 주 EC 대사

제   록 : EC/CAP 개혁

        연 : ECW-0114

    2.1. EC 집행위가 확정하어 이사회에 제출한 표제 개혁 기본방향을
별첨 송부합니다.

첨부 : 관변 자료.   끝.

백 부 처	장 관 실	차 관 실	一 차 보	二 차 보	기 획 실	의 전 장	아 주 국	미 주 국	구 주 국	중 아 국	국 가 국	경 제 국	통 상 국	정 문 국	영 이 국	각 사 과	정 보 관	감 사 원	청 와 대	총 리 실	안 기 부	경 기 원	농 수 부
												⊘										

3매72

(총 3 매)   0078

ITEM 1

ACCESSION NUMBER : 45747
DOCUMENT NUMBER   : P/91/2
TITLE   : COMMUNICATION OF THE COMMISSION TO THE COUNCIL ON THE
                    DEVELOPMENT AND FUTURE OF THE CAP - REFLEXION PAPER
DATE OF DOCUMENT : 91/02/01
LANGUAGE   : EN
LOADED DATA   : FULL

Guidelines for achieving a fundamental reform of the mechanisms of the
Common Agricultural Policy were approved yesterday by the European
Commission in a reflection paper presented by Mr Ray Mac Sharry, the
Commissioner for Agriculture and Rural Development. The paper will be
discussed by the Council of Ministers on 4th and 5th February as part of
a wider public debate and process of consultation on the far-reaching
implications of the suggested reforms. In the light of the Council's
discussions, the Commission will shape formal proposals and the 1991-2·
price package.
"The paper", which calls for an overhaul of the mechanisms of the CAP,
is a response to a serious crisis confronting EC agriculture:
- budgetary costs are escalating (up 20% in 1991 compared to 1990)
- a number of markets are out of balance and stocks are mounting rapidly
- environmental problems arising from intensive farming are growing
- farm incomes do not reflect increased budgetary expenditure and the
  active agricultural population continues to decline.
The fundamental objectives of the reform are to reorientate policy
socially and economically so as to enable a sufficient number of family
farms to remain on the land and thereby preserve the natural environment
and contribute to rural development.
The guidelines cover a number of aims :
- to enable the European Community, the world's largest food importer
  and second largest exporter, to retain its competitive position on an
  international markets.
- to control production in food sectors where supply exceeds consumer
  demand;
                          - 2 -
- to keep the agriculture budget within agreed ceilings;
- to redistribute support by taking into account existing inequality
  between different categories of producer;
- to break the automatic link that has grown up between price support
  and the volume of food produced;
- to recognise that farmers are both food and non-food producers and
  that they play a vital role in rural society as the guardians of the
  countryside and protectors of the environment;
- to encourage farmers to respond to public concern for better quality
  food by the use of less intensive farming methods.

0079

PRODUCTION AND REDISTRIBUTION :
The core feature of the paper suggests controlling production through the
implementation of substantial cuts in price support, in conjunction with
a redistribution of support. Significant compensatory measures including
direct aids would be introduced to cushion small and medium sized farmers
from the adverse effect of the price and quotas reductions Direct aid
measure would be integrated into the various market regimes.
Price policy and quantitative controls would continue to have a central
role in achieving market balance. In particular, a major effort is
proposed to improve the competitive position of CEREALS, not only because
of the problem of substitutes but also because of the pivotal role
cereals paly in the CAP's price structure. Cereals farmers would be
compensated for their income loss by an aid per hectare, fixed annually
in the light of the markets and stocks. Full compensation would apply up
to a certain level of area. Partial compensation would apply thereafter.
Beyond a certain size the payment of the aid per hectare would be
conditional on the withdrawal from production of part of the area devoted
to arable crops, defined annually in accordance with the state of the
market. The land withdrawn from production could be used for non-food
production. The existing stabiliser including the coresponsibility levy
would be removed.
The reduction in cereals prices would allow an adjustment of prices in
the LIVESTOCK sector. Direct aid through premiums would assume a more
important role in the market organisations. This would, provide
compensation for income losses and would be linked to extensification
criteria, (such as prescribed stocking rates per hectare).
Quotas would be reduced for MILK but the reductions would apply beyond a
certain level on a modulation basis.
Other sectors notably SUGAR, TOBACCO AND SHEEPMEAT would be reformed on a
comparable basis to ensure the coherence of the overall approach.
- 3 -
POLICY PHILOSOPHY
The paper seeks to protect fully the position of the greatest number of
EC farmers. At the same time the top 10 per cent or so of larger and
more developed farmers would be asked to fend a llittle more for
themselves. This is not a question of discriminating against the
productive sector which will still be very well catered for under the
Community's policy but rather of reorientating the support so as to
spread the burden more fairly.
At present, about 20 per cent of farms produce some 80 per cent of total
production and benefit from about 80 per cent of support from FEOGA.
- 6 per cent of cereals producers account for 50 per cent of the surface
  area for cereals and 60 per cent of the production;
- 15 per cent of dairy farmers produce 50 per cent of the Community's
  milk and 10 per cent of beef farms produce 50 per cent of beef cattle.
RURAL ENVIRONMENTAL PRESERVATION
Measures should be taken to encourage farmers in the use of methods less
damaging to the environment and to reward them for efforts made to
preserve the countryside and the fabric of rural society. Such measures
would be implemented through newmulti-annual programmes, negotiated
between the Commission, the member states and the farmers. These
programmes would stipulate significant cuts in the use of polluting
inputs and would promote the diversity and quality of the countryside. A
long-term set-aside programme would be worked out.

0080

RETIREMENT SCHEMES
Another important statistic is that 55 per cent of Community farmers are over 55 years of age. The Commission therefore suggests that the Community's pre-pension scheme should be improved by introducing increased premiums and greater flexibility in the conditions of eligibility, especially as regards the freeing of land becoming available.

POLICY FACTORS
In its policy reassessment the Commission took into account such facts as
- between 1973 and 1988 the volume of agricultural production increased by 2 per cent each year even though consumption grew by only 0.5 per cent a year;
- the gap between supply and demand resulted in costly food stocks amounting to 3.7 billion ECU in the 1991 budget;

- 4 -

- the support policy, linked almost exclusively to price guarantees and to increased volume of production, concentrated the greater part of supply on the largest farm.
- although the agriculture population fell by 35 per cent between 1975-89, the purchasing power of individual farmers hardly improved.

CONTEXT
The plan is necessitated by the reality that the reforms agreed by the EC Heads of Government and State in February 1988 have proved to be insufficient to keep markets in balance.

As Commissioner Mac Sharry informed the Council on January 22nd 1991, when he previewed his plan, formally approved yesterday by the Commission, there has been a marked deterioration in the markets with consequent adverse effects on the budget.
- Beef production has increased and stocks are now at some 700,000 tonnes;
- Stocks of butter and skimmed milk powder had grown to 260,000 tonnes and 335,000 tonnes respectively;
  Intervention stocks of cereals are at 18 million tonnes compared to 11.5 million tonnes at the start of the marketing year and could rise a further 10 million by the end of the 1991-2 marketing year.
- In other sectors such as sheepmeat and tobacco production and budgetary costs have also increased dramatically.

END OF DOCUMENT REACHED

0081

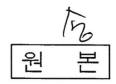

외 무 부

종 별 :

번 호 : ECW-0125

일 시 : 91 0206 1630

수 신 : 장 관 (통기, 경기원, 농수산부, 상공부) 사본: 제네바대사직송필

발 신 : 주 EC 대사 끼m

제 목 : GATT/UR 협상

2.4-5 개최된 EC 일반 이사회 및 농업 이사회는 표제 협상 관련하여 최근 ANDRIESSEN 부위원장의 중남미, 미국, 카나다 방문 결과와 DUNKEL 사무총장 초청으로 가진비공식 협의 결과를 청취하고 토의를 가진바 하기 보고함.

1. ANDRIESSEN 부위원장은 미주대륙 방문 기간중 브랏셀 TNC 회의 결렬에 대한 평가 및 앞으로의 표제 협상 추진에 관해 상당한 의견 차이가 상존하고 있음을 느꼈다고 말하고, 특히 미국 및 카나다와의 견해 차이가 더욱 크며 표제 협상의 조속한 종결에 대해 회의적이라고 말하고, EC 집행위는 DUNKEL 총장의 PLATFORM 문서를 기다리고 있다고 말함.

동 이사회는 표제협상의 정상적인 재개를 촉구하고, EC 는 필요하다면 동 협상촉진을 위한 정치적인 조치를 취할 준비가 되어 있으며, 동 협상은 모든 분야를 포괄한 균형있는 합의가 이루어져야 한다는것을 다시 강조하고 따라서 이러한 결과를 도출하기 위하여 집행위는 다자간 및 양자간 노력을 기울일 것을 촉구한다는 성명을 채택함.

0 한편, 대부분 회원국 각료들은 동 협상의 원활한 추진을 위해서는 집행위가 FLEXIBLE 한 입장을 취하는것이 필요하다는 의견을 개진한 반면, 불란서는 집행위가 표제 협상에서 주어진 MANDATE 를 초월한 제안을 할 경우에는 사전에 이사회의 동의를받아야 하며 미의회가 행정부에 부여한 시한인 3.1. 은 미국 국내 문제이며, 동 시한을 지키기 위해 여타 국가들이 희생을 감수하여서는 안될 것이라고 말함.

2. 또한 농업 이사회는

1) 농산물 분야를 별도분리협상 하여서는 않되며,

2) CAP 개혁 문제는 표제 협상과 연결지을수 없는 문제임을 명백히하고,

3) 농산물 협상에서의 EC 입장은 지난 11.6. 이사회에서 주어진 MANDATE 를

통상국　　경기원　　농수부　　상공부　　

PAGE 1

91.02.07　　07:46 CT

외신 1과　통제관

0082

초월할수없으며, 이를 초월한 경우 농업 이사회의 동의를 받아야 한다는 내용의 성명서를 채택함. 동 이사회에서도 불란서는 브랏셀 TNC 회의시 EC 가 추가 제안한 농산물 MINIMUM ACCESS 보장 및수출 쿼타등 문제는 EC 공식 입장이 아니라는 강경한 입장을 고수하였음. 끝

    (대사 권동만-국장)

0083

외 무 부

종 별 :

번 호 : ECW-0126   일 시 : 91 0206 1630

수 신 : 장 관 (통가, 경기원, 농림수산부) 사본: 주 제네바 - 직송필

발 신 : 주 EC 대사

제 목 : EC / `CAP 개혁

연: ECW-0114

1. 2.4-5 개최된 EC 농업이사회에서 대부분의 회원국들은 CAP 개혁 필요성에 대해서는 인식을 같이 하였으나, MAC SHARRY 제안에 대해 반대의사를 표시하였으며, 특히 영국, 덴마크, 화란과 불란서는 동 제안은 EC 농업의 경쟁력을 저하시키는 내용임을 지적하면서 강한거부 의사를 보였으며, 남부지역 국가들은 부분적인지지의사를 표명하였으나 독일은 의사표명을 보류함.

O STEICHEN 동 이사회 의장은 이사회결과를 요약발표하면서 폴투갈, 그리스는 MAC SHARRY 제안을 승인하였으며, 영국, 화란, 덴마크, 불란서, 벨지움, 룩세부르그는 대부분의 CATEGORY에 대해 거부하였고, 독일, 이태리, 에이레, 스페인은 명백한 의사표시를 보류하였다고 말함.

O 한편 MAC SHARRY 의원은 이러한 각회원국들의 반응에 실망하지 않으며, 오히려 일부 회원국들의 건설적인 반응에대해 놀라움을 금할수 없다고 말하고, 동인은 CAP 개혁필요성, 환경보전 조치 강화, 소농보호 필요성등에 대해 모든 회원국들이 공감을 표시해 준것은 고무적이며, 집행위는 구체적인 CAP개혁제안을 곧 제출할 것이라고 말함.

2. 동 이사회에서 각 회원국들의 구체적인반응은 하기와같음

O 영국: 낙농분야등 일부분야에서의 CAP 개혁은 필요하나, 생산쿼타 조정문제에 있어 각국간 불균형문제는 시정되어야 하며, 동 제안은 농업생산성 향상에 역행하며 보다 비싼 농업을 지향하고 있음. 영국은 대안을 마련하고 있음.

O 불란서: 개혁이라는 용어보다는 CAP 의보완 조치라는 용어가 적당하며, 구조개선과 농산물 품질향상을 위한 조치에 역점이 두어져야 함. 농업경쟁력의 저하를 초래할 사회보장적 농업정책에 반대하며 자국제안을 별도로 제출함.

통상국   2차보   경기원   농수부

PAGE 1   91.02.07   09:03 WG

외신 1과   통제관

0084

0 화란, 덴마크, 벨지움, 룩셈부르그: 생산과잉, 재정부담 측면에서 CAP 개혁 필요성은 인정하나, 농업문제도 경제적인 측면에서 생산성 향상에 주안점이 두어져야하며, 사회정책이 CAP 에서 취급되어서는 않될것임.

0 독일: 동 제안을 토의 기초로 사용할 용의 있음.

0 이태리, 스페인, 에이레: CAP 개혁 필요성은 인정되며, 특히 소농보호, 저개발지역 개발, 환경보전 조치등은 강화되어야 함.

0 폴투갈, 그리스: 사회구조 정책과 소농보호에 대한 고려가 보다 필요함. 끝
(대사 권동만-국장)

PAGE 2

0085

CAP 개혁안에 대한 EC 역내 국가 입장

(2.4-5 EC 농업이사회 결과)

1991. 2. 8.
통상기구과

1.   회의 결과(Steichen 의장 요약)

　　　ㅇ 찬 성 : 폴투갈, 그리스

　　　ㅇ 적극적 반대 : 영국, 네델란드, 덴마크, 프랑스, 벨기에, 룩셈부르크

　　　ㅇ 의사 표명 유보 : 독일, 이태리, 에이레, 스페인

2.   역내 국가의 구체적 반응

국　　　명	반　　　　　응
영　　　국	ㅇ 낙농분야등 일부 분야에서의 CAP 개혁 필요하나, 생산쿼타 조정 문제에 있어서 각국간 불균형 시정 필요 ㅇ 농업생산성 향상에 역행 ㅇ 대안 마련중
프　랑　스	ㅇ 경쟁력 저하를 초래할 사회보장적 농업정책 반대 ㅇ 자국 제안 별도 제출
네델란드, 덴마크, 벨기에, 룩셈부르크	ㅇ 생산성 향상에 주안점을 두어야지 사회정책 취급은 곤란
독　　　일	ㅇ 토의 기초로 사용 용의
이태리, 스페인, 에이레	ㅇ 소농보호, 저개발지역 개발, 환경보전 조치 강화 필요
폴투갈, 그리스	ㅇ 사회구조 조정 정책, 소농보호에 대한 고려 필요

0086

외 무 부

종 별 :

번 호 : ECW-0176   일 시 : 91 0219 1730

수 신 : 장관 (봉기)(경기원,재무,농수산,상공부)사본:제네바대사-직송필

발 신 : 주 EC 대사

제 목 : 갓트/UR 협상

　　1. 표제협상 관련, 2.18, OLSEN EC 집행위 농업총국 UR 협상 담당관에 의하면 ANDRIESSEN EC 집행위 부위원장이 HILLS USTR 대표가 전화를 봉해 농산물협상 재개를 위한 전제로서 동 협상을 국내보조, 국경조치및 수출보조등 3개 ISSUE 로 분리하여 토의를 갖자는 제의를 거부했으며, 어떠한 EC 협상대표도 EC 이사회가 부여한 MANDATE를 초월하여 COMMIT 를 할수있는 입장은 아니라고 말하고, 2.4-5개최된 농업이사회에서 지난해 브랏셀 TNC 회의시 EC 가 제의한 MINIMUM ACCESS 보장등이 이미 이사회 MANDATE 를 초과하였음을 지적, EC 공식제의가 아니라고 부인한 사실을 상기시키면서이제까지 EC 의 공식입장인 OVERALL APPROACH 주장을 후퇴하기 위해서는 EC 이사회의 확고한 MANDATE 가 필요할 것이라고 말했다 함

　　2. 동인은 또한 DUNKEL 갓트 사무총장이 금주초 제네바에서 주요국 대표들과 협상 재개를 위한 협의를 가질것이며, 동 결과에따라 주말경에는 협상대표들을 협상 TABLE 에 초치, 협상재개가 가능할 것으로 보며, 비록 협상재개시 농산물 이외분야는 실무적 차원의 토의가 있을것으로 보나 15개 협상분야 전반에 걸쳐 협상을 재개하는 것이 중요하다고 강조했다 함. 끝

　　(대사 권동만-국장)

통상국　　2차보　　경기원　　재무부　　농수부　　상공부

PAGE 1   91.02.20　　06:26 CG

외 무 부

종 별 :

번 호 : ECW-0182   일 시 : 91 0221 1630

수 신 : 장관 (통기,경기원,재무,농수산,상공부,제네바대사-직송필)

발 신 : 주 EC 대사

제 목 : 갓트 /UR 협상

1. 2.20. ANDRIESSEN EC 집행위 부위원장은 표제관련한 유럽의회에서의 토의과정에서 EC는 표제협상의 성공적 타결을 위해 타협할 준비가 되어 있으나, 일부 협상 대상국들의 경우는 이러한 준비조차 되어있지 아니하다고 비난하면서 기존 EC 입장인 협상전반에 걸친 PACKAGE 마련의 필요성을 강조함. 동인은 EC 는 이미 협상타결을 위해 FLEXIBLE 한 입장을 제시한바 있으므로 표제협상 성공여부는 미국측의 태도변화에 달려 있으며, 그러한 태도변화는 미의회에서 FAST-TRACK 연장여부를 논의하는 과정에서 미국의 구체적인 입장이 제시될 것으로 기대한다고 말하고, 그러나 표제협상 관련한 미국의 입장은 분야별로 제시 되어서는 안될 것이며, 협상전반에 관한 입장변화를 보여야 할 것이라고 함. 한편, DE CLERCQ 유럽의회 의원은 토의도중 CAP 개혁이 표제협상 진전에 기여할수 있을 것이라고 말한바, 이에대해 대부분의 의원들은 CAP 개혁작업은 표제 협상과는 무관하며 EC내부 개혁작업 임을 지적함.

2. 동 유럽의회 토의를 마치면서 ANDRIESSEN 부위원장은 1) 표제협상은 매우 어려운 상황에 있으며, 2) 15개 협상분야 전반에 걸쳐 어떤 진전이 있어야 함을 재확인하고, 3) 농산물 분야의 중요성이 지나치게 과장되는 것에 대해서 반대하며, 4) CAP 개혁은 필요하며, 그 필요성은 EC 내부 이해관계와 직결되는 것이므로 협상대상국들이 동 개혁작업을 협상과 연결 시켜서는 안될 것이라 말하고, 5) 브랏셀 TNC회의시 EC 가 농산 물 협상에서 제의한사항은 유효하다고 보고함. 끝

(대사 권동만-국장)

통상국   경기원   재무부   농수부   상공부   ㄱ좌원

PAGE 1   91.02.22   06:56 DA

0088

외 무 부

종 별 :

번 호 : ECW-0192

일 시 : 91 0222 1800

수 신 : 장관(통기,경기원,재무부,농림수산부,상공부, 주제네바대사-직송필)

발 신 : 주 EC 대사

제 목 : 갓트/UR 농산물 협상

2.22. 당관 이관용농무관은 BISARRE EC 농업총국 UR 협상 담당과장을 오찬에 초대, 표제협상 EC 입장 전반에 대하여 협의한바 요지 하기 보고함

1. 표제협상 EC 기본입장 변화여부

0 2.20. DUNKEL 갓트 사무총장 주재로 개최된 GREEN ROOM 협의시 표제협상 추진방법과 관련하여 EC 가 국내보조, 수출보조및 국경 제한조치별로 분리하여 감축공약 여부를 협상키로 한 배경에 대하여 동인은 EC 가 이러한 제의를 묵시적으로 받아드린 것은 1) UR 협상의 결렬을 방지하기 위해 필요하다는 DUNKEL 총장의 특별요청을 고려하고, 2) 당초 EC 입장은 OVERALL REDUCTION 을 협상한다는 취지도 결국에는 전반적인 감축실적을 국내보조, 수출보조및 국경제한조치로 분리하여 계량화 할수 있다는 전제하에 제안된 것이므로 세가지 ISSUE 를 분리 협상하는 것이 EC 의 입장을 크게 변화한 것은 아니며, 3) EC 이사회가 협상자에게 부여한 MANDATE 를 크게 일탈한 것은 아니라고 말함. 또한 EC 는 15 개 협상분야 전반에 걸친 균형있는 OVERALL PACKAGE 마련이 UR 협상타결의 전제인점에서는 변화된 것이 없으므로 농산물 협상추진 방법에 있어서 FLEXIBLE 한 입장을 취하는것은 UR 협상의 지속을위해 바람직한 것이라고 말함

2. CAP 개혁과 UR 협상

0 갓트사무국 또는 미국 케언즈그룹등은 UR 협상 타결여부를 EC/CAP 개혁작업과 연결시켜 고려하고 있고, EC 내의 일부인사들도 그러한 생각을 하고 있는것은 사실이며, 또한 CAP 개혁작업이 UR 협상과 무관하다고는 말할수 없으나, 1) CAP 개혁작업은 91/92 EC 농산물 가격결정이 완료되는 4-5 월 이후 본격화될 것이라는 점, 2) 동 개혁 관련한 각 회원국간의 합의가 어느 시점에서 이루어질 것인지에 대해 예측할수 없다는 점 및, 3) 각 회원국들의 경우, 동 개혁작업을 UR 협상이라는

통상국   2차보   경기원   재무부   농수부   상공부

PAGE 1

대외적인 사안에 기속하기를 꺼려한다는 점등을 고려할때, CAP 개혁과 UR 협상을 연계시키는 것은 착오가능성이 높다고 말함

0 한편, 이농무관은 CAP 개혁 제안에서 제시하고 있는 소득 직접보조, 환경보전을 위한 조치및 생산감축등 주요내용은 UR 농산물협상에서 논의되고 있는 사안들을 수용하려는 의도로 보이며, 또한 직접 소득보조정책은 생산성 향상이라는 CAP 기본원칙과 조화시키기 어려운 것이 아니냐는 질문에 대하여 동인은 그러한 개혁제안들은 EC 농업 내부문제인 공급과잉과 재정부담을 감소시키면서 저개발지역의 균형개발이라는 목표를 달성하기 위한 방안으로 이해할 필요가 있을것이라고 답변함

3. UR 농산물 협상의 MANDATE 문제

이농무관은 지난 2 월초 개최된 EC 농업이사회에서는 EC 가 브랏셀 TNC 회의시 제의한 MINIMUM MARKET ACCESS, 수출쿼타및 REBALANCING 문제들에 대해 공식 MANDATE 가 아님을 확인한 반면, EC 일반이사회및 ANDRIESSEN 부위원장이 동 제의는 유효하다는 입장을 견지하고 있는데 대해 문의한바, 동인은 특히 불란서, 아일랜드가 동 제의를 공식화하기를 거부하고 있는것은 사실이나, 동 제의는 협상전략의 일환이며, 공식제안이라고 할수 없으나, 아직도 ON THE TABLE 상태에 있는것으로 이해하면 될것이라고 말함. 동 사안은 향후 협상, 특히 OVERALL PACKAGE 마련여부에 따라 공식제안 확인여부가 결정될 것이라고 말함

4. 향후 농산물 협상일정

단기적으로 3.1. 동 협상 TECHNICAL MEETING 이 개최되며, 그이후 미국의 FAST TRACK 연장여부등 결과에따라 매월 1 회정도 회의가 개최될 것이나 본격적인 협상은 금년 9 월이후 추진될 것이며 UR 협상의 성공적 종결여부는 미대통령 선거실시 이후인 92 상반기 협상결과를 보아야 할것으로 본다고 말함

5. 갓트 제 11 조 협상여부

0 동인은 카나다가 제의한 갓트 제 11 조 개정관련한 협상에 대하여 EC 는 긍정적으로 참여하고 있으며 특히 카나다는 낙농제품분야 보호를 위해 동 조항의 실효성 확보는 매우 중요한 사안이라고 말하고, 다만 동조항의 실효성 확보를 위해서는 계획생산과 초과생산분에 대한 강력한 봉제가 전제이나 이를 어떻게 제도화하느냐는 검토해봐야 할것이라고 말함

0 미국의 경우도 농산물 WAIVER 적용 중단등과 관련하여 볼때 동 조항의 실효성 확보에 대한 이해는 있을것이나 신중을 기할것 이라고 말함. 끝

PAGE 2

(대사 권동만-국장)

0091

외 무 부

종 별 :

번 호 : ECW-0215   일 시 : 91 0306 1630

수 신 : 장관(통기),경기원,농림수산부) 사본:주제네바대사직송필

발 신 : 주 EC 대사

제 목 : 91/92 EC 농산물 가격

1. 3.4-5 개최된 EC 농업이사회는 91/92 EC 농산물가격 결정안에 대한 토의를 가졌음. 동 가격안은 기본적으로 현행 농산물 가격체제를 지속하는 것을 내용으로 하되, 과다한 재정부담을완화하기 위해 CEREALS, 육류, 우유및 엽연초분야 의 보장가격을 감축하는 것으로 되어 있는바 그 요지는 하기와같음

   O CEREALS

   - CO-RESPONSIBILITY LEVY 를 3 프로에서 6프로로 상향조정하되, SET-ASIDE 계획을 이행하는 농민은 LEVY 적용에서 제외함. 또한 듀럼종소맥 보장가격은 7프로 인하함

   O BEEF: 과잉재고 감축및 재정부담을 완화하기위해 INTERVENTION 제도를 개선함

   O SHEEPMEAT: 보장가격을 2프로 인하하며, EWE 도축보상금 인상및 민간저장 보조 신설

   O OILSEEDS 및 PROTEIN CROPS

   - OILSEEDS 보장가격을 3프로 인하하며, 유채의보상금제 폐지

   - FLAX, HEMP, PEAS 및 BEANS 에 대한 보조가격을 3프로 인함

   O MILK: MILK 생산 쿼타를 2프로 감축하며, 버터 QINTERVENTI표 제도의 개선

   O 엽연초: 보장가격및 PREMIUMS 의 10프로 감축

   O SUGAR: 보장가격을 5프로 인하

   O RICE: 보장가격을 5프로 인하하고, INDICA RICE에 대한 보조를 본당 50 ECU 씩인하

2. 한편, 동 이사회에서는 영국과 덴마크를 제외한 회원국들은 동 가격안이 지나치게 EC예산 부담측면만을 고려하고 있고 CAP 개혁세부안이 제출되지 아니한 점을 들어 부정적인 입장을 보였으며, 특히 폴투갈, 그리스, 이태리등 남부유럽 국가들은

통상국   2차보   경기원   농수부

PAGE 1   91.03.07   06:38 DN

외신 1과 통제관

0092

336   우루과이라운드 농산물 협상 6

듀럽종소맥, 엽연초 보장가격 인하문제에 반발하였음. 따라서 동 가격안은 EC집행위가재검 토한후 3.25-26 농업이사회에서 재토의 될것임

3. 또한 EC 내 생산단체인 COPA, COGECA, CPE등도 동 가격안을 거부한다는 공식입장을 표명한바 있음

4. 동 가격안은 파편 송부함. 끝

(대사 권동만-국장)

0093

외 무 부

종 별 :

번 호 : ECW-0285

일 시 : 91 0327 1830

수 신 : 장 관 (봉기, 경기원,농수산부)

발 신 : 주 EC 대사

제 목 : 91/92 EC 농산물가격

1. 3.25-26 개최된 EC 농업이사회는 집행위가 제출한 91/92 EC 농산물가격안에 대해 토의를 가졌으나, 각 회원국간의 의견대립으로 결론을 맺지 못하고 동 이사회를 4.23. 다시 개최키로 한바, 토의요지 하기 보고함.

0 봉독, 즉 동독의 CAP 적용에따라 추가 발생되는 예산부담 문제에 대하여는 EAGGF예산을 증액하는 방안과 농산물 가격을 인하하는 방안등 의견이 대립되어 동 문제는경제,재무 이사회 또는 EC 정상회담에서 논의키로 유보함

0 MILK 의 생산쿼타의 2프로 감축제안에 대하여는 불란서, 룩셈부르그, 에이레는생산감축과 가격인하에 반대한 반면, 영국,이태리, 그리스, 화란은 생산감축 보다는 가격인하를 추진할 것을 제의함

0 CEREALS 분야에서 CO-RESPONSIBILITY LEVY 인상에 대하여는 모든 회원국들이 의문을 표시하였음

0 쇠고기의 배입제도 개선문제에 대하여는 영국과 화란만이 수락할 의사를 표명한 반면, 독일,그리스는 도축보상금등 보조인상을 제의하였으며, 양고기 가격인하에 대하여도 스페인과 독일이 강하게 반대함

0 그리스는 입담배 가격인하에 대하여 거부의사를 표명하였으나, SUGAR 가격인하에 대하여 불란서,영국은 수락의사를 표명함

2. 동 이사회결과, 4.1. 부터 연도가 개시되는 낙농제품및 쇠고기 분야의 경우,잠정조치의 적용이 불가피하게 되었을 뿐 아니라, 동가격안은 CAP 개혁안과 불가분의 관계가있고, 일부품목에 대한 가격인하 폭이 큰점을 감안하면, 동 가격안에 대해 의견조정 기간이 장기화될 전망임

3. 한편, 3.25. EC 내 생산자 단체인 COPA 와 COGECA 는 합동기자 회견에서 73년이래 도농간소득격차가 심화되고 있으며, 현 유럽농민들은 가장 어려운 상황에

통상국   2차보   경기원   농수부

PAGE 1

91.03.28   09:54 FO

외신 1과 통제관

0094

처해있음을 지적하면서, 91/92 농산물 가격을 인하하는 것을 거부한다고 말하고, CAP 개혁에 대한 논의가 계속되고 있음을 감안하여 동 가격을 전년수준으로 동결할것을 제의하였음. 끝

(대사 권동만-국장)

외 무 부

종 별 :

번 호 : ECW-0353　　　　　　　　　　　　일 시 : 91 0419 0900

수 신 : 장 관(통기, 경기원, 재무부, 농림수산부, 상공부)사본:주EC대사

발 신 : 주 EC 대사대리　　　　　주 제네바대사대리-직송필

제 목 : GATT/UR 농산물 협상(자료 2491-52호)

4.18. 당관 이관용농무관은 BISARRE EC 농업협상담당과장을 오찬에 초청, 표제협상 관련하여 협의한바 요지 아래 보고 함

1. 91.5. 런던경제 정상회담등 관련한 주요협상국들의 동향

0 표제협상 추진방향에 대한 미국과 EC 측의견 차이는 있음

0 미국은 비록 FAST TRACK AUTHORITY 연장문제에 대한 미의회 승인여부가 불투명한 상태이나 UR협상을 92년말까지 가져가는 것은 미의회의원, 대통령선거등 정치일정에 비추어 바람직하지않은 것으로 판단하고 있으며, 가급적 동 협상을 금년내 특히 상반기중 종결시키려고 노력하고 있음

0 이에반해 EC 도 미국이 91.5. 런던 경제정상회담에서 UR 협상에 대한 기본골격을 합의하고 91 상반기중 동 협상을 종결시키려는 희망을 알고 있으나, EC 는 UR협상의 MANDATE 변경절차 (특히 농산물) 가 어렵고, CAPREFORM 안이 이사회에 상정되어 있는 상태에서 동 REFORM 의 골격에대한 기본적인 합의없이 UR 협상지침을 변경하는것은 불가능함 (동인은 비록 EC 는 CAP REFORM 과 UR협상은 별개라는 입장을 표명하고 있으나, 양정책내용의 결정 PROCESS 는 분리하기 어렵다고 언급함) 따라서 CAP REFORM 안에 대한 EC회원국간의 협상이 9월에 가서나 본격적으로 이루어질 것이므로 UR 협상 종결 에 대한 EC입장 (즉 동 협상을 91 하반기에 본격적으로 재개하고 92 상반기에 종결) 은 고수될수 밖에없음

0 위와같은 양측간의 의견차이 조정 및 표제협상의 정치적 타결방안을 협의코자 5.2-3MAC SHARRY 집행위원은 워싱턴을 방문할것이며, MADIGAN 미 농무, HILLS USTR 대표등과 협의할 것이라 함

2. 미.EC 간의 양자협의

0 금년들어 미.EC 는 표제협상 관련 특히 정치적 결정사항에 대한 양자협의를

통상국　　2차보　　구주국　　경기원　　재무부　　농수부　　상공부　~~국가농~~

가진바는 없으나 미.EC 는 지난주 (4.9) 브랏셀에서 양측이 표제협상에 제출한 COUNTRY LIST 내역, 특히 AMS 산정 LQCA자료의 사실여부 확인을 위한 TECHNICAL MEETING 을 가짐

0 EC 측은 OLSEN 담당관 (MR. MOHLER 불참)이 참석하였고, 미측은 워싱턴과 주제네바 대표부의 실무자가 참석하였는바, 양측은 87-89기간중 가격보조액 내역등을 확인하는 절차등을 가졌다 함

3. 미.일간의 양자협의

0 90.12. 브랏셀 TNC 회의 이전에는 일본대표들이 브랏셀을 방문하여 양자간 비공식 의견교환, 만찬등을 가진바 (당시 CONTACTING POINT는 MOHLER 부총국장) 있으나 금년도에 들어와서는 일본대표들의 브랏셀 방문이 중단된 상태이며, 제네바 회의시 WORKING LUNCHEON을 갖는것이 유일한 의견교환 방법이라고 말함

4. 미국의 WAIVER 에 대한 미측입장

0 미국이 유지하고 있는 WAIVER 에 대한 미국의 입장변화는 기대하기 어려우며, 다만 EC, 일본등이 표제협상에서 미국의 이익에 획기적으로 기여할만한 입장변화를 가져 오지않는한 미국은 WAIVER 로 인한 이익을 포기하지 아니할 것임

0 미국은 국내적으로도 PEANUTS 등 분야에서 어려운입장임

5. EC 의 입장

0 EC 의 수출보조 삭감문제 관련한 기본입장은 미국이 DEFICIENCY PAYMENTS 를 수출 보조분야로 인정하고, EC 의 REBALANCING 을 허용하는 경우에 수출보조의 별도 감축문제 (금액 BASE혹은총량 BASE 불문) 를 거론할수 있는것이 내부 입장임

0 EC 로서 어려운 품목은 바나나임. 즉 현재 바나나는 열대산품 품목에 들어있으나 열대산품협상에서나 농산물협상 그룹에서나 바나나의 시장개방 문제의 언급을 회피하고 있음. 그이유는 스페인및 불란서의 속령에서 생산되는 바나나를 보호하고, ACP 국가들과의 특혜양자 수입협정을 준수하기 위해서임

0 EC 도 갓트 제 11조 2-C 에 대한 카나다, 일본의 입장과 같이하고 있으며 동 조항은 적용하는 품목의 수출제한 문제에 대한 카나다와 구체적인 협의를 개시할 것임

6. 개도국 우대문제

0 이농무관은 아국의 최근 농산물 시장개방문제및 표제협상에서의 아국입장 변화등을 설명하고 표제협상에서 아국은 NTC 품목수를 조정하고 유예기간 요구보다는 개도국에 대한 S AND D조치로서의 장기 이행기간 확보에대해 주관심을 갖고있다고

PAGE 2

0097

말하고, 농업부문등 특수한 분야에대해 아국을 개도국으로 인정할수 있는지에 대한
EC 의 견해를 문의함

○ 동인은 한국이 NIES 의 범주 (이농무관은 NIES 라는 용어는 갓트 TERM 이 아님을
상기시킴) 에 속하며, 개도국 우대 관련한 EC의 기본입장은 S AND D TREATMENT를
일반적으로 인정하는 것이나 동 TGREATMENT 를 갓트규범에 구체적으로 적용시키는
데에는 경제개발 수준에따라 차별적으로 적용하는 것이라고 말함.동인은 또한
농업부문에서만 별도 개도국 범주를 결정할수 있는지 여부에 대하여는 생각해본바
없으나 사견임을 전제하고, 보조금감축등 이행기간 확보문제에 관한한 한국농업의
어려운 입장을 주요 협상국들에게 설명 또는 실제로 볼수있는 계기를 마련하는등
노력여하에 따라 이론적으로 불가능한 것은 아닐것이라고 말함.끝

(대사대리 강신성-국장)

PAGE 3

0098

외 무 부

종 별 :

번 호 : ECW-0368 　　　　　　　　일 시 : 91 0424 1530

수 신 : 장관 (통기, 경기원, 농림수산부) 사본: 주 EC 대사, GV 대사-직송필

발 신 : 주 EC 대사대리

제 목 : 91/92 EC 농산물가격 및 GATT/UR 농산물협상

연: ECW-0215

4.22-23 개최된 EC 농업 이사회에서는 표제 관련한 토의를 가졌는바 요지 하기보고함

1. GATT/UR 농산물협상

0 동 이사회는 표제협상 관련, 이제까지 이사회가 집행위에 부여한 협상 MANDATE 를 준수할 것을 요구함

0 MAC SHARRY 집행위원은 5월초 (5.2) 워싱톤을 방문, MADIGAN 미 농무장관과 협의할 것이라고 이사회에 보고함

2. 91/92 EC 농산물 가격

0 동 가격안에 대한 회원국간의 합의에 실패하고, 회원국간의 양자협의및 의견조정을거쳐, 이사회의 타협안을 마련하여 차기 이사회에 상정키로 함

0 과거 동독의 CAP 적용등으로 인해 추가 소요 필요재원의 증액여부를 결정키위해 농업및 재무 공동이사회를 개최키로 함

0 동 가격안 관련한 세부 토의내역은 아래와같음

- SET-ASIDE 계획은 88이래 시행되어온 동계획과의 연계성을 검토해야 함

- CEREALS 분야의 공동책임 부과금 인상(3-6프로) 은 반대함

- 식물검역 관련한 EC 차원에서의 조화방안이 조속히 채택되어야 함

- 농산물의 비식용 사용 강화문제는 시범적으로 실시하는 것이 필요함

- 분유의 개입제도 즉, 개입량 증량등을 강화해야 함

- 쇠고기 재고증가및 가격하락 문제에 대한 대책을수립 시행해야 함

- 버터, 분유등 낙농제품과 쇠고기 재고량을 KURD 난민원조 등에 활용함

0 4.1. 부터 개시되는 MILK, 쇠고기등의 시장년도를 5.26. 까지로 연장함

통상국　　2차보　　구주국　　경기원　　농수부

PAGE 1 　　　　　　　　　　　　　　　　　91.04.25　　07:03 DA

외신 1과 통제관

0099

0 동 이사회 이후 MAC SHARRY 집행위원은 91/92 가격안에 대해 조속 결론을 내리지 않을 경우 28백만톤의 곡물재고, 1백만톤의 낙농제품, 1백만톤의 쇠고기 재고문제등 EC 농업의 시급한 현안문제가 누적적으로 어려운 상황에 직면하게 될 것이라고 말하고, 동 가격안의 조속한결정을 촉구함.

끝

(대사대리 강신성-국장)

외 무 부

종   별 :

번   호 : ECW-0457   일   시 : 91 0528 1730

수   신 : 장 관(통기,경기원,재무부,농수산부,상공부,권동만대사)사본:주제네바-직송

발   신 : 주 EC대사대리

제   목 : 91 / 92 EC 농산물 가격

연: ECW-0215

1. 5.21-24 개최된 EC 농업이사회는 91/92 EC농산물 가격에대해 합의하였는바 (이태리는반대) 요지 하기 보고함

O CEREALS: 공동 책임부과금 (CO-RESPONSIBILITYLEVY) 을 현행 3프로에서 5프로로 인상하고, 연차별 SET-ASIDE 계획을 수립 시행함. 동 SET-ASIDE계획에 참여하는 농민은 자경농지의 최소 15프로를 휴경하여야 하며, 91.12.15. 까지 휴경화계획을 제출하 되, 5개년 SET-ASIDE 계획을이행하는 농민에 대하여는 공동책임 부과금인상분 (2프로) 을 환불함

O MILK: 생산쿼타를 2프로 감축하며, 버터매입가격은 개입가격의 90프로를 하한선으로 하여 그생산량및 시장상황에 따라 EC 집행위가결정하여 시행함

O 쇠고기: 쇠고기 시장개입은 EC 의 가중평균시장가격이 개입가격의 84프로 (현행 88프로) 이하또는 어느 특정지역의 가격이 개입가격의 80프로(현행 84프로) 이하일경우 발동함. SAFETY NET(의무 매입제) 는 존속시키되, 시행요건을강화함

O 돼지고기: 저장보조금을 선별적으로 시행하는방안을 강구함

O 양고기: 개입가격을 2프로 인하하고, 92년초부터저개발지역의 어린량 도축보상금을 인상 시행함

O OILSEEDS : 개입가격을 1.5프로 인하함

O 식물성 단백질류: 개입가격을 1.5프로 인하 함

O SUGAR: 개입가격을 동결하고, SUGAR가격인하로 인한 ACP 국가들의 손실을보전하는 방안을 검토함

O WINE: 양조보조금은 동결하되, 목표가격을1.6프로 인하함O TOBACCO: 개입가격을 4프로 인하함

통상국   2차보   경기원   재무부   농수부   상공부   구주국(대사)

PAGE 1   91.05.29   06:05 FO
                                                          외신 1과 통제관

0101

2. 동 이사회 종료후 MAC SHARRY 집행위원은 동합의내용은 당초 집행위 제안의 주요부분을수용하였고, 특히 시장여건이 계속 악화되고 있는CEREALS, MILK 및 쇠고기분야에대한 결정에만족을 표시함. 동인은 CEREALS 분야에대한SET-ASIDE 시행으로 8-10 백만본의 생산감축이가능함으로 농산물 가격 보장예산의 압박요인도해소되었다고말하고, 6월중 CAP 개혁안을집행위원 회의에 제출하여 금년말까지 동개혁안을 마무리할 것이라고 말함. 또한 동인은금반 가격결정은 세계 농산물 시장균형 도모에기여하였다고 평가하여, 교역상대국들로 이러한조치를 취해야 할 것이라고 말함

3. 한편, HEEREMAN COPA 회장은 동 가격결정에대해 매우 실망하였으며, CAP 의 장래가우려된다고 말하고, 금반 가격인하 결정이 CAP개혁의 일부분이 되어서는 않되며, GATT/UR농산물 협상에서의 EC 입장을 고수해줄것을 요구함. 끝

(대사대리 강신성-국장)

외 무 부

종 별 :

번 호 : ECW-0473   일 시 : 91 0531 1600

수 신 : 장 관 (통기,경기원,농림수산부) 사본:주제네바대사-직송필

발 신 : 주 EC 대사대리

제 목 : EC/CAP 개혁

지난주 MAC SHARRY 집행위원이 CAP 개혁구체안을 6월말까지 제시할 것임을 표명함에따라, 관련 단체들의 동 개혁문제에 대한 의견제시가 활발해지고 있음. 요지 하기 보고함

1. COPA (농업생산자 단체)

O COPA 의장단은 성명을 통해 EC 농업의 문제점인 소득감소, 지역간 개발격차, 농산물시장의 불균형, 예산지출 증가등은 새롭게 제기된 사안은 아니며, 이러한 문제들이 더욱 심각하게 되고 있는 것은 농업이사회가

1)곡물대체품, OILSEEDS 등 수입제도 개선필요성

2) SET-ASIDE 계획의 시행 필요성

3)재고곡물의 비식용 사용 개발 필요성등에 적절히 대처하지 못했기 때문이라고 지적하고, 그 결과 농업예산의 압박 증가와 농민들의 장래를 불안하게 만들고 있다고 말함

O COPA 가 CAP 개혁관련 제시사항은 아래와 같음

- 2중 가격제에 기초한 가격 및 시장정책은 지속

- 과잉생산 품목의 수급균형 유지를 위한 조치가 필요하며, 생산봉제정책 시행시에는 지역간격차발생 요인 감안

- 생산봉제정책은 자발적 참여를 유도할 수 있는 방안 강구

- CAP 개혁으로 인해 어려움에 처할 지역 및 농민계층에 대한 보완대책

- 과잉생산 품목의 수요처 개발

- 농산물 가공산업의 생산비 절감방안

- 생산조절정책 시행에 부수하여 1) 농업및농산물 시장구조 개선, 2) 농촌 고용기회확대를 위한 개발정책, 3) 환경보전 조치, 4)만성적인 저소득 농민에 대한

통상국   2차보   경기원   농수부

91.06.01   11:30 WH

외신 1과 통제관

0103

보조 및

    5) 영농후계자 지원등을 요구함

    0 한편, COPA 는 1) UR 협상 관련하여 EC 가89년 제시한 당초 MANDATE 를
고수할것, 2)생산봉제품목의 대체품의 수입봉제와 REBALANCING, 3) 동구국, EFTA,
지중해및 ACP국들과의 농산물 교역 기본정책 설정 및 4)농산물 교역 대상국들도 CAP
개혁과유사한생산봉제정책 시행을 유도하기 위한 협상을요구함

    2. 불란서의 SMALL FARMERS 연합회 (불란서농민의 20프로 해당)

    0 5.29. 불란서 영세농연합회 대표들은 DELORS EC집행위원장을 면담, EC 집행위가
제시한 CAP 개혁필요성 및 동 개혁안에 대한 지지를 표명하면서, 동 개혁안중
EXTENSIFICATION 및 SET-ASIDE PROGRAMME 은 농촌의 황폐화를 촉진시킬 것이라는
점을 지적하면서 거부의사를 보였음

    0 동 대표들은 CAP 개혁에 1) 농산물의 관리및 유통제도 개선, 2) 농촌
고용기회확대정책이반 영될 것을 요구함

    3. BEUC (EUROPEAN CONSUMERS ORGANIZAITON)

    0 5.29. BEUC 는 금년초 EC 집행위가 개혁안을 환영하며, 그러나 고농산물 가격
유지를 위해 가격보조 및 생산봉제정책을 지속하겠다는 내용에 대해서는 우려를
표명하고, 농업예산증액은 반대하며, 또한 수출보조금을 철폐할 것을 요구하면서,
과도기적인 조치로서 직접 소득보조를 지급하는 것은 무방할 것이라는 의견을 제시함.
끝

    (대사대리 강신성-국장)

외 무 부

종 별 :

번 호 : ECW-0517

일 시 : 91 0620 1730

수 신 : 장관 (통기, 경기원, 재무부, 농수산부, 상공부) 사본:주미, 제네바대사(직송)

발 신 : 주 EC 대사

제 목 : EC/CAP 개혁

1. 6.19. MAC SHARRY EC 농업담당 집행위원은 COPA (EC 농업생산자 단체) 대표들과만난자리에서 CAP 개혁안에 대한 검토는 완료되었으며, 집행위원들과의 협의후, 6.26. 동 개혁안 관련 일건서류를 농업이사회에 제출할 것이라고 말함. 동인은 동 개혁안내용은 집행위원들과 협의가 끝나지 않은상태이브로 밝힐수는 없으나, 주 내용은 CEREALS가격을 세계시장가격 수준까지 인하하고 이로 인한 농민의 소득상실액을 보전해 주는것이 기본구상이라고 말하고, 그러나 동 개혁안이 금년상반기중에 완료되리라고는 기대하지 않는다고말함

2. 한편, EC 의 식품산업 연합회 (CIAA) 는6.17. 발표한 성명을 통해 CAP 개혁추진을 지지하나, EC 농산물 수요의 70프로 이상을 차지하고있는 식품 산업계의 의견이 반영되어야 한다고주장함. 동 연합회는 CAP 개혁시 아래사항을 감안할 것을 요구함

  0 식품산업을 포함한 모든 산업에 미치는 영향을고려

  0 개혁 기본목표는 농업의 효율과 경쟁력 제고에두어져야 함

  0 농산물 수급균형을 유지할수 있는 가격체계정립

  0 저렴, 고품질의 식품가공 원료공급

  0 경제원리에 근본을 둔 농업정책 추진, 사회정책적 측면에서의 농업정책은 자원배분을 왜곡하며, 다만 영세농 및 환경보전을 위한 소득보조는 잠정적으로허용하되,농산물 가격상승과 연계되어서는않됨

  0 가공식품 교역정책 방향을 재정립함. 끝

  (대사 권동만-국장)

미국, EC의 농업보호 정책과 UR에서의 입장비교

1991. 6.

국제협력담당관실

1. 미국, EC 농업정책의 기본골격

	국 경 보 호	국 내 보 조	수 출 경 쟁
미 국	◦ 쿼타제 　(웨이버, 잔존수입 　　　　　제한) ◦ VER	◦ 결손보조 　(목표가격-시장가격 　　또는 Loan Rate)	◦ EEP(또는 CCC직접판매) ◦ GSM - 102, 103
E C	◦ 가변부과금 ◦ VRA 또는 VER	◦ 정부 개입가격제	◦ 수출환급

O 북구, 스위스, 오지리등 EFTA 국가들은 기본적으로 EC와 동일한 제도운영

- 다만, 국경보호 분야에 있어 스위스, 오지리는 가입의정서에 의거 주요품목에 대한
수입제한 조치를 유지

O 케언즈그룹, 일본, 한국, 개도국은 미국형의 쿼타제를 유지하고 있으나 결손보조
(Deficiency Payment), 수출보조(EEP) 제도를 운영하고 있지 않음.

〈주요 국경보호조치〉

O 일본 : 잔존 수입제한등 쿼타제(쌀, 밀가루, 전분, 수산물등)

O 카나다 : 11조 2항(C) (낙농, 계란, 닭고기등)

O 스위스, 오지리 : 가입의정서 (낙농품 및 야채류등)

O 호주, 뉴질랜드 : 쿼타제 및 동식물 검역조치 (낙농 및 육류등)

O 개도국 (케언즈 및 여타개도국) : 18조 B

〈주요 국내보조 정책〉

O 각국별로 다양한 정책을 사용하고 있으나,

- 선진국은 소득 또는 가격보조등 정부지출에 의한 지원정책 위주이나,

- 개도국은 재정부족으로 국경보호등에 대한 소비자 이전 형태의 가격지지 정책을
추진

〈수출보조〉

O 미국, EC, EFTA 국가이외는 수출보조가 없거나 미미한 상태임.

- 케언즈그룹중 호주, 뉴질랜드, 카나다등이 수출금융 또는 수출조합등에 대한 일부
지원 정책을 사용

- 개도국(케언즈그룹 개도국 포함)은 수출보조가 전무한 상태임.

0107

2. 미국의 농업보호 정책

가. 미국농업 정책의 Mechanizm

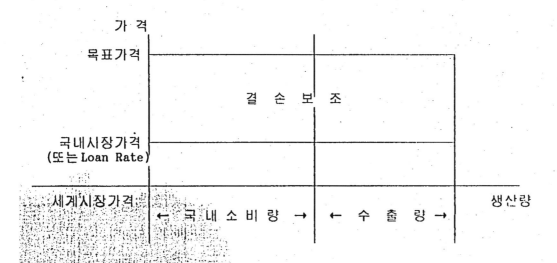

O 목표가격을 통해 생산자 가격지지와 소득보호 (곡물류 중심)

- 국경보호 장치가 없으므로 세계시장 가격 변동에 따라 국내시장 가격이 변동 (Price Mechanizm이 작용)

- 그러나 농민은 목표가격 만큼의 소득이 보장되므로, 국내시장가격 변동은 농민의 생산의사 결정에 영향을 미치지 못하여 과잉생산은 계속 발생

- Loan Rate보다 국제가격이 하락할 경우 Marketing Loan을 통해 추가적인 보조금을 지급

O 결손보조 대상이 아닌 쇠고기, 낙농, 면화, 설탕, 땅콩등 수요가 낮은 Waiver등 국경보호 조치에 대해 국내생산자를 보호

O 세계 수출시장 점유율 유지및 확대를 위한 수출보조금 지급

- 민간수출 업자에 대한 Bonus(EEP), CCC의 직접 결손판매등의 보조금과 해외시장 개척을 위하보조, GSM 102, 103등 By-American 정책에 의한 수출금융을 지원

나. 미국의 주요품목별 보호내역

	국 내 보 조 1)	국 경 보 호	수출보조
곡 물 류	Deficiency Payment Marketing Loan (쌀)	-	CCC
유 지 류	-	-	EEP
설 탕	-	Waiver (Quota)	-
땅 콩	-	Residual (Quota)	-
면 화	Defiaen Payment Marketing Loan	Waiver (Quota)	-
우유및 유제품	-	Waiver (Quota)	CCC
쇠 고 기	-	VER(식육수입법)	CCC
돼지및 닭고기	-	-	CCC

1) 낙농및 육류 제외하고 대부분의 품목에 Commodity Loan을 지원

O 주요품목별 농업보호 장치마련

 - 곡물류는 Deficieney Panment를 통한 수입가능성 배제

 - 기타 주요품목은 국경보호 장치 (Waiver, VER)를 유지

0109

3. EC의 농업보호 정책

가. EC 농업보호 정책의 Mechanizm

```
가격
입문가격  ┌─────────────────────┬──────────┐  국내시장가격
지지가격  ├─────────────────────┼──────────┤
수입부과금
세계시장가격
          └─────────────────────┴──────────┴──────────
              ← 국내소비량 →      ← 수출량 →    생산량
```

○ 모든 주요품목에 대해 생산자 지지가격제 실시
  - 미국의 Target Price는 최고지지가격 개념이나 EC의 Intervention Price는 최시
    보장 가격 개념임.

○ 지지가격은 입문가격 (Threshold price)을 결정하게 되며, 입문가격과 세계시상
   가격차를 가변부과금 (Variable Levy)으로 부과
  - 국제가격이 변동하더라도 부과금이 그에비례 변동하여 입문가격 즉 내내가격
    에는 영향을 미치지 못함.

○ 높은 수준의 생산자 지지가격을 유지함으로써 발생한 과잉생산은 수출보조를 통해
   세계시장에 처분
  - 수출업자가 과잉재고를 처분할 경우 결손지액에 내해 수출결손 환변리 지급

0110

나. EC의 주요품목별 보호내역

	국 내 보 조 1)	국 경 보 호	수출보조
곡 물 류	Interwention Purchase	Variable levy	Export refund
유 지 류	Production aid	관세 : 0∼7 %	"
설 탕	Intervntion Purchase	Variable levy URA	"
과 채 류	compensation (withdrowal from the Market)	Custom duties(20%),VRA	"
우유및 유제품	Intervention Purchase	Vanable Levy, VRA	"
쇠 고 기	"	Variable Levy, VRA	"
돼지및 닭고기	"	Variable Levy	"

O 모든 주요품목에 대하여 가변부과금을 부과하고 있으며, 동시에 다수 VRA를 유지
  하여 역내농업을 보호

  - 단, 유지류는 Levy가 없으며 단지 저율의 관세로 자유화 되어 있음.

O 국내보조도 정부개입을 통해 생산자 가격지지를 도모하고 있으며, 과잉생산에
  대하여는 수출환급 제도를 실시

0111

4) UR협상에서의 미국, EC의 입장

가. 미국, EC의 기본입장 (Separate VS Global Approach)

미 국	E C
◦ 현행농업 보호제도의 근본적인 개혁과 농업 무역의 완전자유화를 추구 ◦ 국내보호, 국경보호, 수출보조를 각각 분리하여 대폭적인 감축내지는 전면 철폐를 주장 ⇒ Separate Approach 채택	◦ 현행 농업보호 체계(CAP)를 유지하면서 점진적인 자유화를 추구 ◦ CAP 운용체계상 국내보조, 국경보호의 분리가 곤란함으로 전체 보호 수준을 대상으로 소폭감축을 주장 ⇒ Global Approach 채택

나. 양국의 주장배경

○ 미국은 국경보호와 국내보조 대상품목이 다르므로 분리 접근방식이 가능하나, EC는 대상품목이 같아 분리접근 방식 채택시는 공동농업정책의 와해가 불가피함.

○ EC는 기본적으로 국제시장 가격의 변화의 역내유입을 차단한 상태에서 국내지지 가격 감축을 통해 내외가격차를 점진적으로 감소해 나가는 방안을 모색하는 반면,

○ 미국은 일부 Waiver 품목 개방시 불리한 점은 있으나, 세계시장과 국내가격차가 적으므로 관세화등 새로운 제도도입을 통한 획기적인 개혁을 주장

다. Separate VS Global Approach의 감축논리

〈 E C 〉

○ 국내지지가격 인하 ┌→ 입문가격인하 → 가변부과금 인하 → 국경보호감축
　　　　　　　　　　　└→ 국내생산감축 → 과잉생산감소 → 수출보조감축

〈 미 국 〉

○ 곡물류등의 목표가격인하 → 결손보조 감축 → 국내보조 감축

○ Waiver등 수입제한 품목의 관세화 → 국경보호 감축

○ 목표가격인하 → 국내생산감소 → 과잉생산 감소 → 수출보조 감축

0112

라. 미, EC의 쟁점별 입장비교

	미국 (Separate App)	E C (Global App)
< 국내보조 >		
AMS의 역활	○ 감시및 점검수단 - 기본적으로 정책별 감축을추진	○ 약속 이행수단 - 모든 보조및 보호수준을 AMS에 포함하고 이를 감축이행 수단 으로 사용
감축/허용정책	○ Green - First - 허용대상 정책의 요건강화 - Investment Aid는 감축대상임	○ Amber - First 선호 - 허용대상 정책의 요건완화 - Investment Aid를 허용에포함
AMS의 계산	○ 지원상당액으로 산출 ○ 개별 품목별로 산출	○ 실재 예산 지출액으로 산출 ○ 품목군별로 산출
감축대상 AMS ○ 시장가격지지 (MPS)	○ 국내외 가격차 × 지지물량 - 시장가격지지 (Quota)가 없는 경우는 산출불요	○ 국내외 가격차 × 총생산량 - 결손보조도 가격지지 정책에 포함
○ 직접지불 (D.P)	○ 참조가격 기준으로 계산	○ 실재 예산 지출액으로 계산 - 수출물량에 대한 결손보조는 수출보조에 포함

○ 요소비용
   감 축
	○ 농업금융, 관개수리지원, 공공 목초지 사용
	
	○ 품목불특정 정책으로 분류
	
	 - 품목특정적 정책보다 저율감축 주장 (10년간 30% 감축)
	
	 - 품목별로 배분치 않고 별도의 류형으로 구분
	   (Single Sector-Wide 정책)
		○ Investment Aid는 허용정책 으로 분류
		
		○ 품목불특적 정책이라도 품목별 생산액 비중으로 배분

○ 인플레반영	○ 명목가격 기준으로 약속	○ 실질 가격 기준으로 약속

0113

	미국 (Separate App)	E C (Global App)
< 국경보호 >		
접근방식	○ Tariffication 방식 - 모든 비관세 조치의 관세전환	○ Fixed Component 방식 - 모든 비관세 조치의 관세전환 (담 중량세 형태로 전환)
보완장치	○ Special Safeguard - 잠정적 조치 - 발동회수 및 기간제한 - 국제가격 변동만 인정 - 관세인상만 인정 - 높은 수준의 관세품목 및 TE 품목에 적용	○ Corrective Factor - 항구적 조치 - 발동횟수 및 기간제한 없음 - 국제가격변동 + 환율변동 - 국제가격변동과 같이 변동 (실질적으로 가변부과금과 동일한 효과) - 주요곡물에만 적용
TE 산출		
○ 국내가격	○ 도매가격 (소비자 보호)	○ 생산자자격 또는 농가판매가격 (생산자 보호)
○ 국제가격	○ 수입국은 실제수입가격(CIF),수출국은 대표적인 시장가격(FOB)	○ 실제수입 가격(CIF)
시장접근	○ 현행수준 시장접근 원칙인정 ○ MMA는 Tariff-Line별로 부여하되 Linear 방식채택 ○ MMA에는 관세만 부과	○ 좌 동 ○ MMA는 품목군별로 부여하고 R/O 방식 채택 ○ MMA에 관세만 부과하는 것에 회의적 - Deficiency Payment 품목에도 MMA부여
TE양허및 한도설정	○ 모든 TE의 양허와 수입금지적으로 높은 TE에 최고한도 설정	○ TE양허및 최고한도 설정에 반대
관세양허및인하	○ 모든품목 관세의 양허 ○ Formula 방식에 의한 인하	○ 유지류등에 대한 Rebalancing 인정시 모든 품목양허 가능 ○ R/O방식에 의한 인하

0114

	미국 (Separate App)	E C (Global App)
< 수출경쟁 >		
감축대상	① 수출업자에 대한 직접보조	① 좌 동
	② 정부보유 재고처분에 따른결손	② 좌 동
	※ 수출업자에 대한 신용보증 (GSM 102, 103), 해외시장 개척 지원은 제외	③ 수출금융 지원
		④ 가공품 수출과 관련된 원료 농산물에 대한 보고
		※ 수출물량에 대한 결손보조, Marketing Loan도 수출보조에 포함될 것을 수정
약속방법	수출물량 및 지원총액을 기준으로 감축 (케언즈는 단위당 보조액의 감축도 포함)	◦ 수출보조금은 수입과징금 부과 이내로 제한 ◦ 가공농산물에 대한 수출보조는 원료 농산물의 국내외 가격차 이내로 제한 (브랏셀회의시 수출물량 기준으로 감축할 수 있다는 신축적인 입장 을 제시)
수출제한	11조 2(a) 수출금지 및 규제조항 폐지	◦ 11조 2항 (a)의 유지를 선호

0115

외 무 부

종 별 :

번 호 : ECW-0533   일 시 : 91 0628 1630

수 신 : 장 관 (봉기,경기원,재무부,농림수산부,상공부)사본:주제네바대사직송필

발 신 : 주 EC대사

제 목 : EC/CAP 개혁

　　1. 6.26. MAC SHARRY EC 농업담당 집행위원은 표제 개혁안에 대해 집행위원들에게 구두로 설명한 바 당지 언론보도를 종합한 개혁 제안 요지 아래와 같음

　　0 CEREALS 가격의 35프로 감축 (현행 155ECU/톤에서 100ECU/톤 수준으로 인하)하고, SET-ASIDE계획 참여 의무화등 생산감축 방안 강구

　　　- 20HA 이상 경작농가는 경작지의 15프로 이상을 의무 휴경

　　　- 경작규모에 따라 휴경보상에 차등

　　0 우유가격을 10프로 인하하고 생산쿼타량도 축소

　　0 쇠고기 가격은 15프로 인하

　　0 환경보전과 연계하여 시행하게 될 조방화 영농, 농지의 산림화 이행시 보상금지급

　　0 91.2. 집행위의 개혁 기본방향에 제시되었던 영세농에 대한 직접 소득보조계획은 일부수정하여 미국이 시행하고 있는 DEFICIENCY PAYMENTSSYSTEM 을 도입함

　　2. 동인의 설명내용에 대해 대부분의 집행위원들은 포도주, 올리브유, 과채류의생산감축방안이 제시되지 않은것, 동 개혁안이 농가소득과 EC 예산에 미치는 영향등세부분석결과의 미흡등을 지적하면서 불만을 표시함

　　3. 동 개혁 서면제안은 7.10. 경농업이사회에 제출되어 7.15. 개최될 예정인 동이사회에서 토의될 예정인 바, 서면제안은 입수되는대로 송부예정임. 끝

　　(대사 권동만-국장)

통상국　　2차보　　경기원　　재무부　　농수부　　상공부

PAGE 1   91.06.29   07:47 WH

　　　　　　　　　　　　　　　　　　　　　외신 1과 통제관

　　　　　　　　　　　　　　　　　　　　　　　　0116

외 무 부

종 별 :

번 호 : GVW-1212   일 시 : 91 0628 1700

수 신 : 장 관(봉기, 경기원, 재무부, 농림수산부, 상공부, 특허청)

발 신 : 주 제네바 대사

제 목 : UR 협상 관계기사 송부

UR 협상 관계기사 별첨 송부함.

첨부: 기사 1매. 끝

(대사 박수길-국장)

통상국	2차보	경기원	재무부	농수부	상공부	특허청

PAGE 1

91.06.29   08:58 WG

MacSharry seeking 35% cereal support price cut

DETAILS OF a revamped reform plan for European Community agriculture trickled out yesterday as Mr Ray MacSharry, the agriculture commissioner, unveiled his ideas to fellow commissioners at their regular weekly meeting, reports Reuters from Brussels.

A cut in cereals prices of some 35 per cent, bolstered by compulsory acreage set-aside, is the centrepiece of the plan, EC officials said.

"It was positive all round. They [the commissioners] recognised the disaster ahead if something wasn't done, and saw the plan as an imaginative and bold approach," one said afterwards.

Mr MacSharry has woven in changes to his plan based on reactions to drafts and discussions earlier this year. He presented a confidential paper to commissioners that he complemented figures given orally to indicate the magnitude of the changes he was seeking, the officials said.

The commissioner expects the effects of the measures on cereals to filter through to the deeply-troubled beef and dairy sectors.

Officials said the key changes from a draft leaked in January concerned the organisation of payments to cereals farmers. Mr MacSharry had earlier envisaged a system divorced from production to ensure stable farm incomes. He has now opted instead for a scheme linked to the factors of production and modelled on the US deficiency payment system.

The switch is in response to criticism from Britain and the Netherlands, which objected to the penalties they believed their farmers would incur.

Mr MacSharry's stated aim of redistributing EC resources from rich to poor areas would be toned down, the officials said, and only the very biggest farms were likely to feel the pinch of price cuts.

In Brussels, an EC officials' strike and a news blackout imposed after farm ministers panicked over January's leaks meant few details were available.

But in Paris, Mr Louis Mermaz, the French farm minister, on Tuesday told a senate committee that he understood the cereals price would fall to Ecu100 (£70) a tonne from Ecu155 over three years, with farmers being fully compensated for any lost income.

He said farmers with less than 20 hectares would not be obliged to take land out of production to qualify, but over 20 ha they would have to set 15 per cent of their cereals land aside, a senate press statement reported. Farms with more than 50 ha of cereals would not be fully compensated for set-aside, the statement added.

EC officials said MacSharry wanted to cut milk prices by about 10 per cent, to cut the global milk production quota beyond the 2 per cent agreed during annual price-fixing negotiations and to cut beef prices by 15 per cent.

"These are the orders of magnitude likely to be considered," one official said.

The entire package is estimated to cost an extra Ecu4bn to Ecu5bn above current projections. Structural funds would contribute to the excess.

Among other elements in the reform package are incentives to switch to environment-friendly farming, encouragement for reforestation and for young farmers who want to set up, officials said.

외 무 부

종 별 :

번 호 : ECW-0539   일 시 : 91 0701 1800

수 신 : 장 관 (봉기,정일,경기원,재무부,농림수산부,상공부)

발 신 : 주 EC 대사   사본: 주미, 제네바대사-직송필

제 목 : EC 대사 EC/CAP 개혁 (자료응신 제 91-92 호)

    1. 6.27. EC 농업이사회에서 MAC SHARRY EC농업담당 집행위원은 표제개혁 구체방안을 구두로 설명하였던바, 동요지와 회원국들의 반응은 하기와 같음.

    가. 개혁방안 요지

    0 CEREALS (쌀을 제외한 곡물) 분야

    - 향후 3년간에 걸쳐, 지지가격을 35프로 인하하며, 가격인하로 인한 소득상실액, 즉 목표가격과 인하된 지지가격과의 차익을 보전해줌 (DEFICIENCY PAYMENT SYSTEM도입)

    - 20HA 이상 경작농민이 소득 상실액에 대해 직접소득 보조를 받기 위해서는 일정량 이상의 생산량을 의무적으로 감축해야 하며, 그 예로서 50HA 이상 경작농민은 의무적으로 15프로 이상감축 필요

    - 곡물가격을 인하함으로써 배합사료 가격인하와 축산물 가격의 인하효과를 기대함

    0 쇠고기

    - 쇠고기 지지가격은 14-18 프로 인하하고, 3세 이하의 소에 대해 두당 38ECU 씩의 특별 보상금 지급

    - 가축방목으로 인한 환경오염 방지대책의 일환으로서 HA 당 방목두수를 제한 (저개발지역: 1.4두/HA, 기타지역: 2두/HA 이내)

    0 낙농품

    - 지지가격은 10프로 인하

    - 우유생산 쿼타: 향후 3년 동안 현 쿼타량의 4프로를 감축, 다만 연간 우유생산량이 43천 갤론이하인 (약 36두의 젓소 사육농가 해당) 농가는 생산쿼타 감축대상에서 제외하며, 생산쿼타량을 초과하여 생산하는 농가에 대하여는 갤론당 1.6 ECU 의부과금 징수

통상국   2차보   외정실   경기원   재무부   농수부   상공부

PAGE 1   91.07.02   09:17 WG

                                                    외신 1과 통제관

                                                    0119

- 50두 이하 사육농가에 대하여 두당 38ECU 씩의 보상금지급

- 낙농제품의 소비촉진 대책을 강구

0 양고기

- 암양도축 보상제 계속실시

- 일정규모 이하 사육농가에 대해서는 소득보조 (저개발 지역: 750두, 기타: 500두 이하)

- HA 당 입식두수 감축을 위한 보상제 실시

0 사탕무우, 식물성 유지류에 대해서도 휴경 보상제실시

0 조기연금제

- 55-65세 농민이 은퇴할 경우, 30HA 범위내에서 HA 당 250ECU씩 연금 지급하며, 농가당 연금도 별도지급

0 환경보전

- 비료, 농약 및 제초제사용 감축농가에 대한 보상금 실시

- 장기 휴경농지에 대한 보상금 지급

0 과잉생산으로 인한 장기보관이 필요한 품목에 대하여는 생산농민에게 보관부과금을 별도 징수

나. 회원국 반응등

0 MAC SHARRY 위원은 동 개혁요지를 6.26. 집행위원회에 회부하였으나, 집행위원들의 반응은 대체로 긍정적이었다고 말하고, 동개혁의 요지는 현행 2중 가격제를 점차적으로 직접 소득보조 제도로 대체하는 것이라고 설명하고, 90프로 이상의 농민이 제도개혁으로 인한 손실보상 제상이 될 것이라고 말함. 또한 동인은 이러한 개혁이 시행될 경우 3년동안 40-50억 ECU 의추가 재정부담이 예상되나, 장기적으로는 수출보조금 지급액의 축소, 생산량 및 재고수준 감축요인이 발생되어, 1997년 까지는추가 재정부담 요인이 없어질 것이라고 말함

0 한편, 동 이사회에 참석한 각료들은 CAP개혁으로 <u>신설되는</u> 소득보조는 GATT/UR농산물 협상에서 <u>GREEN BOX 범주에 포함되도록</u> 동 협상을 이끌어 나가야 할것이라고말함

0 회원국 반응

- <u>독일</u> 농무장관은 수락할수 없는 제안이며, 농민들은 소득보조 형태가 아닌, 생산과 시장을 통해 소득을 확보할 권리가 있는 것이라고 말하고, 동 제안은 명백히

PAGE 2

0120

중규모농에 대한차별이므로 고농산물 가격체계는 유지하되, 생산량 감축방안을 강구하여야 한다고 말함

- 덴마크는 직접 소득보조에 대해 지나치게 강조되고 있으며, 동 제안은 덴마크, 화란과 같은 농산물 수출국과 독일과 같은 비 수출국과의 마찰증가 요인이 될것이라고 말함

- 영국은 대규모농과 경쟁력을 갖춘 농가를 회생시키면서 영세농을 보호하려는 제안을 지지할수 없다고 말함

2. 집행위의 CAP 개혁 공식제안안은 7.10.개최되는 집행위원회에서 채택되어 7.15

- 16열리는 농업이사회에서 정식으로 논의될 것임.그러나 집행위원회에서 채택되지 못할 경우, 농업이사회는 7.22-23 로 연기될 전망이며, 7.15-17 런던 G-7 회의에서 동 개혁안에 대한 의견교환이 있을 것이라 함. 끝

(대사 권동만-국장)

외　무　부

원　본

암호수신

종　별 :

번　호 : ECW-0549　　　　　　　　　일　시 : 91 0704 1630

수　신 : 장관 (봉기, 정보, 경기원, 재무부, 농림수산부, 상공부) 사본: 주미, 제네바

발　신 : 주 EC 대사　　　　　　　　　　　대사(중계필)

제　목 : GATT/UR 협상 (자료응신 제 91-95호)

7.3. 당관 이관용 농무관은 GUTH EC 대외총국 농업담당과장을 방문, 표제협상 관련 협의한바 동인 발언내용 하기 보고함

1. 7.2-3 ANDRIESSEN EC 대외담당 집행위원의 워싱톤 방문목적은 90.11. CSCE 합의에따른 정기회담을 위한 것이며, 특히 미.EC 간 무역현안인 대두 관련한 갓트 패널결과의 이행문제, 미국의 도축장 위생기준등의 EC 입장을 설명하고, UR 협상의 추진대책에 대해 HILLS 대표와 협의할 것임

2. 6 월말 DUNKEL 갓트 사무총장이 제시한 UR 농산물협상 OPTION PAPER 는 협상국들의 입장을 포괄적으로 나열한 문서임으로 협상의 현재상황을 정리하고 있다는 점에서 의의가 있으므로 EC 로서도 특별한 이의없이 협상을 추진하기 위한 자료로서 받아드리고 있음. 동 PAPER 에 대한 구체적인 EC 입장을 검토하고 있으므로 동 검토결과에 따라 MOHLER 농업국 부총국장이 제네바에서 DUNKEL 사무총장과 쌍무협의를 가질 것임. 현재로서는 DUNKEL 의 워싱턴, 브랏셀 방문계획은 없음

3. 7.15-17 런던 G-7 회의에서는 고르바쵸프 소련대통령이 참석할 예정이고, 유고사태등 UR 보다 더 시급한 문제들이 제기되고 있으며, 농산물 협상에서의 기술적 문제에 대한 합의도 이루지 못하고 있어 UR 협상 관련하여서는 동 협상을 성공적으로 조기에 종결한다는 기본적인 합의범위를 넘기 어려울 것이라 말함

4. 7.29. GATT/TNC 회의에는 DUNKEL 사무총장이 UR 협상 OUTLINE PAPER 를 제출할 예정이므로 정기적인 회의라는 성격이외의 특별한 의미가 있을 가능성이 있음

5. EC/CAP 개혁

０ 지난주 MAC SHARRY 집행위원이 동 개혁의 일부로서 곡물지지 가격을 35% 인하할 것을 제안하였다는 의미를 UR 농산물 협상과 관련시켜 볼때, 35% 인하에 합의를 볼 경우, 86-95 기간중 EC 가 곡물분야의 보조금 감축은 55-60% 수준 (86-90

통상국	장관	차관	1차보	2차보	외정실	분석관	청와대	안기부
경기원	재무부	상공부	상공부					

91.07.05　06:14

외신 2과 통제관 DO

0122

가격인하율은 대강 20-25%) 이 된다는 것을 의미하며, AMS 기준으로 110-120% 의 보조감축을 의미함으로 EC 의 곡물가격은 국제가격과 거의같은 수준이 됨. 그러나 35% 인하에 회원국들의 합의할 전망은 희박하며, 20-30% 범위내에서 결정될 가능성이 큼.

0 동 개혁안에 대하여는 9 월부터 본격적으로 농업이사회에서 토의될 것이며, 그 절차는 개혁기본원칙, 신규도입되는 용어의 정의, 보상 및 인하방법, 그리고 법제화 순서가 될것임

0 따라서 CAP 개혁과 UR 농산물 협상을 관련시켜 볼때, 개혁기본 원칙과 용어 즉, 직접 소득보조등의 개념에 대해 합의가 이루어지면, UR 농산물협상 MANDATE 변경은 가능하다고 해석할수 있으며, 그 시기는 대강 금년말 쯤이 될것으로 전망함

6. EC 의 UR 협상 추진방향

0 CAP 개혁에대한 기본원칙 또는 완전합의가 이루어질 시점에 가면, EC 집행위의 UR 협상대표는 협상에대한 포괄적인 MANDATE (미국의 FAST TRACK AUTHORITY 와 같은) 를 부여받을 것이며, 이대 협상대표는 EC 회원국의 제네바 상주대표들과의 수시 협의를 통해 UR 협상에 탄력적으로 대처하여 동 협상을 이끌어 나갈 것임

0 EC/UR 협상대표는 자기 판단에따라 UR 협상을 마무리지을 것이나, 동 결과의 수락여부는 회원국 정부에 회부하여 결정하는 절차가 될것임. 끝

(대사 권동만-국장)

주 이 씨 대 표 부

종   별 :

번   호 : ECW(F)- 0항   일   시 : 0716 1700

수   신 : 장   관 (경기원, 농수산부)

발   신 : 주이직대사

제   목 : CAP Reform

　　　표제 관련. EC 잔무위에서 7月10日 채택한
CAP Reform(안)을 송부함. 동제안은 7.15~16 농림이사회에서 검토?
정식으로 논의 될 예정이며 채택되지 못한 경우 7.15~17 G-7
건던 히더에서 동개혁안에 대한 의견교한이 있을것임.
CAP Reform(안) 6면 기타 관계기사 5면 합계
11면을 송부 하니 단두에 참고 바람.

12

<table>
<tr><td>상황실</td><td>판단실</td><td>일차보</td><td>이차보</td><td>기획실</td><td>외정실</td><td>분석관</td><td>의전장</td><td>아주국</td><td>미주국</td><td>구주국</td><td>중아국</td><td>국기국</td><td>경제국</td><td>통상국</td><td>문협국</td><td>영교국</td><td>총무과</td><td>감사관</td><td>공보관</td><td>의연원</td><td>청와대</td><td>안기부</td><td>인기원</td><td>정관</td><td>농수부</td></tr>
<tr><td>/</td><td>/</td><td>/</td><td>/</td><td>/</td><td>/</td><td>/</td><td>/</td><td>/</td><td>/</td><td>/</td><td>O</td><td></td><td></td><td>/</td><td></td><td></td><td>/</td><td></td><td>/</td><td>/</td><td>/</td><td>/</td><td></td><td></td><td></td></tr>
</table>

(총 12 매)

0124

A.

CAP REFORM : NEW COMMISSION PROPOSALS
SIGNAL MAJOR SHIFT IN FARM POLICY

When EEC Agriculture Commissioner Ray MacSharry finally unveils his new proposals on CAP reform, which were widely expected to be endorsed by his fellow Commissioners at their meeting in Strasbourg on July 9, he will no doubt confirm that emphasis will be placed on a deficiency payment system and compensatory aid modulated in favour of small farmers. Reasoning behind such a change in agricultural policy away from the EEC's long standing market support system of guaranteed prices lies in the Commission's belief that Community price policy must be based on the need to meet increasing competition on both domestic and world markets. At the same time, a shift towards direct income support in the form of compensatory aid will supposedly reduce surplus production levels, while encouragement for alternative and less intensive land use will pave the way for more environmentally-friendly farming.

Although a formal presentation of COPA's reactions to the new reform proposals will not be available until July 12 after the meeting of COPA's preaesidium, it appears extremely likely that the farming community will severely oppose such radical reform on the grounds of discrimination against medium-large-sized farms, viewing it as modulation through the side door. Many farming representatives see the new approach of direct income aid as more of a charity event than an honest way of earning a living. It seems likely, therefore, that by the time the new reform plan reaches the Council of Ministers, the Commission will be fulfilling its offer to modify, or perhaps even rewrite the proposals.

Included in the latest draft plan to reform the CAP are the following proposals :

CEREALS : in the light of sharp rises in intervention stocks reaching record levels of 20 million tonnes by the end of the 1990/91 season, the Commission proposes merciless cuts of 35% in support prices. The price reductions and resultant income loss would be offset by a kind of deficiency payment system making up the difference between the current higher target price and the reduced internal EEC price (i.e. the current average

/

0125

buying-in-price of 155 Ecus minus the new target price of 100 Ecus = 55 Ecus of aid). This cut is expected to be made over the three year period with a target price of 125 Ecus/t beginning from the first marketing year of the reform, coming down to 100 Ecus/t the following year and 100 Ecus/t in the third year.

Payments to farmers would be based on regional average yields on a per hectare basis (regional average yield in tonnes/ha x 55 Ecu/t). This system of basing compensatory aid on regional average yields supposedly removes all sign of modulation in favour of small farmers. However, small arable farmers with an annual production of 92 tonnes or less, corresponding to a holding of 20 hectares, would be exempt from the set-aside obligation. Farmers who do not fall into the small producer category would be considered as "professional" producers and must set aside 15% of their land just to qualify for the aid compensating for the reduction in cereal prices.

In addition, these larger "professional" producers would only receive a limited amount of compensation for the area actually set aside. The maximum amount of compensation would be up to 7.5 ha, which means that a producer farming an area of 50 ha, equivalent to production of up to 230 tonnes a year, would receive full compensation for the land set aside. However, producers with more than 50 ha would still only receive compensation for the first 7.5 ha of land set aside. For example, a farmer with 100 ha would be obliged to set-aside 15 ha of land under the scheme, but he would still only receive compensation on 7.5 hectares.

In other words, the compensatory aid would only be paid in full to producers farming a maximum of 50 ha of land under cereals.

Thus, despite the modification in the reform proposals, basing the compensatory aid on regional average yields as opposed to Community average yields, modulation in favour of the small farmer is still very much part of the reform philosophy.

The Commission claims that lower cereals prices should benefit producers of pigmeat and of poultry and eggs through lower feed costs thus boosting demand in the cereals sector. However, farm experts are quick to point out that there is no inherent reason for cereal demand to rise when the price of cereal substitutes and especially imported substitutes remains competitive.

2

0126

OILSEEDS : support for oilseeds and protein crops would be provided fully in the form of a standardised compensatory payment system with per hectare aids paid direct to the producer. The current Maximum Guaranteed Quantitees and other stabiliser mechanisms would be abolished. A Community reference amount would be determined to calculate the aid for oilseeds, based on a world reference price, currently estimated at 163 Ecus/t, and on an estimated price relationship between oilseeds and cereals so that there is no incentive to opt for one crop as opposed to the other. The aid would be the same for all oilseeds and would be paid in two parts, one paid in advance and the second part at the end of the marketing year.

PROTEIN CROPS : aid will be at the same level and on the same regional per hectare basis as for cereals, paid in two parts under the same conditions as for oilseeds.

The new system for oilseeds and protein crops would be introduced in the first marketing year of the reform, but in order to comply with the conclusions of the GATT oilseeds panel a transitional scheme will be proposed before July 31, 1991. This is likely to be based on direct compensatory payments to producers.

MILK PRODUCTS : quotas are set to be reduced by a further 4% over a period of three years with annual compensation of 5 Ecus per 100 kg for ten years. Member States would be obliged to set up a special outgoers' scheme open to all producers in order to re-distribute quotas to farmers producing less than 200,000 kg a year. The redistribution limit would be 1% out of the 4% quota reduction. The voluntary outgoers' scheme proposed provides more attractive terms than has been agreed upon in the 1991/92 price package, offering up to 17 Ecus per 100 kg annually over a three-year period.

Institutional prices for dairy products would be reduced by 10% (15% for butter and 5% for skimmed milk powder) over a period of three years, a 4% cut (6% for butter and 2% for skimmed milk powder) from the beginning of the first marketing year of reform, and 3% reductions from the beginning of each of the following marketing years.

Again, modulation favouring the small farmer is included in the proposed reform for the dairy sector by way of annual dairy premiums of 75 Ecus available on the first 40 cows only.

BEEF : proposed cuts of 15% in the intervention price over a three-year period coupled with compensatory

3

0127

increases in the annual premiums for male cattle and suckler cows. The special premium for male bovines would be increased to 180 Ecus per animal and 75 Ecu/cow for the suckling cow premium. The aid would, however, be limited to the first 90 animals of each herd and be granted on the condition that stocking rates are no more than 1.4 livestock units/ha within less favoured areas and 2 livestock units/ha outside less favoured areas. This plan is designed to encourage less intensive livestock farming and improve the competitive position of beef, but at the same time, it looks as though beef producers would be hit badly were the reform to be adopted.

SHEEPMEAT : the Commission is expected to have another go at imposing limits on the number of ewes eligible for premium, with aid granted only on 750 ewes in less favoured areas (the current limit is 1,000 ewes) and 350 ewes (from 500 ewes) elsewhere. There would be continuation of the present supplement of 5.5 Ecus/ewe in less favoured areas.

TOBACCO : the main novelty here is a proposal to regroup the 34 Community tobacco varieties into 5 groups of varieties according to the type of curing and into three Greek varieties according to the type of curing and into three Greek varieties which happen to be somewhat different. Each variety would receive a premium, paid to the producer by the processor with reimbursement from the EAGGF. Bonuses of 10% would be available if the cultivation contracts are signed with producer associations. In an attempt to curb over-production, transitional production quotas with maximum limits of 340,000 tonnes would be introduced for the crop years 1992-1995, but beyond this limit no premium would be paid.

ACCOMPANYING MEASURES : With the aim of maintaining and developing the rural environments, environmental action programmes, increased incentives for early retirement and enhanced programmes for the afforestation of agricultural land are being proposed, requiring increased expenditure at both the Community and Member State level.

It seems to be the Commission's intention to increase the rate of Community co-financing, within the context of the Structural Funds, to a basic rate of 50% (currently 25%) with a higher rate of 75% for Member States entirely covered by Objective 1, (areas lagging behind in structural development). At the same time, the Community's principle of additionality must be reinforced so that increased aid from the Structural

4

0128

Funds does actually result in supplementary action within Member States. This has been very questionable in the past, particularly in the UK.

AGRI-ENVIRONMENTAL ACTION PROGRAMME : the Commission plans to introduce aid to encourage farmers to use environmentally-friendly production practices, aiming to reduce crop producers reliance on pesticides and to lower herd sizes in livestock farming. Maximum amounts of available aid would be 250 Ecus/ha for arable crops and 210 Ecus/livestock unit for livestock farming. Aid would also be granted to conserve or rehabilitate the diversity and quality of the natural environment, with maximum eligible Community aid of 250 Ecus/ha for annual crops and pastureland., the third scheme proposed involves environmental upkeep of abandoned agricultural land by farmers and non-farmers in rural areas, the actual implementation of such a scheme has, however, been questioned. To complete the programme, an additional set-aside premium of 100/Ecus covering a period of 20 years has been proposed to maintain the environmental condition of the land.

AFFORESTATION OF FARM LAND : in an effort to offset the huge costs involved in forestry, the Commission proposes to increase aid to both private individuals and public authorities, raising the maximum rate of EAGGF reimbursement from 1,800 Ecu/ha to 2,000 Ecu/ha for conifers and 4,000 Ecu/ha for broadleaved trees.

Annual forestry premiums would also be increased from their current level of 150 Ecus/ha to the same level as the set-aside premium for which there is a maximum' amount of 600 Ecus/ha.

EARLY RETIREMENT : in order to accelerate the adaptation and improvement and of agricultural structures, the Commission would introduce far more attractive terms to encourage farmers aged 55 years or more to leave agriculture. A lump-sum payment of 4,000 Ecus would be made available, accompanied by 250 Ecus/ha up to a maximum limit of 10,000 Ecus/year. The scheme would become compulsory for Member States under the new plan but optional for individual farmers.

BUDGETARY IMPLICATIONS : the new approach likened to a deficiency payment system will give rise to additional budgetary costs, despite claims that reform would reduce expenditure. According to initial estimates, financial requirements for the new plan would involve extra spending compared to 1992 of some 3.9 billion Ecus for the market organisations (EAGGF Guarantee Section) and 4 billion Ecu over five years (1993/97) for the

5

0129

accompanying measures (EAGGF Guidance Section).
However, costs are projected to decline after 1997.

According to farming experts, the proposed changes to
the cereals regime would completely disrupt the meat
sector to the disadvantage of grazed livestock farmers,
involving a cut in income of some 50% for a UK average
lowland farm concentrating on livestock grazing.
Further estimates have shown that, in general, an
average UK family farm would suffer an income cut of at
least 30-40%.

Quite apart from the adverse effects of reform in the
farming sector, Community taxpayers will also suffer
from the radical change in supporting agriculture via
gurantanteed prices to a system of deficiency payments,
transferring the burden of CAP expenditure from the
consumer to the taxpayer. Farming experts believe it
could prove exctremely difficult to explain why a reform
in the CAP would actually raise spending.

(Estimates of the impact of CAP reform continue and will
be analysed in a forthcoming issue of European Report.)

6

0130

B.

<u>(EU) EC/ REFORM OF THE CAP : MR. MACSHARRY STRESSES
THE FUNDAMENTAL NATURE OF THE PROPOSED REFORM (WHICH HE
WOULD HAVE LIKED EVEN MORE DRASTIC) -
COMMUNITY SUPPORT WILL BE DISTRIBUTED MORE FAIRLY
TO FARMERS</u>

STRASBOURG, 10/07/91 (AGENCE EUROPE) - On Tuesday
evening, Commissioner MacSharry presented to the press
the plans for the reform of the CAP, just approved by
the European Commission for submission to the Council
(see yesterday's EUROPE, page 9), which he described as
fundamental. Admittedly, the expenditure this policy
will involve in the next five years will increase in
relation to the present budget. In 1997, the CAP will
cost 38.8 billion ecus (37.7 billion ecus under EAGGF)
Guarantee and 1.540 billion ecus for accompanying
measures, estimated at 1991 prices), compared to 32.5
billion ecus in 1991. The Commissioner added, however,
that if the status quo is maintained, as some would
like, the total cost of the CAP in 1997 will be 41.7
billion ecus, without reducing surpluses. The latter
are one of the main causes of the drop in agricultural
income that the EC has not managed to stamp out in spite
of higher and higher expenditure (which is 30% higher
this year than last year).

The measures the Commission prescribes will have the
effect of reducing production. They are twinned with
accompanying measures in order to maintain farmers'
income, the Commissioner stressed. The goal is to
attain a better distribution of EC intervention. Mr.
MacSharry would have liked this redistribution to be
even more pronounced, but others disagreed (at present,
20% of farmers receive 80% of EC support). The measures
to reduce prices and production in all sectors -
beefmeat, sheepmeat, cereals, milk - will be introduced
over a three-year period. In any case, the reduction of
stocks will be a lengthy process and the effects of the
new policy being proposed will probably only be felt in
five to ten years.

The Commissioner insisted on the following accompanying
measures : afforestation programmes; different premiums
for extensification and less use of fertilizers;
improvements to the system for early retirement and
retirement of farmers over age 65 working full-time.

1

0131

The Commissioner added that the Commission had taken international realities into account. It took care to ensure that the EC's proposals in the Uruguay Round would only have to be slightly modified. The Commission has just proved that it was capable of taking the initiative : its partners must now follow it in this direction, the Commissioner said.

Finally, Mr. MacSharry said he was accustomed to initially unfavourable reactions, adding : "I think that at the end of this exercise, the Member States and the Parliament will note that the Commission is attempting to improve the fate of the EC's agricultural workers."

Prospects, foreseeable expenses, perplexities & criticism

According to the Commission's plan, the reform should enter into implementation in 1993 and attain cruising speed in 1996. For the first few years, it will lead to higher expenditure on the CAP (which confirms that the objective is not to save but to improve spending); lower expenditure is not expected before 1997. The management of markets will cost 2 billion more than at present at the start, to that would be added 4 billion for accompanying measures, 300 million for afforestation, 1.8 billion for environmental protection, a similar figure for early pensions.

The plan adopted represents a compromise by the Commissioners, some of whom, Mr. Andriessen and Sir Leon Brittan for example, would have liked more radical measures to balance markets (i.e. to bring supply and demand closer together), and others who think Mr. MacSharry's initial project required excessive sacrifices of farmers. Other elements taken into consideration concern :

- the need for better distribution of the advantages of the CAP not only between different categories of farmers (20% of farmers receive 80% of credits) but also between the Member States (the EAGGF-Guarantee intervenes for 40% to 50% of agricultural income in the Netherlands and Ireland, 10% to 20% in Spain, Italy and Portugal);

- The advisability of modulating compensation in order to exert effective pressure on quantities offered while taking certain specific situations into consideration;

- at the same time, the size of farms should not represent the only criterion for the application of restrictions because this would result in penalizing producer efficiency;

8

0132

- the need to provide adequate administrative instruments and to set up effective inspection mechanisms, due to the increase of direct aid;

- the advisability of increasing production incentives for non-food ends;

- the possibility in certain cases of replacing set-aside with crops raised free of all chemical products.

The technical content of the reform plan has been summarized by the Commission in a document which will be published in full in EUROPE Documents.

Importance of farm reform

THE REVISED proposals for reform of the common agricultural policy put forward by Mr Ray MacSharry, the European Community's farm commissioner, are not without fault. But they are at least a serious response to a serious challenge. The same cannot, unfortunately, be said of the response from Mr John Gummer, the UK's farm minister.

Reform of the EC's common agricultural policy matters. It matters because the CAP absorbs almost 60 per cent of the EC's total budgetary resources, because — according to the OECD's latest report on agriculture — it imposed a total cost of $133.4bn (roughly $400 per head) on EC consumers and taxpayers in 1990, because it blights the prospects of eastern and central Europe and because it is the most important obstacle to completion of the Uruguay Round of trade negotiations.

It has long been understood by serious outside observers that the solution lies in separating incentives for production from income support. Happily, such a separation is central to the Commission's proposals.

Any politically feasible reform on these lines will — and should — reduce the incomes of larger farmers by proportionately more than those of smaller ones. It is only because transfers are now provided through high prices that it is politically possible to provide some 80 per cent of the benefits to the 20 per cent of the farmers who produce most of the output. No government could openly legislate so regressive a transfer of income.

No discrimination

Nevertheless, separating incentives to produce from income support need impose no discrimination against production by larger or more efficient farmers (too often presumed to be one and the same). To the extent that such discrimination exists in the Commission's proposals, it is because they do not go far enough.

In the case of cereals, for example, the Commission's proposals are for a cut of about 35 per cent in prices over three years. All farmers would be compensated for the lost income, based on average EC yields.

Between roughly 20 and 80 hectares, however, farmers would receive the compensation only if they agreed to set 15 per cent of their land aside, but they would also be compensated for the set-aside. Beyond 80 hectares, further compensation for the set-aside would not be made. The proposed compensation for losses of income is larger and the required set-asides more modest than in Mr MacSharry's original proposals.

Correct objections

The correct objections to the economic inefficiency inherent in this plan are to the arbitrary nature of the set-asides and to the absurdity of paying farmers not to take advantage of excessive incentives to produce. These objections are cogent. But they are not the British objections.

How can a minister who has committed himself to the principle "that the whole area of Britain that is now farmed must continue to be farmed" object to the economic inefficiency of almost any proposals? Imagine the reaction to a minister saying something similar about coal mines or shipyards. What lies behind these complaints is not concerns about efficiency. They are motivated by a correct recognition that large farms with high yields would not be fully compensated for the loss in income attendant upon lower prices.

The serious objection to the MacSharry proposals is that they do not lower prices enough. In addition, the compensation they offer is excessive. But the underlying principles are right. Support for the Commission's proposals provides a litmus test for a British government supposedly dedicated to farm reform, liberalisation of international trade and reliance on the market.

If Mr Gummer proves incorrigible, the decision falls to Mr Major. He must decide between the barons of East Anglia and far weightier concerns, including his role as host of the summit of the group of seven industrial countries next week. Either the UK is part of the problem or part of the solution. At the moment it is part of the problem masquerading as part of the solution.

FINANCIAL TIMES

NUMBER ONE SOUTHWARK BRIDGE, LONDON SE1 9HL
Telephone: 071-873 3000 Telex: 922186 Fax: 071-407 5700

Friday July 12 1991

0133

c.

(EU) REFORM OF THE CAP : NEGATIVE REACTIONS IN COMMUNITY &
NATIONAL AGRICULTURAL CIRCLES TO THE MACSHARRY PLAN -
SATISFACTION OF CONSUMERS MEETING WITH THE ETUC

BRUSSELS, 11/07/1991 (AGENCE EUROPE) - reactions in the
European Community farming circles to the proposed
reforms of the Common Agricultural Policy, approved on
Tuesday night by the Commission, were not long in coming
: European associations like the national and sectorial
unions representing farms, rejected the measures
proposed outright and, for the most part, condemned what
they considered to be Community "capitulation" in the
face of American demands in the framework of the GATT
negotiations.

The European Farmers Coordination considered that "these
proposals fall short of our hopes for a thorough reform
of the CAP (...) The considerable price reduction has
been proposed under the pressure of the GATT
negotiations, and primarily to the advantage of the
agro-industry, which will not pass it down to the
consumers". The CPE, moreover, considers that those who
produce most, i.e. the big farmers, will continue to get
the bulk of public financing whereas it is they, and not
the EAGGF, who should bear the expenses linked to extra-
community exports ...

In London, as in Amsterdam, the British and the Dutch
professional Unions considered that their members, who
for the most part work for big farmers and use intensive
farming methods, will be most affected by the CAP reform
in spite of the size of production. The British
Farmers' Union considers that the measures proposed, if
adopted, would penalise the most efficient among the ten
million small farmers within the Community and would
protect many of those units which are not even
commercially viable, in southern Europe particularly.
The Irish farmers, for their part, criticise this
"destructive" reform which provides for no compensation
from the rich member States of the Community.

The Comité Directeur des Union Professionnelles
Agricoles (UPA) of Belgium also rejected the proposals :
were they to be accepted, they would be the death
sentence of European farming (...) The drop in income
for farmers which would result from them would be fatal
to the profession's survival, (...) because the yoke of

10

0134

compensatory direct aids would never be achieved.

The consumer organisations, on the other hand, gathered in the European Trade Union Confederation (ETUC) welcomed the European Commission's initiative, considering that we had to "put an end to the old logic of the CAP, with its enormous costs to the consumer, absurd wastes and mountains of surpluses, and introduce a new dynamic based on quality products, the respect for the environment and the integrated development of rural areas". Most of EAGGF support should go to small family-type farms, agricultural activity in the mountains and less favoured regions should be supported and ecological agriculture encouraged, by, notatably, introducing a link between direct aid and agricultural practices respectful of the environment.

EC ministers to debate Brussels farm reform plan

By David Buchan in Brussels

EC FARM ministers will today take their first bite at the European Commission's radical farm reform plan, which will take most of this autumn to digest and negotiate.

The plan aims at reducing food surpluses that have to be dumped on the world market with costly subsidies. It proposes cutting internal support prices (by as much as 35 per cent for cereals), and paying compensation to farmers, who are also to be encouraged to take more land out of production.

The plan, approved by the Commission last Tuesday, has already been criticised by most EC farming organisations, which claim that Brussels has given in to pressure from the Community's main negotiating partners in the General Agreement on Tariffs and Trade talks.

British and Dutch farmers particularly have complained that farmers with larger holdings would not be fully compensated for price support cuts, a point which their minis-ters are expected to underline at today's EC agricultural ministers' meeting.

Another controversial feature of the plan is its cost. The Commission predicts the EC farm budget, already strained to breaking point, would continue to rise to Ecu38.5bn (£27.1bn) by 1997, before falling thereafter. UK officials believe that the Commission is being optimistic in predicting that world cereal prices would rise to the reduced level of the EC's internal support price and thereby remove any need for export subsidies.

The tactic of removing agricultural export subsidies in world trade is the main obstacle to progress in the stalled Gatt negotiations which will be discussed at the Group of Seven summit which opens in London today, Mrs Carla Hills, the US trade representative, and Mr Michael Wilson, Canada's trade minister, have both welcomed the Brussels Commission's plan as a necessary first step to getting an overall Gatt agreement.

FINANCIAL TIMES MONDAY JULY 15 1991

원 본

외 무 부

종 별 :

번 호 : ECW-0585

일 시 : 91 0719 1700

수 신 : 장 관 (봉기, 경기원, 재무부, 농수산부, 상공부) , 사본: 주미, 제네바대사(

발 신 : 주 EC 대사   사본: 주미, 제네바대사(본부중계요)

제 목 : EC/CAP 개혁

연:ECW-0539

1. 7.15-17.간 개최된 EC 농업 이사회에서는 7.10.EC 집행위가 제출한 표제 개혁안에 대해 토의를 가졌는바, 요지 하기 보고함(집행위의 개혁안은 파편 송부함)

가.MAC SHARRY 집행위원은 제안 설명을 통해 동 개혁안이 과도하다고 생각 할수도있으며, 동 개혁안의 시행으로 말미암아 단기적으로는 농업지출이 증가 되는 것은 사실이나, CAP 에 제기되고 있는 문제들을 고려할때 현상을 고수하는 방식은 최악의 해결책일수 밖에 없다고 말하고, 이사회는 전반적인 농업 문제점들을 검토하여, 동문제점들에 대한 공동의 책임의식을 갖고 건설적인 방향의 해결 방안을 모색해줄 것을요구함

나.동 이사회에 참석한 EC 회원국들의 반응은 대부분 비판적이고 부정적이었는바 요지는 아래와 같음

0 불란서는 CAP 개혁대안을 마련중에 있으므로 동 대안이 완료되기 전까지는 집행위의 개혁안에 대해 상세한 언급을 할수 없다고함

0 영국은 시장균형, 농업소득보호및 환경보호라는 세가지 목적이 제대로 반영되어 있지 않으며, 가장 효율적인 생산자를 차별적으로 취급하고 있다고 말하고, 농업지출 억제 지침이 준수되어야 할것이라함

0 이태리는 농업소득의 기본 요소로서 2중 가격제를 지속할 것인지가 근본 문제라고 말하고, 개혁이행기간(3년)이 너무짧고 비현실적이며, 가격인하등 개혁 내용이 지나 치다고말함

0 벨기에는 개혁안은 당초 지향하고 있는 개혁목표와 부합되지 않으며, 농민들의생산의욕과 동기를 전부 상실케 할 것이므로 크게 실망한다고 말함

0 기타 동개혁안에 대해 조목별로 지적된 주요내용은 아래와 같음

통상국   경기원   재무부   농수부   상공부

-품목군별로 제시된 개혁 내용간의 균형문제, 즉 CEREALS 과 식물성 유지류와의생산 대체관계 고려 필요성(불란서,스페인등)

-개혁 이행기간(92-95)의 비현실성, 즉 이행기간이 너무 짧으며, 점진적인 개혁이행 필요(불란서, 덴막, 이태리, 에이레)

-농업지출액 증가에 따른 소비자의 조세부담 또는 회원국들의 부담증가 우려(불란서, 독일, 스페인, 덴막등)

-남,북부 국가간의 의견차이, 즉 북부국가들은 중.대농의 생산 의욕 저하를 우려한 반면, 남부 국가들은 소농에 대한 보호 대책 미흡을 지적함

-CAP 개혁과 갓트/UR 농산물 협상간의문제, 즉 REBALACING 등 UR 협상에서의 EC입장을 고수하는 문제에 대한 설명 필요

-가격 지지 정책에서 소득보조 정책으로 전환하는 문제는 EEC 조약정신과 관련되므로 EC정상회담에서 논의될 문제임(이태리등)

다.동이사회 종료후 MAC SHERRY 위원은 많은비판에 불구하고 동 개혁안은 균형있고, 합리적이며, 수락 가능한 것이라는 소신에는 변함이 없다고 말하고 이사회에서 제기된 의견들은 고무적이었으며 COPA 가 제시하고 있는바와 같은 자율적 생산통제 방식은 효과적인 방안이 될수 없을 것이며, CAP 의현체제를 유지한 경우 생산과잉과 재정부담은 견디기 어려운 상태에 처할 것이라고 말하고, EC농산물 가격을 세계시장 가격에 접근 시켜나가는 것이 가장 합리적인 개혁 방안일 것이라고 말함

라.BUKMAN 이사회 의장(화란 농무장관)은 CAP개혁 필요성은 모두가 인식하고 있으나, 그 방법에 있어 회원국간의 입장을 균형있게 반영하는 것이 문제일것이라고 평가하고, 집행위의 개혁안에 대해 세부적인 검토와 이사회의 대안을 마련하기 위해 특별 농업위원회를 설치할 것이며, 차기 이사회는 9.23-24.개최할 것이라고 말함

2.7.10.동 개혁안 발표이후 제시된 각계 단체의 반응은 아래와 같음

가.EC 의 농업 생산자 단체인 COPA 와COGECA 는 동 개혁안에는 농업 생산자단체들의 의견과 갓트/UR 농산물 협상에서의 EC 입장인 REBALANCING 문제가 고려되지 않았음을 지적하면서 이의 수락을 거부함

나.CPE(EUROPEAN FARMERSCOORDINATION), 영국, 화란, 에이레, 벨기에 농민단체들은 동 개혁안은 EC 농민들의 요구와 희망은 무시하고, 갓트/UR 협상에서 미국의 요구 즉 보조 금 감축에 부응하는 내용임을 지적하면서 동 개혁안을 거부함

다.유럽의회(EUROPEAN PARLIAMENT)

-EP 의 좌파 연합과 녹색당은 동 개혁안은 미국의 요구에만 부응하는 내용임을 지적하면서 비판적-사회당 그룹은 동개혁안을 환영하고다만, 동 개혁안 이행에 따른농업 재정부담 증가를 우려함

라.EC 의 소비자단체 즉, ETUC 및 BEUC 는 소비자들의 부담만을 가중시키는 CAP의 기본원칙을 개혁 코자하는 동 개혁안을 크게 환영한다고 말함.끝

(대사 권동만-국장)

외 무 부

종 별 :

번 호 : FRW-1647

일 시 : 91 0717 1700

수 신 : 장 관(봉기,경일)

발 신 : 주 불 대사

제 목 : EC공동 농업 정책 개혁

　　1. UR 협상 문제가 G-7 회담에서 경제 분야 최우선 과제로 협의되고 있는 가운데, 7.16 브라셀에서 개최된 EC 농업 장관회담 에서는 영국이 EC 집행위로 하여금 농산물 문제 재협상을 통해 교착상태의 UR협상 태개를 주장한 반면, 불란서와 독일은 UR협상에서 일체의 추가 양보를 거부함에 따라 합의에 이르지 못함.

　　2. 한편 LOUIS MERMAZ 불 농업장관은 EC집행위에 대한 새로운 협상 권한 부여문제협의를 위해 7.29 긴급 EC 농업,통상장관회담 개최를 제의하였으나 현 EC 의장국인화란에 의해 거부됨.

　　3. 한편 7.9 합의된 EC 집행위의 공동농업정채(CAP) 개혁안에 대해 반대 의사를분명히 하고 있는 불란서는 CAP 개혁은집행위가 추구하는 가격 인하가 아니라 직접적인 생산통제에 의해 이루어져야 함을 주장코독자적인 CAP 개혁안 제출 의사를표명하였는바, CAP 개혁을 위한 논의는 향후 최소한 수개월 이상 소요 될것으로 전망됨.끝

　　　(대사 노영찬-국장)

통상국　　2차보　　구주국　　경제국　　정와대　　농수부

PAGE 1

91.07.18　　01:20 FN

외신 1과 통제관

0139

외 무 부

종 별 :

번 호 : ECW-0586 　　　　　　　　　　　　 일 시 : 91 0719 1700

수 신 : 장 관(통상),경기원,재무부,농수산부,상공부),사본:주미,주제네바대사

발 신 : 주 EC대사 　　　　　　　　　　　　 (본부중계요)

제 목 : EC/CAP 개혁과 갓트/UR농산물협상

1. 7.15. HILLS 미 통상대표부 대표는 기자회견에서 EC/CAP 개혁안에 대해 환영한다고 말하고, 동개혁안은 과잉생산을 초래하고 있는 CAP 보조금 체제를 개혁하기 위한내부 작업이나 동개혁이 궁극적으로 수출 보조금 감축을 가져올 것이라는 것을 EC 도 인식하고 있다는 사실에 대해 만족하고 있다고 말함. 동인은 그러나 미국이 UR 협상에서 해결되기를 원하고 있는 수출보조금과 시장 장벽의 감축과 관련하여 볼때, 동개혁안은 첫단계에 불과하다고 평가하고, MACSHARRY 개혁안은 미국이나 108개 국가들을 만족시키기 위한 것만은 아닐지라도 UR협상과의 관련성을 고려해볼 필요가 있을것이라고 말함

2. 7.17.속개된 EC 농업이사회에서 MAC SHARRY집행위원은 UR 농산물 협상의 DUNKELOPTION PAPER 에는 REBALANCING 문제가 언급되어 있지 않기 때문에 실망하고 EC 는 그수락여부를 유보하고 있다고 말함. 한편, 동이사회는 UR 협상에 EC 가 제시한 당초의 MANDATE 를 준수할 것을 다시 요구하고, 특히 국내보조, 수출 보조 및 시장접근등 세야를 포괄하여 공약하는 방향으로 EC 의 입장을 세워나가야 할것을 요구함

3. 한편,MAC SHARRY 위원은 동이사회에서 동인과 ANDRIESSEN 부위원장은 7.30.브랏셀에서 HILLS 미통상 대표부 대표 및 MADIGAN 미 농무장관과 회담을 가질 것이라고발표함. 동인은 동회담에서는 UR 협상전반에 대한 평가 및 의견 교환을 가질 것이나주요 ISSUE 는 CAP개혁과 관련한 UR 농산물 협상 문제가 될 것이라고 말함.끝

　　(대사 권동만-국장)

통상국　　2차보　　경기원　　재무부　　농수부　　상공부

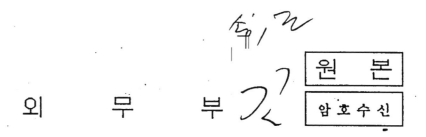

외 무 부

종   별 :

번   호 : ECW-0611   일   시 : 91 0801 1630

수   신 : 장관(봉기,정보,재무부,농림수산부,상공부) 사본:주미,주제네바대사

발   신 : 주 EC 대사   (중계필)

제   목 : GATT/UR협상(자료응신제91-106호)

연 : ECW-0608

1. 7,31. 당관 이관용 농무관은 G EC 집행위 대외관계총국 농업과장을 오찬에 초청하여 표제관련 협의한 바, 요지 하기 보고함.

0 7.30 개최한 미-EC 각료회담에서 G-7 회담결과, 즉 UR 협상을 금년내 종결시키는 방안을 협의하고, 또한 D 갓트사무총장이 갓트/TNC 회의에 제출예정이던 내용에 대해 토의할 예정이었으나, 동 가 TNC 회의에 제출되지 않았기 때문에 결과적으로 구체적인 합의 또는 발표할만한 내용이 없었음.

0 EC 는 UR 협상 추진방향에 대한 새로운 입장을 구상중이나, 현재로서는 연호 및 갓트/TNC 회의에 제출한 S 내용정도 이외에 특별한 사항은 없음. 그러나 EC 나 미국도 UR 협상의 추진 방법이나 방향에 관한 한 독자적으로 어떤 대안을 제시하지는 않을 것이며, 동 협상은 D 총장이 어떤 방향을 제시하면, 이에 대해 미-EC 가 협의하여 의견을 모아가는 방법이 될 것이라고 부언함.

0 EC/CAP 개혁 관련하여 늦어도 금년말까지는 개혁 기본골격에 대하여는 회원국간 합의가 가능하다고 보며, 따라서 동 기본 골격에 대해 어느정도 회원국간 C 가 이루어 질 것으로 전망되는 시점에서 EC 는 UR 협상, 특히 농산물, 씨비스, 시장접근 및 갓트규범분야에서 적극적인 입장을 취할 것이므로 EC 협상 대표들은 10 월 이후 바쁜 일정을 맞이할 것이라고말함.

0 동인은 쌀문제에 대한 아국과 일본의 입장에 대해 문의한 바, 이농무관은 아국의 쌀등 NTC 인정 요구품목에 대하여는 일본과 근본적으로 상황이 상이하며, 아국의 경우 NTC 요구품목은 8 백만 농민 거의가 일부라도 생산에 관여하고 있을 뿐 아니라, 쌀은 아국농민의 농업소득의 절반을 차지하고있어 아국농민의 소득보전등 생계와 직결되고, 현재 아국의 정치적, 사회적인 C 는 NTC 품목은 최소 시장접근 뿐 아니라, T 등 UR

통상국	차관	1차보	2차보	외정실	분석관	정와대	안기부	재무부
농수부	상공부	중계						

PAGE 1

농산물 협상에서 거론되고 있는 모든 사항에 부응할 수 없으나, 일본의 경우는 아국과 비교하여 전체 소득수준과 교역규모도 비교할 수 없을 뿐 아니라, 일본은 이미 쌀의 최소시장접근 허용문제는 국민적 합의 단계에 있는 것으로 본다고 답변하고, 이러한 차이에 대한 이해를 요청함.

2. 한편, 8,1 일자 F T 에 의하면 항가리를 방문중인 H 미국통상대표부 대표는 UR 협상이 금년내에 종료되기는 어려울 것이라고 말함.

동인은 아직도 농업보조감축문제는 동 협상의 이며, 비록 농산물 협상에 어떤 진전이 있더라도 여타 14 개 분야의 합의 도출에는 4-6 개월이 소요 될 것이므로 금년말까지는 협상을 종료시키는 것이 불가능하다고 할 수는 없으나, 어려울 것이라고 말하고, 따라서 중요한 것은 앞으로 토의를 빨리 종료시키는 것이라고 말함. 끝.

(대사 권동만-국장)

PAGE 2

0142

농산물관련 미·EC간 분쟁 현황

1. 유지작물(oilseed)에 대한 EC의 보조금 지급 문제

o 89.12 갓트 패널 보고서 결론

- 유지작물에 대한 EC의 보조금 지급으로 EC가 동 품목에 대해 양허한 무관세 이익 침해

- EC산 유지작물 구매 계약체결을 조건으로 한 보조금 지급은 내국민 대우 위반

o 91.5.24 EC 농업이사회의 91/92 농산물 가격 합의 요지

- 유지작물에 대한 개입가격을 1.5% 인하하되, 92.7월 이후 판매되는 작물부터 시행

- 생산자가 생산계획을 관련기관에 제출했을 경우도 생산자에 대해 수확이전 보조금 지급

o 미측 불만요지

- 개입가격을 1.5% 인하하여도 세계 시장가격보다 1.8-2.1배 높은 가격 지지 유지

- 92년도 수확작물부터 시행 필요

- 생산자의 생산계획 제출은 현실적으로 어려우므로 실제적으로 생산자가 구매계약 체결을 선호하게되어 내국민 대우 위배

o EC의 향후 검토일정

- 91.9월 중순 EC 농업이사회에서 검토 예정

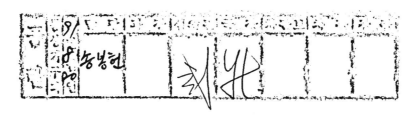

0143

2. 미국산 돼지고지 수입금지 문제

o EC, Third country Meat Directive 에 의거 미국의 9개 돼지도축장의 위생
   설비 미비를 이유로 동 도축장에서 Packing 되는 돼지고기 수입금지 조치

o 미 돼지고기 생산업자의 요구 사항

- 상기 9개 도축장으로부터의 돼지고기 수입금지 조치를 해제치 않을 경우
   EC 산 돼지고기의 미국내 수입금지 조치

o 미정부 조치 사항

- 91.7 갓트이사회에서 패널 설치요청(EC 의 반대로 차기 이사회에서 재논의
   예정)

3. Corn gluten feed 정의 문제

o EC 측 주장

- 최대 3%의 fat 함유한 것만 corn gluten 으로 분류
- UR 에서 rebalancing 필요

o 미측 주장

- 최대 5%의 fat 함유한 것도 corn gluten 으로 분류(3% 인정시 약 6억
   6천만불의 시장 상실)
- rebalancing 수용 불가(현재대로 무세유지)   (끝)

0144

외 무 부

종 별 :

번 호 : ECW-0688 　　　　　　　　　일 시 : 91 0912 1600

수 신 : 장관(봉기, 경기원, 재무부, 농림수산부, 상공부) 사본:주미, 제네바대사-직송필

발 신 : 주 EC 대사

제 목 : GATT/UR 협상

9.11. 당관 이관용농무관은 OLSEN EC 집행위 농업총국 UR 담당관을 오찬에 초청하여표제협상의 전망등에 대해 협의한바 동인의 발언요지 하기 보고함

　　1. 협상 추진전망

　　0 표제협상에서의 EC 입장은 91 상반기 이후 변화된 사안은 없음. 하계 휴회기간중 표제협상 관련하여 미.EC 간 쌍무협의를 가질 기회는 없었으며, EC 는 8월중유고및 소련사태, EC와 폴란드, 체코, 항가리간의 협정체결 문제등 시급한 외교및경제협력 현안처리를 중점적으로 취급할수 밖에 없어 UR 협상에대한 EC입장을 검토할수 있는 여유가 없었음

　　0 다만, EC 와 미국의 농산물 교역관련 현안사항인 <u>CORN GLUTEN</u> 수입봉관문제,<u>포도주의규격및</u> 미 도축장 위생기준등에 대해 당지미대표부 관계관과 협의는 계속하고 있음

　　0 표제협상은 DUNKEL 의 OPTION PAPER 에서 제시된 TECHNICAL ISSUE 에 대하여도 CONCENSUS 가 이루어지지 아니한 상태이므로 9.17. 제네바회의에서는 동문제 및 향후 협상추진 방향에 대한 협의가 진행될 것이며, 10월 중순이후 농산물 협상의 정치적 타결 또는 각협상그룹간의 정치적 타협을 시도할 것으로 보여,제네바 협상회의는 바빠질 것으로 전망함

　　0 UR 협상의 연내타결은 특별한 계기가 마련되지 않는한 어려울 것으로 봄

　　0 UR 협상 관련하여 9.13. 불란서에서 개최되는미.EC.일본.카나다 4극 봉상장관회담 결과가 주목되며 10월초 호주및 카나다의 농무장관이브랏셀을 방문 예정임

　　2. CAP 개혁과 UR 협상

　　0 비록 9.23-24 농업이사회에서 CAP 개혁 논의가 시작될 것이나, 난항이 예상되며

(특히 불란서가EC 와 폴란드간의 특별협정 내용중 소량의쇠고기 수입쿼타를 증량하는 문제를 제기하여 동협정체결을 지연시킨 사례를 지적), 금년내에 동개혁을 종결시킬수 있는지에 대해 의구심을갖고 있으며, 동 개혁안에 대한 각 회원국이 갖고있는 문제점을 노출하는 작업부터 착수될 것임.

0 동인은 사견임을 전제로, EC/CAP 개혁의기본적인 골격을 합의한후, 동 합의사항을 바탕으로 EC 의 UR 협상 입장을 다시 제출하는 것은 어려우며, UR 농산물 협상에서 합의된 내용이 CAP 개혁 내용이 될 가능성이 크다고 말함 (미국 케언즈 그룹의 요구는 상한선이므로 동 요구에 대한 FLEXIBILITY 와지적소유권, 써비스그룹에서의 EC 입장과의타협점 모색등을 언급)

3. EC 가 INVESTMENT AID 를 감축대상 보조에서 제외시키고자 하는 이유는 EC 회원국중 저개발국인 스페인, 폴투갈, 그리스에 대한 농촌개발 부자가 필요하기 때문임. 끝

(대사 권동만-국장)

EC의 CAP 개혁안 관련 기사 요지

1991. 9.18.
통상기구과

1. CAP 개혁안 요지

    o 지지 가격 감축

    o 소.중농에 대한 완전 보상

    o 휴경을 전제로 대농에 대한 부분 보상

2. CAP 개혁을 통한 기대 이익

    o 과잉생산 해소

    - 현재 EC 생산의 20%가 과잉생산

    o 안정적 소득 보장

    - 특히 소농에 대한 안정적 소득 보장

    o 소비자에 대한 값싼 농산물 공급

    o 환경 개선

    - 비식용 작물로 전작 가능

    o UR 타결에 기여

3. CAP 개혁을 통한 피해 농가 비율

    o 곡물 농가 : 4%

    o 낙농 농가 : 14%

    o 소사육 농가 : 20%

4. 전   망

    o 프랑스, 네델란드, 덴마크등의 반대가 있으나 결국 CAP 개혁안에 대한
    합의가 이루어질 것으로 전망.   끝.

0147

외 무 부

종 별 :

번 호 : ECW-0727 일 시 : 91 0923 1700

수 신 : 장관 (봉기, 경기원, 재무부, 농림수산부, 상공부) 사본 ; 주제네바대사-직송필

발 신 : 주 EC 대사

제 목 : EC/CAP 개혁및 GATT/UR 농산물 협상

1. 9.23. 자 FINANCIAL TIMES 지는 표제 관련한 GUMMER 영국 농무장관과의 INTERVIEW 기자를 게재한바 하기 요약 보고함

가. CAP 개혁

0 MAR SHARRY/CAP 개혁안에 대한 합의는 수개월이 소요될 것임

0 개혁안은 전체 자원이용 측면에서 현행 CAP체재보다 비싼 댓가를 지불하게 될것이며 가격인하가 실질적으로 소비자 가격 인하를 가져올것인지 의문임

0 농업구조 개편과 무관하게 수많은 영세농가에게 연금을 지급하는 방향이 타당한것인지 의문이며 동 연금은 인플레율에 따라 매년 인상해야 할것임

0 가격인하는 원칙적으로 받아 드릴수 있으나, 이에따라 발생하는 가용예산을 동개혁안과 같이 사용하는 것은 반대하며 가격인하에 따라 부수적으로 취할 소득손실, 즉 차등보상 (즉 영세농에 대한 보상은 전액, 중대농은 비례적)에는 이의가 있음

1) 갓트/UR 협상에서 합의될 보조감축은 가장 효율적인 생산자가 부담할 것임

2) 한 품목에 대한 전업농보다 여러품목을 생산하는 혼합농이 상대적으로 많은 수혜

3) 효율적인 규모로 영농하는 국가의 농가들이 비효율적인 국가의 농가보다 혜택을 적게 받음

4) 독일의 PART-TIME 농가는 보상을 받으면서 FULL-TIME 농가가 보상을 못받는 것은 크게 불합리

5) 영국에서 생산하지 않는 품목에 대해서는 가격인하 대상에 빠져있음

0 80 프로의 예산이 80프로의 경지면적에 사용되는것은 당연함

0 환경보전 관련한 농업보조금도 농촌사회가 수용할수 있는 속도로 감축해야

통상국 2차보 경기원 재무부 농수부 상공부

PAGE 1 91.09.24 08:03 DQ

외신 1과 통제관

0148

하며,환경 보전원칙 설정 필요

  0 SET-ASIDE 는 필요하나 자발적인 참여로 시행

  0 영세농에 대한 농민연금은 필요하나 이는 농업구조 개편방향과 연계되어야 함

  0 MAC SHARRY 개혁안은 영세농이 많은 이태리,스페인 조차도 지지하지 않을것임

  0 영국은 MAC SHARRY 안을 수용하지도 않을것이나 동 개혁에 대한 FLEXIBLE 한 입장을 취하기위해 대안을 마련하지 않았음

  나. GATT/UR 농산물 협상

  0 동 협상에 제출된 EC 제안에서 크게 양보할것으로 보이지 않음. 그러나 수출보조금 감축문제에 대한 해명이 있을것으로 봄

  0 협상 DEAD LINE 임박하여 EC, 미국, 케인즈그룹이 모여서 해결책을 모색하여야할것임

  0 EC 가 사용하고 있는 협상 MANDATE 라는 용어는 불합리한 용어이며, EEC 조약에도 없음. 따라서 영국은 EC 집행위가 제네바에서 협상을 수행하고, 해결방안도 마련한 후 회원국들은 동 방안 수락 또는 불수락하는 협상 방법을 지지함

  2. 한편, 9.23-24 브랏셀에서 개최되는 EC농업이사회는 CAP 개혁과 UR 협상방향에대한 토의를 가질것으로 보이는바, 동 이사회 결과는 추보예정임. 끝

  (대사 권동만-국장)

PAGE 2

외 무 부

종 별 :

번 호 : ECW-0731   일   시 : 91 0926 1630

수 신 : 장 관 (통기,경기원,재무부,농림수산부,상공부) 사본:주제네바-직송필

발 신 : 주 EC 대사

제 목 : EC/CAP 개혁

　　9.23-24 개최된 EC 농업이사회는 CAP개혁안과 대두등 식물성 유지류의 GATT패널결과 조치문제 (GATT/UR 협상문제는 불언급) 에대해 토의한바, 요지 하기 보고 함

　　1. BUCKMAN 의장 (화란 농무장관) 은 회의개시직후, CAP 개혁 필요성 여부, 집행위 개혁 기본방향에 대한 공감여부, 가격인하 필요성 여부등 각 회원국의 상호 이견사항에 대한 설문서를 배포하고 의견조정과 타협을 시도함

　　0 동 설문서는 결과적으로 각 회원국의 기존입장을 재확인하는 계기가 되었으며, 회원국들은 집행위 개혁안에 대해 강한반대입장을 견지함. 다만 회원국들의 농업소득저하, 과잉생산및 재정부담 요인을 감안할때, CAP 개혁이 필요하다는 데에는 견해가 일치하였음

　　2. 한편, 식물성 유지류의 시장개편에 대하여는 영국, 독일등 6개국은 집행위안을 일부수정하여 채택하는데 동의한바, 동 안건은 재토의를 거쳐 10월중 시행될 것임.X

　　(대사권동만-국장)

통상국   2차보   경기원   재무부   농수부   상공부

PAGE 1   91.09.27   08:46 WG

　　　　　　　　　　　　　　　　　　　　　　외신 1과 통제관

0150

외 무 부

종 별 :

번 호 : ECW-0734   일 시 : 91 0927 1500

수 신 : 장관 (봉기, 경기원, 재무부, 농림수산부, 상공부) 사본:주미(본부중계요) ; 중계필

발 신 : 주 EC 대사   제네바-직송필

제 목 : GATT/UR 협상

1. 9.26. 당관 이관용 농무관은 EC 집행위 대외관계 총국 GUTH 농산물담당관을 접촉하고, 표제협상 관련 협의함. 동인은 9.17. MAC SHARRY 위원이 워싱턴을 방문, MADIGAN 미 농무장관과 가진 회담에서는 표제협상 추진방향에 대하여 논의하였으며, 특별 합의된 사항은 없으나, 금년말까지 UR협상을 종결시키기 위해 특히 농산물 협상에서 기술적 및 정치적 ISSUES 에 대해 긴밀히 협조키로 하였다고 말함. 또한 9.27. 동인은 미대표및 갓트 사무국과 협의키위해 제네바에 갈것이라고 말함

2. 또한 9.26. 이 농무관은 당지 미국대표부의 NICHOLS 농무담당 공사및 PHIOHOWER 농무관을 방문하여, 9.17. MAC SHARRY 위원의 워싱턴 방문결과및 최근의 표제협상관련한 미-EC간의 동향을 문의한바, MAC SHARRY 위원 방문시 특별 합의사항은 없으나, 매우 우호적인 대화를 가졌다고 말하고, 지난주 제네바 협상회의시 TARRIFFICATION 과 관련하여 양측이 보인 입장은 양자간 협의결과는 아니며, UR 협상을 연내에 타결하려는 양측의 의지를 보인 것이라고 말함. 또한 NICHOLS 공사는 최근 EC 가 농산물협상과 관련하여 적극적인 자세를 보이고있는 것은 환영할만 하다고 말함

3. 한편, 9.26 자 FINANCIAL TIMES 지는 9.25. 제네바에서 미-EC-카나다 및 일본대표들이 회동하고 UR 협상을 연내에 종결시키기 위해서는 11월초까지 UR 협상 전반에대한 합의초안을 마련해야 한다는데 의견을 같이 하였다고 보도하고, 특히 PAEMEN EC 집행위 대외관계 부총국장은 EC 는 농산물 분야에서 정치적 타협점을 모색하기 위한 준비가 되어있다고 말하였으며, EC 의 UR 협상 입장을 토의하기 위해 10.11-12 화란 헤이그에서 관계각료들의 비공식 회의가 개최될 것이라고 보도함. 끝

(대사 권동만-국장)

통상국   2차보   경기원   재무부   농수부   상공부

PAGE 1   91.09.27   23:13 DQ
                                           외신 1과 통제관

                                                 0151

외 무 부

종 별 :

번 호 : ECW-0753   일 시 : 91 1002 1700

수 신 : 장관 (봉기,경기원,재무부,농림수산부,상공부)사본:주미,주제네바(중계필)

발 신 : 주 EC 대사

제 목 : EC / CAP 개혁 관련 세미나

1. 10.1. 당관 이관용 농무관은 유럽정책연구센타 (CEPS) 가 유럽농업의 장래를주제로 개최한 세미나에 참석하였는바 주요발표요지 하기 보고함

가. 발표내용

- CAP 개혁 제안내용 설명 (GUY LEGRAS DG Ⅵ총국장)

- 농업경쟁력과 CAP 역활 (MARSH 영국READING 대학교수)

- CAP 여건 변화 (TRACY 아일랜드 농민연맹이사)

- 농촌개발과 농업 (DELORME 불란서 국제농업연구센타 이사)

- 소득직접 보조정책의 역활 (JAN DE VEER 화란토지경제 연구소장)

- 환경보전과 농업 (JENKINS WALES 대학교 교수)

- 중동구 유럽과 EC 농업 (GUTH DG Ⅰ 농산물담당과장)

- CAP 와 UR 협상 (DE ZEEUW 전 갓트/UR농산물 협상그룹 회장)

나. 발표자및 참석자의 CAP 개혁안에 대한의견종합

- 농업문제는 정치적, 사회적 문제와 관련하여고려할 분야이나 농산물 교역의 국제화 측면에서볼때, CAP 개혁안은 EC 농업 경쟁력문제를 소홀히 취급하고 있음

- 소득 보조정책은 가격보조 보다 많은 재원이소요될 것이며, 잠정적으로 시행되어야 하며, 특히가격인하에 따른 보상은 갓트/UR 농산물협상에서도 문제가 될것임.소득손실 보상정책보다는 농업구조 조정측면에서의 지원강화가바람직함

- 농촌개발, 환경보전 문제는 강화하여 추진할필요가 있으나, CAP 개혁안에 포함된 내용은실행 수단으로서 미약함

- EC 농민 입장에서 보면, 동구권 개방에 따른 농산물 유입및 UR 협상결과를 수용 하여야한다는 측면을 고려할때, 항구적인 대책이 아닌 소득보조는 받아드리기 어려움

- 동구권 민주화및 시장개방을 촉진하기 위해 농업분야를 포함한 전반적인 지원은

통상국   경기원   재무부   농수부   상공부

91.10.03   18:25 BE

외신 1과   통제관

0152

필요하나 우선 소련및 동구권의 농산물 생산 잠재력, 애로 요인등을 분석한후 부자지원이 시행되어야하며, CAP 개혁도 이러한 요인이 감안되어야 한다.

특기사항

DE ZEEUW 전 UR 농산물협상 그룹회장은 농산물협상이 성공적으로 타결되기 위하여는 각협상 참여국의 농업상황이 고려되어야 할것이며, 미국, EC, 케언즈 그룹등 주요 협상국들의 기대치도 상호 타협 가능한 수준까지 조정되어야할것이라고 말하고, EC/CAP 개혁 및 VARIABLELEVIES 등 EC 의 보호제도가 재검토 되어야할것이라고 사견을 제시함

2. 한편, 최근 EC 회원국내에서는 CAP개혁추진에 항의하는 농민시위가 계속되고있음. 특히 9.22. 불란서 파리에서는 20만 농민이시위를 벌였으며, MERMAZ 농무장관은 농민대표들에게 EC 집행위의 CAP개혁안에 대한 대안을 곧 제출할 것을약속하였음. 끝

(대사 권동만-국장)

외 무 부

종 별 :

번 호 : ECW-0758   일 시 : 91 1004 1700

수 신 : 장관 (봉기,경기원,재무부,농수부,상공부) 사본:US,GV-중계필

발 신 : 주 EC대사

제 목 : GATT/UR농산물 협상및 EC/CAP개혁

1. 10.3. KNIGHT 카나다 농무장관과 BLEWETT 호주무역장관이 브랏셀을 방문, 각각 MAC SHARRY농업담당 집행위원과 회담을 가졌음.동인들의 발언 요지등 하기 보고함

가. KNIGHT 카나다 농무장관

O GATT/UR 농산물협상의 성공적인 타결에 적극기여할 것이며, 카나다의 기본입장은

1) 수출보조금의 상당한 감축,

2) GATT 제 11조 (특히 생산조절등) 의 강화와 명확한 정의필요 및 3)농산물 교역에도 GATT 규정을 엄격히 적용하는문제임

O UR 협상은 성공할 것으로 확신하나, 이를위해서는 각국의 무역장벽을 철폐하려는 의지가 필요함

O UR 협상이 실패할 경우, 카나다는 현존국제무역 규범이 허용하는 범위내에서 생산자보호조치를 취할 것임

O EC/CAP 개혁이 원활히 추진되기를 희망함

O GATT 제 11조의 강화 필요성에 대해 EC측과 의견접근이 있었으며, 다만 각국의농업정책으로 인한 세계 농산물 시장이 왜곡되고 있는 정도 문제에 대하여는 EC측과 견해차이가 있었음

나. BLEWETT 호주 무역장관

O EC/CAP 개혁 추진을 환영하며, 호주는 불란서등일부 회원국들이 동 개혁추진의시급성을인식하고 있지 않는데 우려하고 있음

O 동인과 동행한 BLIGHT 호주 농민연맹회장은 EC 의 농산물 교역관행은 호주농업발전에 큰 장애요소가 되고 있다고 비난함

2. 10.2. 개최된 EC/비공식 농업이사회는 EC산 농산물의 비식용 사용증대 방안등을논의함. 요지는 아래와 갈음

통상국   2차보   경기원   재무부   농수부   상공부

가. 농산물의 비식용 사용량은 1프로 미만이며, 이의증대가 필요함

나. ETHANOL 제조등으로 사용되는 농산물에 대한보상금 수준이 낮고, EC/INTERVENTION 재고농산물의 공급가격이 너무 높은것이 문제임.가공업체에 대한 세제상 혜택등이 필요함

다. 국제농산물 가격이 저하되고 있고, CAP개혁이 성공하면 EC 산 농산물의 비식용사용량은 증가될 것으로 전망함

라. 농산물 비식용 가공기술에 대한 연구사업 및동 상품의 시장조사를 추진함. 끝

(대사 권동만-국장)

외 무 부

종 별 : 지 급

번 호 : ECW-0788
일 시 : 91 1011 1600

수 신 : 장 관 (통기, 경기원, 재무부, 농수산부, 상공부)

발 신 : 주 EC 대사   사본: 주미(본부중계필), 주 제네바(중계필)

제 목 : GATT/UR 농산물 협상

   EC 내 농민단체인 COPA 와 COGECA 는 10.10.표제협상 관련한 입장을 EC 농업 이사회 의장에게 제출한바, 요지 하기와 같음

   1. 표제협상은 각 협상그룹 결과를 포괄하여 균형있는 결과가 도출되어야 하며, PUNTA DEL ESTE선언 정신과 합치되어야 함

   2. 동 협상은 순수 교역측면 만이 아닌 사항, 즉 안정적인 식량공급, 환경보전, 정치 및 사회적안정, 농촌지역의 활성화등 요인이 고려되어야 함

   3. 각국의 농업이 처한 상황을 고려하여 각국이 최선이라고 선택하는 요구를 갓트 체제내에 수용하여야 함. 따라서 EC 의 경우는

   1) 가변부과금, 수출보조금 및 2중 가격제의 지속,

   2) EC 내의 과잉보호 품목과 그렇지 않은품목간의 REBALANCING 및,

   3) EC 가 이제까지 취한 국내보조 감축, 관세양허 등의 CREDIT 이충분히 인정되어야 함. 끝

   (대사 권동만-국장)

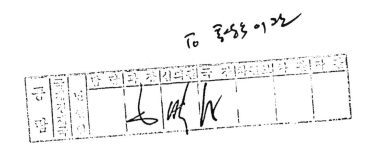

경제국	2차보			정와대	안기부	경기원	재무부	농수부
상공부								

PAGE 1

원 본

외 무 부

종 별 : 지급

번 호 : ECW-0787

일 시 : 91 1011 1600

수 신 : 장관 (봉기, 경기원, 재무부, 농수산부, 상공부) 사본:주미, 제네바대사-필

발 신 : 주 EC 대사

제 목 : GATT/UR 농산물 협상

연: ECW-0782

당관 이관용농무관은 10.10. EC 집행위 대외총국의 GUTH 농산물담당 과장및10.11. 농업총국의 OLSEN 담당관을 방문하여 표제협상 동향을 협의한바, 결과 하기 보고함

1. 협상전망과 DUNKEL PAPER

O DUNKEL 사무총장의 협상안은 DUNKEL 책임하에 작성될 것이며, 그 형식은 각국이 수락 또는 불수락하는 식 (TAKE IT OR LEAVE IT) 의 PAPER 가 될 가능성이 높으나, 동 PAPER 는 각국의 정치적 결정을 유도하기 위한 협상 기초이며, 형식여하에 불구하고 BRACKET 또는 OPEN QUESTION 과 같은 내용으로 보아야 할것임

O DUNKEL PAPER 가 제시되는 11 월초 이후 각국의 정치적 타협을위한 협상은 활발하여 질 것이며, UR 협상은 92.1(GUTH 과장) 또는 92.2 월 (OLSEN 담당관은 DUNKEL 총장의 말을 인용함) 에 결말이 날것으로 전망함

O 동 PAPER 의 작성과정에서 DUNKEL 총장이 미-EC 와 직접 협의하고 있지는 않으나, 미-EC 의 쌍무협의 내용을 비공식적으로 동인에게 전달하고 있음

O 미-EC 는 제네바등에서 수시 접촉, 협의하고 있으나 현재로서는 양측의 입장이 변화하지 않았음 (GUTH 과장은 미국은 AMS 사용및 TARRIFFICATION 이행방법에 있어 유연한 입장을 보이고 있음을 지적하고, OLSEN 담당관은 EC 의 입장은전혀 바뀐 바 없음을 강조함)

2. GATT 제 11-2-C 및 TARRIFFICATION 등 관련한 EC 입장

O EC 의 농산물협상 관련한 회원국간의 정치적 타협점 모색은 11 월초 DUNKEL PAPER 제시이후 추진될 것임

O EC 도 예외없는 TARRIFFICATION 이라는 측면에서는 미국과 입장을 같이함. 다만, CORRECTIVE FACTOR 관련한 미-EC 간의 의견차이는 있음

통상국 상공부	장관 중계	차관	2차보	분석관	청와대	경기원	재무부	농수부

PAGE 1

91.10.12 01:39

외신 2과 통제관 FM

0157

o EC 는 예외없는 TARIFFICATION 을 수용하되, GATT 제 11-2-C 의 개선문제와 연결시킨다는 의도를 보임

o 10.3. KNIGHT 카나다 농무장관의 브랏셀 방문시 GATT 제 11-2-C 문제를 협의했음. 이때 카나다는 동 조항 적용요건에 대한 당초의 입장, 즉 일부라도 수출하는 품목은 동 조항 적용배제 한다는 입장을 철회하였기 때문에 EC 와 카나다는 의견접근을 보았음. 다만 아직도 케언즈그룹, 미국은 동 조항 개정문제에 대해 반대하고 있음

o REBALANCING 제의는 아직도 유효하며 (불란서의 강경한 입장을 상기시킴), 동 문제는 CAP 개혁추진 여부와 연계되며, CAP 개혁이 UR 협상 타결전에 이루어지지 않는 경우에는 REBALANCING 에 대한 EC 의 입장을 바꾸는 것은 불가능 함

3. CAP 개혁과 UR 협상

o 양문제는 별개로 추진되며, CAP 개혁과 관련된 법률개정안이 곧 EC 집행위에 상정되어 채택될 단계에 있음

o CAP 개혁이 UR 협상보다 먼저 이루어질 전망은 희박하며, UR 협상의 결과가 CAP 개혁의 근간이 될것임. 끝

(대사 권동만-국장)

예고: 91.12.31. 까지

PAGE 2

0158

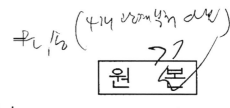

관리 번호	91-671

외　무　부

종　별 :

번　호 : FRW-2257　　　　　　　　　　일　시 : 91 1015 1730

수　신 : 장관(봉기,경일,구일)

발　신 : 주 불 대사

제　목 : UR 협상 타개

일반문서로 재분류(1091. 12. 31.)

1. DUNKEL GATT 사무총장은 물론 91.8 런던 G-7 정상회담, 91.10 방콕 IMF 총회등 국제무대에서 교착상태의 UR 협상 타개를 위한 국제노력이 확산되고 있는가운데, 최근 불란서가 EC 집행위의 협상 권한 확대에 묵시적으로 동의한것으로 알려지고 또한 독일이 EC 농업 보조금의 구체적 감축 지지 입장으로 선회하는등 EC 가 기본 입장에서 일련의 변화 조짐을 보이고 있어 주목됨.

2. 10.12 헤이그에서 개최된 EC 비공식 봉상 장관 회담후 EC 집행위측은 회원국으로부터 향후 UR 협상 정책 방향과 최종 협상 단계에서 보다 유연한 협상 권한을 부여 받았다고 주장 하였으며, 이는 GATT 사무국과 여타 주요 UR 협상국으로부터 본격적 협상 재개를 위한 청신호로 평가 받음.

3. 이에대해 불정부는 즉각 EC 집행위 발표 내용을 부인하고 90.11 브라셀 회담시의 기존 EC 입장만으로도 충분히 대미 협상을 재개할수 있다고 주장하였으나, 상기 봉상장관 회담에 참가한 STRAUSS-KAHN 불 봉상장관은 EC 집행위 협상 권한 확대에 명백한 반대 의사는 표명하지 않은것으로 알려짐.

4. 한편 불정부는 EC 농업 보조금 문제관련 강경 입장을 유지해온 독일이 10.12 EC 농업정책 고수보다는 UR 협상 타개 방향으로 자국 입장을 선회 한건에 대해 놀라움과 불신을 표명하는 한편, 일단 현 EC 농산물 가격 지원 체제 유지를위한 불란서의 기본 입장에는 변함이 없다고 언급함.

5. 불란서는 그간 농업 보조금 감축 문제관련, 자국에 대한 EC 집행위 및 여타 회원국의 압력을 배격하는 한편 집행위의 협상 권한 확대에도 완강히 반대해 왔으나, 금번 독일의 선회로 사실상 EC 내에서 고립된 입장(아일랜드만이 동조) 에 처하게 됨.

6. 한편 10.21 개최 예정인 EC 농업 장관회의에서 EC 의 UR 협상 입장이 보다

통상국	장관	차관	1차보	2차보	구주국	경제국	분석관	청와대
안기부								

심도있게 협의 결정될수 있을것으로 관측 되는 가운데, 불란서는 자국의 노력만으로 기존 EC 입장 고수가 어렵다고 판단될 경우,

　1) 현안중인 EC 공동 농업 정책의 개혁 방안이 타개될 내년이후로 UR 협상 연기를 시키거나

　2) 부득이한 경우, 피해 농민에 대한 직접 보상을 위한 장기 예산 지원제도(ENGAGEMENTS BUDGETAIRES CLAIRES SUR PLUSIEURS ANNEES) 를 전제로 자국 입장을 다소 완화할 가능성이 예상됨.

　7. 다만 최근 UR 협상 양보에 반대하는 대규모 농민 시위가 계속되고, 92 년 지방선거, 93 년 총선등 일련의 국내 정치 일정을 앞둔 불란서 정부로서는 기존 방침에서의 부분적인 양보라도 상당한 정치적 대가가 수반될 것이며 특히 금번 독일의 입장 선회로 자국의 협상 입지가 국내외적으로 더욱 약화될것으로 우려하고 있음. 끝

　(대사 노영찬- 국장)

　예고: 91.12.31 까지

PAGE 2

외 무 부

종 별 :

번 호 : ECW-0809   일 시 : 91 1015 1830

수 신 : 장관 (통기, 경기원, 재무부, 농수산부, 상공부) 사본: 주미, 제네바대사

발 신 : 주 EC 대사   중계필

제 목 : UR 협상

대: WEC-0619

연: ECW-0782(1), 0808(2)

일반문서로 재분류(198/. /2. 3/.

연호 2) 김광동참사관이 EC 집행위 BORRELL 한국과장및 관계관과의 오찬시, 대호 UR 협상에서의 아국입장, 특히 농산물분야와 관련된 입장을 상세 설명하고 지난주말(10.12-13) 헤이그개최 EC 봉상장관 비공식회의 결과등 UR 협상 관련협의한바 아래 보고함

1. 동과장은 EC 회원국내 및 제반 국제정치, 경제상황으로 볼때, UR 협상타결을 위한 유일한기회 (WINDOW OF OPPORTUNITY) 가 11 월 이라는 인식하에서 농산물분야에서의 불란서등 일부 회원국의 강력한 반대에도 불구, EC 가 언제까지UR 협상실패의 주역으로 남아 있을수는 없으며, 일단은 협상을 타결한다는 정치적인 합의가 이루어진 상태라고 말함

2. 동 과장은 특히 지난주말 헤이그에서 개최된 EC 비공식 봉상장관회의에서 EC 집행위에 UR 협상관련 상당히 융통성있는 협상권한을 부여한 것은 상기 EC회원국 전체의 UR 협상에 대한 적극적인 입장을 반영하는 것이라고 전제하고, 이러한 새로운 협상권한 부여로 UR 협상은 새로운 국면으로 접어들게 될것으로 전망함. 또한 자신의 판단으로는 국내보조, 국경조치, 수출보조금등 분야에서 구체적인 감축숫자에 대하여도 대체적인 MANDATE 를 부여받았을 것으로 보이며, 이러한 EC 의 적극적인 입장에따라 DUNKEL GATT 총장의 COMPREHENSIVE FINAL PACKAGE 협상안이 11 월에 완성되고, 금년말까지 협상타결에 대한 정치적 결정이 이루어진후 92.1-2 월 중에는 협상이 종결될 것으로 전망함

3. 동과장은 여사한 EC 측의 UR 협상 타결노력을 위한 희생적이며, 적극적인 기여에 부영하여 여타 협상 참가국도 이에 상응한 노력이 필수적이며, 이러한

통상국   장관   차관   2차보   구주국   분석관   정와대   안기부   경기원
재무부   농수부   상공부

외신 2과 통제관 DE

0161

맥락에서 한국의 입장도 최소한의 유연성을 보여야 할것이라고 언급하고 EC 는 농민들을 희생하여야 하는 몹시 어려운 상황이며, 미국도 땅콩, 설탕및 낙농품 분야에서 예외없는 관세화를 받아들이기가 매우 어려울 것이나, 지금은 협상타결의 황금기회 (GOLDEN OPPORTUNITY) 을 살려가기 위해 모든 나라의 희생이 필요한 시기라는 점을 인식할때, 한국만이 관세화의 예외를 인정받는 것이 현실적으로 가능하겠느냐고 반문하였음. 이에대하여 김참사관은 아국 농업의 특수성과 어려움을 재삼 강조하고 EC 측의 이해와 지지를 촉구함. 끝

　　(대사 권동만-국장)

　　예고: 91.12.31. 까지

PAGE 2

0162

발 신 전 보

번 호 : WEC-0628   911016 1807 FO   종별 :   WGE -1645   WFR -2178

수 신 : 주 EC, 독, 불   대사. 총영사 (사본 : 주 제네바 대사)

발 신 : 장 관 (통 기)

제 목 : UR 협상

대 : ECW-809, FRW-2257

1.   10.11-12 헤이그에서 개최된 대호 EC 통상장관 비공식 회의에서 UR 협상 관련
     EC 집행위에 부여한 상당히 융통성 있는 협상 권한의 구체적 내용이 무엇인지
     파악 가능한대로 보고바람.

2.   10.21 개최될 예정인 EC 농업이사회는 UR/농산물 협상에 대한 EC의 향후 대책과
     관련하여 매우 중요한 회의가 될 것으로 보이는 바, 동 회의 결과 및 귀주재국
     평가등 관련사항을 가급적 상세 파악 보고바람.   끝.

(통상국장   김 용 규)

보안통제

앙고재	91년 10월 16일 통상국과	기안자 성명 농봉헌	과장 심의관	국장 전결		차관	장관

외신과통제

외 무 부

종 별 :

번 호 : FRW-2267
일 시 : 91 1016 1730

수 신 : 장관(봉기)

발 신 : 주 불 대사

제 목 : UR 협상

대:WFR-2178

1. EC 집행위에 대한 UR 협상권한 부여여부 관련, 주재국 외무성 및 경제 재무성 관계관으로 부터 확인 내용 아래 보고함.

가.10.11-12 헤이그 개최 봉상장관 비공식 회담에서는 전례에 따라 시장접근, 서비스교역등 현안사항 전반에 걸친 협의가 있었으나 EC 집행위에 새로운 협상 권한을 부여하는 결정을 내린바는 없음.

나. 또한 동 모임이 공식회담이 아닌 비공식협의인 점에 비추어 일부 언론보도와 같이 구체적인 사안에 대해 결정을 내릴 성격도 아니었음.

다.EC 의 협상 기본입장은 상금 변함이 없으며, UR 협상의 GLOBAL 성격에 비추어 협상 상대국의 BALANCED CONCESSION 없이 현단계에서 독자적인 추가양보와 EC 집행위 추가 협상권한 부여는 수락키 어려움.

2. 금번 회담에서는 상기와 같은 불정부의 부인에도 불구하고 EC 집행위에 대한 협상권한 부여문제가 어느정도 협의된 것으로 예상되며, 향후 동건을 위요한 불정부와 EC 집행위간 마찰이 계속될 것으로 보임.끝.

(대사 노영찬-국장)

예고:91.12.31. 까지

통상국   차관   2차보   구주국   외정실   분석관   청와대   안기부

PAGE 1
91.10.17   05:58

외신 2과 통제관 CF

0164

외 무 부

종   별 :

번   호 : GVW-2071   일   시 : 91 1021 1730

수   신 : 장 관(봉기,경기원,재무부,농림수산부,상공부,특허청)

발   신 : 주 제네바대사

제   목 : UR 협상관계기사 송부

하기 UR 협상 관계기사 별첨 송부함.

0 불란서, EC 의 농업 개혁 정책을 지지키로 함.

- 불란서 농무장관은 EC 농업이사회(10.21-22)시자국 입장을 설명할 예정.

- 상기 입장 변경은 UR 협상 타결 가능성을증대시킴.

0 EC 의 대두 및 농업개혁 정책을 지지키로 함.

- 불란서 농무장관은 EC 농업이사회(10.21-22)시자국 입장을 설명할 예정

- 상기 입장 변경은 UR 협상 타결 가능성을 증대시킴.

0 EC 의 대두 및 OILSEED 보조금 제도 개혁

- 갓트 패널에서 갓트 위반 판정을 받은 현제도의 개혁안에 대해 이번 EC 이사회에서논의할 것인바, EC의 CAP 개혁 의지에 대한 시금석이 될 것임.

첨부: 기사 2매

(GVW(F)-0432).끝

(대사 박수길-국장)

통상국   2차보   경기원   재무부   농수부   상공부   특허청

PAGE 1   91.10.22   08:12 WH

외신 1과   통제관

0165

FINANCIAL TIMES. (91. 10 .)

France changes tack on EC farm policy reforms

By William Dawkins in Paris

FRANCE gave qualified support to European Community farm policy reforms over the weekend, a sharp change in policy which gives hope of progress in the deadlocked talks on world trade reforms under the General Agreement on Tariffs and Trade.

The change in position, from one of the staunchest defenders of EC farm policy, comes in spite of violent protests from French farmers, who accuse the government of failing to defend their interests.

It also comes in the week after Germany's decision to back European Commission plans to curb farm subsidies and compensate farmers with direct income support, clearly increasing the pressure on France to accept some reform.

Farmers' demonstrations against the government continued over the weekend, causing President François Mitterrand to call a crisis meeting with the ministers responsible to consider a public order clamp-down. Tyres were burnt in front of some local government offices, tractors staged go-slows on motorways and visits by ministers were interrupted by protests.

Mr Louis Mermaz, agriculture minister, will explain the government's position to EC agriculture ministers in Luxembourg today and tomorrow.

"The time has come for France, with others, to make up a group of countries capable at European level of getting others to get reform of community agriculture policy moving," Mr Mermaz told a seminar at the weekend.

The EC must continue to be self-sufficient in food and be able to export, though without producing surpluses, he said, but "the laws of the market must not be the only brutal regulation for rural society".

Government officials added that France was ready to agree to price cuts so long as they were spread out over more than three years, there was clear compensation for loss of income, and any decline in the EC's share of world agricultural markets went to developing countries rather than the US.

The problem remained to persuade French farmers to change their traditional distaste for income support, which they suspect as the first step towards abandonment of public support for farming. Mr Mermaz is promising widespread consultations with the farmers at the end of this month.

France's conversion to farm policy reform, agreed by an interministerial committee late last week, appears to contain more qualifications than Germany's, subject to the details to be explained by Mr Mermaz today.

Even so, it could further increase the EC's negotiating flexibility in Gatt, where talks were halted last December by a deadlock among countries on farm subsidies.

ㄱ-ㄷ

0167

INTERNATIONAL HERALD TRIBUNE / 91. 10. 月 ( )

Soybeans: A Preview of EC Farm Debate

As U.S. Watches, Decision Provides a Test of the Community's 'Good Faith'

By Charles Goldsmith
International Herald Tribune

BRUSSELS — A discussion in Luxembourg on Monday over whether to shift European Community subsidies for soybeans and other oilseeds will be scrutinized as a preview of the EC's much-larger debate on reforming its costly farm program.

The Community is under pressure in the Uruguay Round of world trade negotiations to overhaul its controversial Common Agricultural Policy.

"Our ability to reach a decision on oilseeds is an important test of our good faith," a Community diplomat said of the meeting of EC agriculture ministers, which is expected to conclude in Luxembourg late on Tuesday. "The Americans will be watching to see how serious the Community is."

Proposed reform of the EC support system for oilseeds follows a February 1990 ruling by the General Agreement on Tariffs and Trade, which backed a U.S. complaint that the current EC support system is protectionist.

The American Soybean Association says EC subsidies cost U.S. farmers about $2 billion a year.

The EC Commission has proposed compensating oilseed farmers per hectare of land in cultivation, while the current system is based on guaranteed prices tied to how many tons of soybeans, rapeseeds and sunflower seeds are produced. The system also pays premiums to the oilseed crushers who use EC-grown products.

The complex Commission plan in effect requires farmers to make planting decisions based on current world market prices, rather than on an artificial system of price supports that automatically rewards increased oilseed production.

The crops involved are principally grown for their oil, while the crushed byproducts are used for animal feed.

The U.S.-EC dispute over oilseeds is legally distinct from the Uruguay Round, but officials say the central issues are similar.

"The oilseed matter chimes in with the Uruguay Round and also with CAP reform," said one negotiator. "It sort of straddles both issues."

The Commission's plan to reform the EC's massive Common Agricultural Policy calls for moving from production payments toward direct income support for farmers.

The United States and other major players in the Uruguay Round talks welcome such an approach, because it would reduce market-distorting export subsidies that lie at the heart of the Uruguay Round's deadlock.

"One of the main features of the CAP-reform plan is a move away from end-price supports to a payment per hectare, and that's what you also have with the oilseed reform proposal," said another EC official.

EC agriculture ministers earlier set an Oct. 31 deadline for reforming the oilseed-support system, but negotiators say an agreement this week is by no means certain.

"Some countries are finding it difficult to accept the fundamental shift of payments," said an official. "This may presage the eventual debate on the CAP."

France and Germany have voiced the loudest general reservations over the oilseed plan, while Italy says its farmers will lose out under a per-hectare plan because they grow two oilseed crops a year and can now double-dip into the CAP's generous subsidies.

■ Paris Seen Softening

France's long-awaited counterplan for reform of the European Community's farm policy may turn out to be a mere adaptation of the EC Commission's draft which Paris rejected only three months ago, Reuters reported from Paris.

French leaders are eager to move quickly on the reform of the Common Agricultural Policy and seem willing to drop their traditional fierce opposition to large subsidy cuts.

"Today, a proposal for a courageous reform will put us in a position to avoid being crushed by the Americans in the GATT talks," Agriculture Minister Louis Mermaz said on Saturday.

The EC proposal aims to shift the focus of the agriculture policy from price support to direct aid to farmers. It includes prices cuts of up to 35 percent for cereals, set-aside plans, a limit on intensive farming in beef, and quotas for sheep.

Over the weekend, Mr. Mermaz said the EC Commission's proposals were "an intelligent solution" for cutting surpluses without luring small and medium-sized farmers too much.

"I think the time has come, concerning the reform of the Common Agricultural Policy, for France to gather a group of countries within the European Community, likely to change the CAP for a fairer distribution of aid but also in order to be better armed to resist assaults from the United States in GATT talks," he said.

```
관리
번호  91-698
```

외 무 부

```
종   별 :
번   호 : FRW-2307                          일   시 : 91 1022 1830
수   신 : 장관(봉기)
발   신 : 주 불 대사
제   목 : EC 농업장관 회의
```

　　　　대:WFR-2178

　　　　연:FRW-2257

　　　10.21-22 간 룩셈부르크 개최 EC 농업장관 회의에서 LOUIS MERMAZ 불 농업장관은 91.7 EC 집행위의 공동 농업정책(CAP) 개혁안을 향후 협상의 기초로 할것임을 밝히고, 동 개혁안에 대한 자국의 수정안을 제출하였는 바, 주요내용 아래 보고함.

　　　1. 주요내용

　　　가. 곡물

　　　0 5 년에 걸친 점진적인 개입가격 인하와 이에 선행하여 문전가격을 조정함.(단, EC 집행위안이 인하폭을 35 프로로 명시한 것에 반해 불란서안은 인하폭을 구체화하지 않음)

　　　0 상기 각격인하에 따라 모든 경작지에 대해 헥타별로 대 농민 직접 완전보상 조치를 취함.

　　　0 EC 의 수입곡가는 EC 회원국 곡물이 계속 선호될수 있는 수준이어야 함.

　　　나. 휴경 보상제

　　　0 EC 집행위의 휴경 보상제를 지지하나 경작규모(실링)에 따른 보상방안은 반대하며, 휴경지를 산업등 비농업 용도로 전용될수 있도록 조장해야 함.

　　　다. 소고기

　　　0 소고기 지지가격을 내리는 대신 육우에 대한 사육 보상금(PRIME)의 조정을 통해 소고기 생산을 억제함.

　　　0 이와함께 수입억제 및 조방적인 사육 생산방식(EXTENSIVE PRODUCTION)을 통해 상기 조치를 강화해 나감.

　　　라. 우유

```
통상국   장관     차관    1차보    2차보    구주국    경제국    외정실    분석관
청와대   안기부
```

91.10.23   17:48
외신 2과 통제관 BW

0168

0 우유 생산쿼타의 감축 관련, EC 집행위의 사전 결정방식(3 년에 걸친 단계적 인하) 대신 시장 상황에 따라 쿼타량을 결정토록 함.

2. 평가

0 금번 불란서 제안은 세부내용에 있어 기존 EC 집행위안과 다소 상이한 점은 있으나, MERMAZ 장관 자신이 EC 안에 대한 대안(COUNTERPLAN)이 아니라 수정제의(SUBSTANTIAL AMENDMENTS)라고 명명할 정도로 기본개혁 방향이 유사하며 향후 이를 기초로 CAP 개혁논의가 가속화될 것으로 예상됨.

0 당초 EC 집행위안에 대해 반대입장을 표명한 불란서가 이와같은 제의를 하게된 배경은, 최근 CAP 에 대한 독일의 입장선회로 인해 EC 내 불란서의 외교적 수세 가능성은 물론 향후 본격적인 CAP 개혁논의가 불가피 해짐에 따라, 외부압력에 의해 피동적으로 CAP 개혁에 참여하기 보다는 자국입장이 충분히 반영될수 있는 적극적 자세로 전환하기 위한 것으로 보임.

0 한편 불측 제의는 CAP 를 기존의 가격 지원체제에서 소득 보상방식으로 점진적으로 전환하여 나가겠다는 내용인바, 전통적으로 소득보상제도에 소극적인불란서 농민의 반발이 거셀것으로 예상되며 이와관련 MERMAZ 장관은 10 월말 주요 농민단체에 대한 적극적인 설득노력을 전개할것으로 알려짐.

0 한편, 동 장관은 CAP 개혁에 따라 수반될수 있는 국제 농산물 시장에서 EC 점유율의 감소분은 개도국으로 돌아가야 할것임을 주장하여, 미국의 반사이익가능성을 배제코자 하는 불란서 입장을 시사함.

0 또한 동인은 금번 불란서의 제의가 EC 집행위의 UR 협상 권한 확대와는 관련이 없음을 강조하고 있으나, CAP 개혁논의가 활발해지면 EC 집행위의 UR 협상입장이 다소 유연해질수 있을 것으로 관측됨.

3. 상기 개혁논의 및 UR 협상관련 동향 추보함. 끝.

(대사 노영찬-국장)

예고:91.12.31. 까지

PAGE 2

외 무 부

종 별 :

번 호 : ECW-0857   일 시 : 91 1024 2000

수 신 : 장 관 (봉기, 경기원, 재무부, 농림수산부, 상공부)

발 신 : 주 EC 대사 사본: 주미(본부중계요), 주불, 제네바대사-직송필

제 목 : EC/농업 이사회 결과

연: ECW-0847

10.21-22 룩셈부르그에서 개최된 표제 이사회결과를 아래 보고함

1. EC/CAP 개혁

가. 동 이사회는 EC 집행위의 CAP 개혁방향 즉, 가격보조를 직접 소득보조로 전환한다는 원칙에 대하여 합의하였음. 그러나 모든 회원국이 집행위가 제시한 가격인하폭이 지나치게 크다는 입장을 보였음

나. 불란서는 당초 보조 가격인하에 반대하여 왔으나, 동 입장을 변경하는 대신아래와 같은 의견을 제시함

ㅇ 집행위 개혁안에 3년으로 되어 있는 개혁 이행기간을 5년으로 함

ㅇ 수입곡물 가격수준은 EC 곡물 우선 취급원칙이 유지될수 있는 정도의 고가격이 되어야 함

ㅇ 휴경보상 (SET-ASIDE) 계획과 관련하여 평균생산량등을 감안하여 충분한 소득보조금이 지급되어야 하며, 15프로 의무 휴경농가를 대상으로 한 소득보조 지급방침은조정되어야 함

ㅇ 낙농농가의 경우 55세이상 농민을 대상으로 하는 조기은퇴 연금제는 강제적으로 실시하며, 우유생산 쿼타는 시장상황을 고려하여 재조정 되어야 함

다. 영국, 독일은 불란서 입장을 지지하면서, CAP개혁은 대농이 국제경쟁에 적응하여 나갈수 있도록 가격인하 수준과 이행기간이 보완되어야 하며 소농에 대한 소득보조는 현행 농가소득 수준이 유지될수 있는 정도가 되어야 한다고 주장함

2. 갓트/UR 농산물 협상

가. 동 이사회에서는 UR 협상이 협상 전반에서 각국의 이해가 균형되게 반영된 결과를 도출하여야 할 것이라는 점에 의견을 같이 함. BUKMAN 이사회 의장은

통상국   2차보   경기원   재무부   농수부   상공부

PAGE 1   91.10.25   08:40 WH

외신 1과 통제관

0170

농산물협상에서 EC협상대표는 EC 의 이해를 적절히 반영할수 있는 정도의 협상 대응책을 갖고 있다고 함

　　나. MERMAZ 불란서 농무장관은 REBALANCING 은 반드시 반영되어야 한다고 주장하고, 미국도 협상에서 FLEXIBILITY 를 보여야 함에도 불구, 아직도 비타협적이며 WAIT AND SEE 전략을 사용하고 있다고 비난함. 한편, 모든 각료들은 DUNKEL이 그의 PAPER 에 REBALANCING 등 EC 의 입장을 고려하고 있지 않음을 우려함. 끝

　　(대사 권동만-국장)

외 무 부

종   별 :

번   호 : ECW-0979   일   시 : 91 1120 1800

수   신 : 장 관(봉기,경기원,재무부,농수산부,상공부)

발   신 : 주 EC 대사   사본: 주미대사(중계필),주제네바대사직송필

제   목 : EC 농업이사회

<u>11.18-19 개최된 EC 농업이사회</u>에서 UR협상에 관해 협의된 주요내용을 아래 보고함

1. 최근 협상동향에 관한 평가

가. 최근 미.EC 간 일부 분야별 협상에서의 진전을 긍정적으로 평가하나, 모든 주요 쟁점분야에서 EC 측의 이익이 충실히 반영되도록 하여야 함

나. 균형된 협상결과를 얻도록 하여야 하며, EC 가양보한 만큼 미국등 여타 협상국도 양보해야될것임

2. 주요사항별 협의내용

㉮ 수출보조금 감축

0 미.EC 간 의견접근을 보고있는 <u>5년간 35프로감축 수준에 대체적으로 동의함</u>

0 감축 <u>기준년도</u>에 대해서는 합의를 보지 못하였으며 집행위측에서는 89년도로 재지정하는안을 제시했으나, 불란서가 이를 반대함

0 <u>감축 산정방법</u>과 관련, EC 측은 예산지출액 기준방법을, 미측은 수출물량기준방법을 각각 선호하고 있으나 이 두가지 방법을 혼합한 방안을 강구토록 함

㉯ REBALANCING 문제

0 최종 협상결과에 EC 측의 REBALANCING 요구가 필히 반영되도록 하여야 함. 엄격한 REBALANCING협정의 조건으로 일정한 가변수입 부과금율을 정하여 징수하는 방안도 제시됨

0 집행위측은 CEREALS 의 수입규모를 현수준에서 동결함으로써 REBALANCING 문제를 해결하는 방안도 계속 강구토록 함

다. 기타문제

0 CAP 개혁의 일환으로 추진될 <u>소득보조금</u>은 반드시 GREEN BOX 에 포함되어야 함

0 <u>미국의 결손 보조장치</u>를 GREEN BOX 에 포함시키는것은 일단 반대토록 함

통상국   2차보   경기원   재무부   농수부   상공부

0 미국의 봉상법이 일방적으로 EC 에 적용될수 없도록 다자간 협상을 봉한
분쟁해결의원칙을 강조토록 함. 끝
    (대사 권동만-국장)

PAGE 2

0173

UR(우루과이라운드) 농산물 협상 관련 EC(구주공동체) 입장, 1990-92 417

외 무 부

종 별 :

번 호 : ECW-1106

일 시 : 91 1213 1730

수 신 : 장관 (봉기,봉이,경기원,농림수산부)

발 신 : 주 EC 대사   사본: 주미, 제네바-중계요망

제 목 : EC/CAP 개혁

12.11-12 개최된 EC 농업이사회에서 토의된 표제개혁 관련사항을 하기 보고함

1. 동 이사회는 집행위 개혁안 내용중 낙농제품, 쇠고기및 부수조치 (즉, 환경보전조치, 농민 조기연금제등) 에 대해 집중 논의한 결과, 부수조치에 대항는 대부분의 회원국들이 승인할 의사를 표명하였으나 낙농제품및 쇠고기분야에대한 개혁안에는 의견이 엇갈림

2. 쇠고기 분야

0 EC 쇠고기 재고량은 백만톤을 상회하고 있어, 지지가격 인하보다는 생산을 제한하는 방안과 단기적으로는 쇠고기 수입제한 방안 (수입상한선, 차등가격, 계절쿼타등) 이 검토되어야 함

0 특히 불란서, 아일랜드는 지지가격 인하에 강한 반대입장을 표명하고, 생산및 수입제한 조치와이에 따른 PREMIUMS 지급 방안이 보강되어야 할것이라는 입장을 표명함

3. 낙농제품 분야

0 지지가격 인하 필요성에는 대체적으로 공감하나 인하폭은 우유및 낙농제품의 시장가격 추이가 감안되어야 함

0 생산쿼타 감축과 지지가격 인하를 동시에 실시하는 것은 농가에대한 피해를 가중시키는 요인이 되므로 수락하기 어려움 (단, 덴마크, 폴루갈,영국은 예외)

4. 동 이사회후 BUKMAN 의장 (화란 농무장관)은동 개혁을 촉진하기 위해 크리스마스 이전에 별도이사회를 소집할 것이라고 말함. 끝

(대사 권동만-국장)

통상국   2차보   통상국   경기원   농수부

PAGE 1

91.12.14   09:28 WG

외신 1과 통제관

0174

외 무 부

종 별 :

번 호 : ECW-0129   일   시 : 92 0129 1830

수 신 : 장관 (봉기, 경기원, 농림수산부) 사본:주미, 제네바-중계망

발 신 : 주 EC 대사

제 목 : EC/농업이사회 결과보고

　1. 27-28 개최된 표제이사회는 CAP 개혁추진방안, GATT/UR 농 산물 협상문제등에 대하여 토의하였는바 결과 아래 보고함

　1. GATT/UR 농산물협상

　가. DUNKEL 협상안은 미국, 케언즈그룹등 농산물 수출국의 입장만이 반영되어 있으므로 수락불가하며, 동 협상안의 상당부분이 수정되어야 함. 동 협상안에서 수정이 필요한 분야는 GREEN BOX와 물량을 기준한 수출보조금 감축문제등임

　나. MERMAZ 불란서 농무장관은 REBALANCING 의 반영 필요성을 강조하면서, 관세만 사용하여 세계시장에서 EC 농산물이 경쟁 가능하려면 93-99 기간중 쇠고기 가격 25프로, 소맥가격은 40프로를 인하하여야 할뿐 아니라, CEREALS 수입은 3백만톤이 증가하는 한편, 동 수출량은 10백만톤 (30백만톤 에서 20백만톤)이 감소, 특히 소맥은 7백만톤 (20 에서 13백만톤), 쇠고기는 0.3백만톤의 수출감소가 불가피하게 되어 EC 농업상 경제적인 손실이 막대할 것이라고 주장함

　다. 한편, 불란서, 영국, 스페인, 폴부갈등 EC의 주요 바나나 생산국 (적도지방의 속령 포함)들은 바나나가 EC 농산물로 인정되어야 하며, 관세이외에 특별 보호조치가 필요할 것이라고 주장함

　2. CAP (공동농업정책) 개혁문제

　가. 동 이사회는 주요 ISSUE 는 집행위가 제출 (91.7)한 CAP 개혁안을 GATT/UR 농산물 협상진행과 별도로 토의할 것이냐 또는 UR협상결과가 도출될때까지 CAP 개혁안에 대한 논의를 유보하느냐 하는 문제였는바, 대다수회원국 (영국, 덴마크, 화란, 벨지움은 반대)들의 찬성으로 CAP 개혁과 UR 협상문제는 별개로 취급하며, CAP 개혁안에 대한 토의를 UR 협상진행과 관계없이 계속키로 합의함

　나. 한편, 동 이사회 의장인 CUNHA 폴부갈 농무장관은 FSFCK 회원국 수도를 방문

(handwritten left margin) 숫자차이 확인 (공32 5~6백만톤)

통상국   2차보   경기원   농수부

PAGE 1   92.01.30   09:27 WG

외신 1과   통제관

0175

협의한 내용을 기초로 하여, CAP 개혁안에 대한 NON-PAPER 를 이사회에 제출함. 요지는 아래와 같음

    0 CEREALS: 가격인하와 보상간의 적절한 비율이 설정되어야 하며, EC 농산물 우선 취급원칙의 준수가 필요함

    0 엽연초: 생산쿼타제는 점진적으로 실시함

    0 우유:

    - 가격인하시 사료가격등 생산비 인하 요소를 고려함

    - 버터와 탈지분유의 상대가격 설정문제에 대한 토의 필요함

    - 시장여건 변화, 지역여건등을 감안한 생산쿼타관리 체계를 설정함

    0 쇠고기: 시장균형 유지와 다른 축산물과의 상관관계를 충분히 감안한 개혁방향이 설정되어야 함

    0 기타 농업환경보전, 농민조기연금제등 부수조치:

    - 이러한 조치들은 의무적으로 실시토록 해야하되, 지역여건등이 고려되어야 함

    다. 상기 이사회 의장의 NON-PAPER 에 대해 대부분의 회원국들은 문제점만 제시하고, 해결방안이 없다는 점을 지적한바 CUNHA의장은 2.17-18 차기 이사회에 보다 구체적인 타협안을 제출하겠다고 말함

    3. EC/농업생산자 단체의 동향

    0 1.27. EC 의 농민단체인 COPA, COGECA 및 CEJA 는 CUNHA 농업이사회 의장등 회원국의 농업각료와 BORGO 구주의회 농업위원회 의장참석하에 특별총회를 개최함

    0 동 총회에서는 집행위의 CAP 개혁안을 재검토하고, DUNKEL 총장의 GATT/UR 농산물 협상안을 거부하여 줄것을 요청하는 건의안을 채택함. 끝

    (대사 권동만-국장)

외 무 부

종   별 : -

번   호 : ECW-0306   일   시 : 92 0305 1700

수   신 : 장 관 (봉삼,봉기,경기원,농수산부)사본:주제네바대사-직송필

발   신 : 주 EC 대사대리

제   목 : EC/CAP 개혁

. 3.2-4 개최된 EC 농업이사회는 CUNHA 의장이 새로 제출한 CAP 개혁에 대한 WORKING PAPER에 대해 협의한바 결과 아래 보고함

1. 의장 WORKING PAPER 의 주요내용과 회원국반응

가. 동 PAPER 의 취지는 집행위 개혁안에 수정을 가하여 합의를 유도하는데 있다고 밝힌바, 영국, 벨지움, 화란, 이태리가 지지가격을 대폭인하하고 소득보조 제도를 도입한다는 기본방침 조차합의가 이루어지지 않았음을 지적하면서 강하게 반대함

나. CEREALS 분야

0 지지가격을 3년동안 35프로 인하하는 대신에 30프로 (93/94-135, 94/95-120, 95/96-105 ECU/톤) 로 하향 조정하고, 소득손실 보상액도 각각 15, 30 및 45ECU/톤 으로 조정할 것을 제시함

0 대부분의 회원국들은 아직도 가격 인하율이 너무높다는 점을 지적 (영국은 제외) 하고, SET-ASIDE 면적에 관계없이 모든 농가가 소득손실 보조를 받을수 있도록 조정 할 것을 요구 (특히 영국, 덴마크) 하였으며, 한편 이에따른 예산부담 증가에는 우려를 표시함

0 한편, 소득손실 보상액 수준을 산정함에 있어 개개 농가단위보다 지역별로 산정 할 것을 제시한바, 대부분의 회원국들이 환영하였음

다. 쇠고기등 축산물 분야

0 쇠고기 가격이 하락하는 경우 시장에 개입하는 요건을 변경 (시장가격이 개입가 격의 78프로 이하 -50프로 이하인 경우) 한다는 의장안에 대해 대부분 회원국들이찬 성하였으나, 개입가격 인하율이 너무 높다고 지적함. 또한 두당 생산보상금을 3년간 분할 지급하는 대신에 특정한 1개년에 한하여 두당 120ECU 만을 지급한다는 제의에 대해서는 환영함

통상국   2차보   통상국   경기원   농수부

0 양고기의 경우, 회원국들은 EXTENSIVE FARMING 촉진을 위해 지급토록 되어있는 보상금지급 요건을 완화할 것을 요구함

다. MILK

0 집행위안대로 생산쿼타 4프로 감축하고, 가격은 10프로 인하하되, 생산쿼타 감축분중 1프로 해당량에 대해서는 회원국이 감축여부를 결정하자는 의장안에 대해서는 찬성함. 그러나 스페인, 그리스, 이태리에 대해 특별 고려한다는 의장안에 대해서는 적극적인 지지를 받지 못함

2. CAP 개혁과 UR 협상 연계문제

가. 지난 1월 농업이사회는 UR 협상 추진에 관계없이 CAP 개혁 논의를 계속키로 결정한바 있으나 금반 이사회에서 영국, 덴마크, 네델란드가 UR 협상이 종료되기 이전에 CAP 개혁내용을 확정하는 것에 강한 반대의견을 제기한 결과, 금반 이사회에서도 CAP 개혁에 대한 협의가 활발히 전개되지 못함

나. 동건에 대한 방침은 차기 이사회 (3.30-31) 에서 재론키로 하였으나, 관계관들은 UR 협상에서 합의가 이루어지기 전에 회원국간에 CAP개혁에 대한 실질적인 결론이 도출되기는 어려울 것으로 전망하고 있음

3. 집행위의 입장

가. EC 집행위는 92/93 농산물가격 PACKAGE 에 대해 3.31 이전에 합의되어야 하며, UR 협상을 CAP 개혁추진과 별개로 추진하여야 UR 협상에 탄력적으로 대처할수 있다는 점등을 고려하여 농업이사회가 CAP 개혁문제를 조속히 추진하여 줄것을 희망하고 있음

나. 한편, 의장 PAPER 와 이에 대한 회원국들의 반응에 대해 MAC SHARRY 집행위원은 CAP 개혁의 기본골격을 지지가격의 대폭인하와 농민에 대한 보조방법의 전환, 생산억제 및 농업환경 보전문제가 감안된 내용이 되어야 할 것임을 지적하고, 개혁방안 시행에 수반되는 예산제약 문제도 충분히 고려하여야 할 것이라고 언급함. 끝

(공사 정의용-국장)

외교문서 비밀해제: 우루과이라운드2 16

우루과이라운드 농산물 협상 6

초판인쇄 2024년 03월 15일
초판발행 2024년 03월 15일

지은이 한국학술정보(주)
펴낸이 채종준
펴낸곳 한국학술정보(주)
주 소 경기도 파주시 회동길 230(문발동)
전 화 031-908-3181(대표)
팩 스 031-908-3189
홈페이지 http://ebook.kstudy.com
E-mail 출판사업부 publish@kstudy.com
등 록 제일산-115호(2000. 6. 19)

ISBN 979-11-7217-118-6 94340
        979-11-7217-102-5 94340 (set)